Catherine Ryan Hyde

Ich bleibe hier

Das Buch

Der ehemalige Broadway-Tänzer Billy Shine leidet an Agoraphobie und hat seit fast einem Jahrzehnt keinen Fuß mehr vor die Tür seines Appartements gesetzt. Seine Nachbarn sind die attraktive Nagelpflegerin Rayleen, die einsame alte Mrs Hinman, der engstirnige und übellaunige Mr Lafferty, der gutherzige Felipe und die neunjährige Grace – und ihre mit der Drogensucht kämpfende Mutter Eileen.

Billy hat nur kurze Blicke auf sie erhascht – aber die meisten von ihnen haben ihn nie gesehen. Doch dann sieht er Grace täglich stundenlang auf der Vordertreppe des Gebäudes sitzen, in unmittelbarer Nähe zu seiner Veranda. Durch diese Änderung der natürlichen Ordnung beunruhigt, schafft Billy es weit genug hinaus, um Grace zu fragen, warum sie nicht ins Haus geht, wo es sicherer ist. Ihre Antwort: »Wenn ich drinnen bin, erfährt keiner, dass ich in Schwierigkeiten bin. Und dann kann mir niemand helfen.«

Diese Antwort ändert alles.

Die Autorin

Die mehrfach ausgezeichnete amerikanische Autorin Catherine Ryan Hyde hat über 24 Bücher veröffentlicht. »Heimweh« ist nach »Das Wunder der Unschuld« und »Nur wer die Liebe kennt« ihr dritter ins Deutsche übersetzter Titel.

Ihr bekanntester Roman »Das Wunder der Unschuld« wurde von der American Library Association für deren »Best Books for Young Adults«-Liste ausgewählt, in mehr als 23 Sprachen für den Verkauf in über 30 Ländern übersetzt und unter dem Titel »Das Glücksprinzip« mit Kevin Spacey und Helen Hunt verfilmt.

Neben dem Schreiben hat Catherine Ryan Hyde in den vergangenen Jahren viele Vorträge gehalten. Sie gehörte zum Kreis der Referenten bei der National Conference on Education an der Cornell University, und stand drei Mal zusammen mit Bill Clinton als Rednerin auf dem Podium. Als »Das Glücksprinzip« im Weißen Haus gezeigt wurde, gehörte sie zu den geladenen Gästen.

CATHERINE
RYAN HYDE

Ich bleibe hier

Roman

Übersetzt von Marion Plath

Die Originalausgabe erschien 2012 unter dem Titel
»Don't let me go« im Selbstverlag.

Deutsche Erstveröffentlichung bei
AmazonCrossing, Amazon E.U. Sárl
5 Rue Plaetis, L-2338, Luxembourg
November 2014

Umschlaggestaltung: bürosüd° München, www.buerosued.de
Lektorat: Joern Rauser
Satz: Satzbüro Peters
Printed in Germany
by Amazon Distribution GmbH
Amazonstraße 1
04347 Leipzig, Germany

ISBN: 978-1-477-84932-3

www.amazon.com/crossing

Billy

Immer wenn Billy am Nachmittag durch die Glasscheiben seiner Verandatür schaute, sah er, wie sich der hässliche graue Winterhimmel mehr und mehr verdunkelte. Jedes Mal war es ein merklicher Unterschied. Dann lachte er und rügte sich selbst, indem er sagte: »Was haben wir uns denn vorgestellt, Billy Boy? Dass der Sonnenuntergang seine Meinung ändert und nur an diesem einen Abend mit der Tradition bricht?«

Er sah wieder hinaus und versteckte sich dabei hinter dem Vorhang, den er um sich wickelte, als er sich gegen die Scheibe lehnte.

Das kleine Mädchen war immer noch dort.

»Wir wissen, was das bedeutet«, sagte er. »Oder?«

Aber er gab sich keine Antwort. Weil er es wusste. Also gab es wirklich keinen Grund, diese Debatte zu Tode zu reiten.

Er zog seinen alten Flanell-Bademantel über den Pyjama und hüllte ihn zu eng um seine spindeldürre Gestalt, dann band er ihn mit einem Seil zusammen, das schon seit vielen Jahren den ursprünglichen Gürtel seines Bademantels ersetzte.

Ja.

Billy Shine war bereit hinauszugehen.

Jedoch nicht durch die Tür seines Appartements und hinaus auf die Straße. Etwas dermaßen Radikales würde er nicht tun. Doch er würde auf seine kleine Veranda im ersten Stock treten bzw. auf seinen Balkon – oder wie auch immer man dieses kleine Stück Grundbesitz in Briefmarkengröße nennen sollte, das mit zwei rostigen Gartenstühlen geschmückt war.

Zunächst sah er noch einmal hinaus, als erwartete er, dort den Aufzug eines Sturms, eines Krieges oder eine Invasion von Außerirdischen zu sehen. Irgendeine höhere Gewalt, die rechtfertigen würde, dass er seinen Plan nicht durchziehen konnte. Aber er sah nur, dass die Dunkelheit ein winziges bisschen zugenommen hatte, was kaum eine Überraschung war.

Er löste den Besenstiel, der als improvisierter Einbrecherschutz an seiner Glasschiebetür diente, aus seiner Verkeilung, wobei seine Finger mit Staub und Flusen bedeckt wurden. Der Besenstiel war seit einer Ewigkeit nicht von der Stelle genommen worden, was Billy etwas beschämte, denn er hielt viel auf Sauberkeit.

»Nicht vergessen«, sagte er laut, »alles saubermachen. Selbst wenn wir etwas in absehbarer Zeit möglicherweise nicht benutzen. Einzig und allein aus Prinzip.«

Dann schob er die Tür nur einen winzigen Spalt auf und nahm, als er die kalte Außenluft spürte, einen tiefen Atemzug.

Das kleine Mädchen schaute auf und dann wieder zu seinen Füßen hinunter.

Ihre Haare wirkten schon fast auf komische Weise zersaust, als hätte sie sie seit einer Woche nicht mehr gebürstet. Ihre blaue Strickjacke war falsch zugeknöpft. Sie konnte nicht mehr als neun oder zehn Jahre alt sein. Sie saß auf einer Stufe, hatte die Arme um ihre Knie geschlungen und schaukelte vor und zurück, während sie auf ihre Schuhe starrte.

Er hatte zwar etwas mehr von ihr erwartet, eine dramatischere Reaktion auf seine Anwesenheit, doch konnte er nicht genau sagen, wie er sich diese Reaktion vorgestellt hatte.

»Einen wunderschönen guten Abend«, sagte er.

»Hi«, sagte sie mit einer Stimme, die wie ein Sopran-Nebelhorn klang.

Die Lautstärke erschreckte ihn, und beinahe hätte er den Stuhl umgekippt.

Obwohl er sich nicht gerade mit Kindern auskannte, nahm Billy an, dass ein dermaßen deprimiert aussehendes Mädchen in einer kaum hörbaren Lautstärke sprechen sollte. Tatsächlich aber hatte er die Stimme dieses kleinen Mädchens schon viele Male durch die Wände hindurch gehört. Sie lebte in der Souterrainwohnung mit ihrer Mutter zusammen. Viel zu oft hatte er sie gehört. Und niemals hatte sie leise geklungen. Trotzdem, irgendwie hatte er von ihr erwartet, dass sie dieses eine Mal vielleicht eine Ausnahme machte.

»Sind Sie mein Nachbar?«, fragte sie in derselben Lautstärke wie zuvor, aber jetzt war er darauf vorbereitet.

»Es hat ganz den Anschein«, antwortete er.

»Wie kommt es dann, dass ich Sie noch nie getroffen habe?«

»Du triffst mich doch jetzt. Nimm, was du in diesem Leben bekommen kannst.«

»Sie reden ulkig.«

»Du redest laut.«

»Ja, das sagen alle. Sagen andere Leute auch, dass Sie ulkig reden?«

»Nicht, dass ich mich erinnern könnte«, sagte Billy. »Andererseits spreche ich nicht mit ausreichend vielen Leuten, um einen unverfälschten Konsensus zu erhalten.«

»Na, Sie können es mir glauben. Es ist eine komische Art zu reden, besonders mit einem Kind. Wie heißen Sie?«

»Billy Shine. Wie heißt du?«

»Schein? Kommt das von *scheinen*, so wie die Sterne scheinen?«

»Hm, ja, so ungefähr.«

»Wie haben Sie einen Namen wie Billy Schein bekommen?«

»Wie hast du deinen Namen bekommen? Den du mir übrigens immer noch nicht mitgeteilt hast.«

»Oh, mein Name ist Grace. Und ich habe ihn von meiner Mutter.«

»Nun, ich habe den Namen Billy Shine nicht von meiner Mutter. Von meiner Mutter hatte ich den Namen Donald Feldman bekommen, also habe ich ihn geändert.«

»Warum?«

»Weil ich im Showbusiness war. Ich brauchte einen Tänzernamen.«

»Und Donald Feldman ist kein Tänzername?«

»Nein, kein bisschen.«

»Wie findet man heraus, was ein Tänzername ist und was nicht?«

»Man weiß es in seinem Herzen. Aber jetzt hör mal zu. Wir können die ganze Nacht hier sitzen und unseren charmanten Austausch weiter fortsetzen. Aber ich bin eigentlich hier, um dich zu fragen, warum du überhaupt so ganz allein hier draußen sitzt.«

»Ich bin nicht ganz allein«, sagte sie. »Ich bin mit Ihnen hier draußen.«

»Es ist fast dunkel.«

Sie bewegte sich zum ersten Mal, seit er rausgekommen war, und schaute nach oben, als wollte sie seine Aussage prüfen.

»Ja,« sagte sie, »es ist dunkel. Also sind Sie jetzt nicht mehr im Showbusiness?«

»Nein. Nein, überhaupt nicht mehr. Ich bin jetzt in gar keinem Business.«

»Mochten Sie es nicht, Tänzer zu sein?«

»Ich habe das Tanzen geliebt, ich war verrückt danach. Tanzen war meine Welt. Ich habe auch gesungen und geschauspielert.«

»Warum haben Sie dann aufgehört?«

»Ich war einfach nicht dafür geschaffen.«

»Sie waren nicht gut?«

»Ich war sogar sehr gut.«

»Wofür waren Sie dann nicht geschaffen?«

Billy seufzte. Er war hier herausgekommen, um Fragen zu stellen und nicht, um welche zu beantworten. Trotzdem war es so natürlich, so unausweichlich erschienen, als sich die Rollen verteilt hatten. Tatsächlich fragte er sich sogar, wie er je geglaubt haben konnte, der Erwachsene in dieser – oder in irgendeiner anderen – Unterhaltung sein zu können. Nur gutes Schauspieltalent, vielleicht. Aber wer wusste überhaupt, ob es dieses Talent heute noch gab? Denn schließlich: Wer rastet, der rostet.

»Für alles«, sagte er. »Ich war für nichts geschaffen. Das Leben. Das Leben ist etwas, für das ich nicht geschaffen bin.«

»Aber Sie sind am Leben.«

»Am Rande, ja.«

»Also sind Sie dafür geschaffen.«

»Aber nicht … gut. Ich liefere keinen brauchbaren Auftritt. Gott sei Dank sind die Kritiker zu verheißungsvolleren Gefilden aufgebrochen, und das keinen Augenblick zu früh. Könntest du reingehen, wenn du es versuchen würdest? Ich meine, wenn du es müsstest?«

»Klar. Ich habe den Schlüssel hier.«

Sie hielt einen glänzenden, neu aussehenden Schlüssel, der an einem Band um ihren Hals baumelte, hoch, damit er ihn sehen konnte. Es begann zu dämmern und ein Lichtstrahl von der Straßenlampe, die gerade angegangen war, fiel auf das Metall und wurde reflektiert. Ein Miniaturblitz funkelte vor Billys Augen auf.

Glanz, dachte Billy. Ich erinnere mich an das Konzept.

»Es fällt mir ein bisschen schwer zu verstehen, warum jemand draußen sein will, wenn er genauso gut drinnen sein könnte«, sagte er.

»Gehen Sie denn nie raus?«

O Gott, dachte Billy. Jetzt geht das wieder los. Es war einfach nicht möglich, die Unterhaltung im Griff zu behalten.

»Nicht, wenn ich es verhindern kann. Hast du denn überhaupt keine Angst?«

»Nicht, wenn ich so nahe an meiner Wohnung bleibe.«

»Nun, ich habe Angst. Ich schaue hinaus und sehe dich ganz allein hier draußen, und ich habe Angst. Selbst wenn du keine hast. Also kann ich dich vielleicht dazu überreden, mir einen Gefallen zu tun. Könntest du reingehen, damit ich keine Angst mehr um dich haben muss?«

Das kleine Mädchen seufzte tief. Dramatisch. Ein Kind ganz nach Billys Herzen.

»Oh, okay. Ich wollte sowieso nur hier draußen bleiben, bis die Straßenlampen angehen.«

Und sie stapfte die Stufen hoch und verschwand im Haus.

»Na toll«, sagte Billy laut zu sich selbst, »hätte ich das gewusst, hätte ich mir einiges an Ehrlichkeit ersparen können.«

•••

In dieser Nacht schlief Billy sehr schlecht. Er konnte nicht mit Sicherheit sagen, ob die unruhige Nacht auf das Verlassen seiner Wohnung zurückzuführen war, aber es schien doch einigermaßen plausibel, dass diese gewaltige, unaussprechliche Tat damit zu tun hatte. Zumindest konnte er die Schuld darauf schieben, was besser war als gar nichts.

Wenn er in Schlaf sank, meist jeweils nur für ein paar Minuten, spürte er das Flattern der Flügel. Es war ein immer wiederkehrender Traum, Halbtraum oder eine Illusion. Oder eine Halluzination. Je mehr ihm das Leben an einem bestimmten Tag zusetzte, desto heftiger schlugen in seinem Schlaf die Flügel.

Die Flügel neigten dazu, ihn aus dem Schlaf aufschrecken zu lassen.

Ein bis zwei Stunden, nachdem die Sonne aufgegangen war, schlief er schließlich wirklich ein. Und als er später endlich wieder aufwachte, sich streckte und aufstand – denn man sollte diese delikaten Dinge nicht übereilen –, war es bereits nach halb vier am Nachmittag.

Er stand auf und band seine Haare wie üblich zu einem langen, dünnen Pferdeschwanz zusammen. Dann lehnte er sich über das Waschbecken und rasierte sich, allerdings ganz nach Gefühl, teils mit geschlossenen Augen, teils mit dem Blick auf das nackte Holz des Spiegelschranks geheftet. Er tat so, als wäre dort ein Spiegel, wie das bei Spiegelschränken so üblich ist und in der Vergangenheit wahrscheinlich auch einmal der Fall gewesen war.

Er machte Kaffee und hörte noch immer entfernt das Rascheln der Flügel in seinem Kopf. Es war eine Art Spuk – kein makabrer Spuk, aber dennoch ein Spuk.

Er öffnete den Kühlschrank und erinnerte sich daran, dass er keine Sahne mehr hatte. Und seine nächste Lebensmittellieferung würde erst am Donnerstag kommen.

Er kippte drei Löffel Zucker in seinen schwarzen Kaffee, rührte ohne Begeisterung um und ging mit der Tasse in der Hand zu seiner Verandatür. Er zog den Vorhang zurück, um sehen zu können, wo das kleine Mädchen am vorherigen Abend gesessen hatte. Vielleicht war sie nur ein Traum gewesen oder eine Vision, wie das Schlagen der Flügel, bloß lauter.

Sie war noch da. Offensichtlich war es also keine Vision gewesen.

Nun, aber sicher nicht *noch*, sagte er zu sich selbst und korrigierte innerlich sein eigenes Denken. Sie hatte im Haus geschlafen. Natürlich. Sie musste *wieder* dort draußen sein. Ja, wieder. Dieser Gedanke fühlte sich zumindest etwas weniger beunruhigend an.

Er sah in einiger Entfernung die alte Mrs Hinman, die im obersten Stockwerk seines Gebäudes wohnte und gerade nach Hause kam.

»Gut«, sagte Billy laut flüsternd, »sag ihr, dass sie reingehen soll.«

Die alte Frau bewegte sich in einem langsamen, aber entschiedenen Watschelgang und hielt die Einkaufstüte, aus der der Hals einer Rotweinflasche herausragte, fest in der Hand. Es war immer eine Flasche dabei, wie Billy bemerkt hatte, und immer ragte sie aus der Tüte heraus. Allerdings nur eine Flasche, also trank sie nicht sehr viel. Machte sie Werbung für den Wein? Oder, das schien Billy wahrscheinlicher, hielt sie die Flasche in Griffnähe, um sie gegebenenfalls als Waffe benutzen zu können?

Noch vor zwölf Jahren war dies ein anständiges Arbeiterviertel gewesen, und Billy konnte dies nicht vergessen. Er konnte von dieser Beobachtung nicht lassen. In einem Teil seines Inneren fühlte er, dass er mittlerweile mit der Situation vertraut sein sollte, aber es war nun mal eine Gewohnheit. Und Gewohnheiten zu durchbrechen gehörte nicht zu Billys Stärken.

Weil er wissen wollte, was Mrs Hinman bezüglich des Mädchens tun würde – falls sie überhaupt etwas tun würde –, öffnete Billy so leise wie möglich die Schiebetür und nahm mit der

Kaffeetasse in der Hand eine sichere Position hinter dem Vorhang ein, um das Geschehen zu beobachten.

Sein Herz hämmerte, aber er war sich nicht sicher, weshalb. Andererseits, in welcher Situation war er sich überhaupt hinsichtlich irgendeiner Sache sicher?

Die alte Frau hielt am Fuß der grauen Betontreppe an und sah zu dem Kind hinauf, das mit einem billig aussehenden elektronischen Gerät spielte. Sie fand nicht sofort Grace' Aufmerksamkeit. Aber nach einem kurzen Moment verzog das Mädchen das Gesicht, als ob sie das Spiel sowieso gerade verloren hätte und begegnete Mrs Hinmans Blick.

»Hallo«, sagte Mrs Hinman.

»Hi«, sagte das Mädchen zurück. Wieder diese Stimme. Sie hatte eine Stimme, mit der sie bestimmt auch Glas zerschneiden konnte.

»Wo ist deine Mutter?«

»Im Haus.«

»Warum bist du ganz allein hier draußen?«

»Weil meine Mutter drinnen ist.«

»Meinst du nicht, dass das gefährlich ist? Das ist keine gute Nachbarschaft hier. Was, wenn ein böser Mann kommt?«

»Dann würde ich ins Haus rennen und die Tür abschließen.«

»Aber vielleicht könnte er schneller rennen als du.«

»Aber ich bin näher an der Tür als er.«

»Ich nehme an, da hast du recht. Trotzdem, es macht mir Sorgen. Was macht denn deine Mutter im Haus, das so wichtig ist?«

»Sie schläft.«

»Um vier Uhr nachmittags?«

»Ich weiß nicht«, sagte das Mädchen, »wie spät ist es?«

»Es ist vier Uhr nachmittags.«

»Dann ja.«

Mrs Hinman seufzte und schüttelte den Kopf. Sie begab sich auf ihren Weg die Stufen hinauf, als besteige sie einen Berg, eine offensichtlich schwierige Stufe nach der anderen, und verschwand aus Billys Blickfeld. Er hörte sie durch die Vordertür in die Eingangshalle kommen.

Und das kleine Mädchen war immer noch draußen.

•••

Kurz darauf spülte Billy seine Kaffeetasse ab, nachdem er den größten Teil der Brühe in die Spüle geschüttet hatte.

»Nur ein Barbar trinkt schwarzen Kaffee«, sagte er zu sich, »und auf uns mag einiges zutreffen, das streiten wir nicht ab, aber wir sind kein Barbar.«

Vielleicht würde er sich später eine Tasse Tee machen, um das Koffein zu ersetzen, an das sein Körper gewöhnt war. Aber als er im Kühlschrank nachsah, fand er heraus, dass er keine Zitrone hatte. Und nur ein Barbar trinkt Tee ohne Zitrone, dachte Billy.

Billy hörte ein Hämmern an der Tür der Souterrainwohnung, in der das kleine Mädchen mit seiner Mutter wohnte.

Er wartete in der Stille ab, ob die Mutter antwortete, aber nichts tat sich in der Wohnung unter seiner – zumindest konnte er nichts hören.

Ein wesentlich lauteres Gehämmer als zuvor schreckte ihn auf und sein Herz pochte heftig. Es war die Art von Gehämmer, die man hörte, bevor die Polizei eine Tür eintrat.

Stille.

Vielleicht war die Mutter gar nicht zu Hause. Vielleicht war das kleine Mädchen in der Kunst unterrichtet worden, Ausreden zu erfinden für ihre Mutter, die arbeitete oder mit Männern um die Häuser zog. Es schien unbegreiflich, aber Billy wusste, dass dies heutzutage ganz selbstverständlich war. Eine Mutter zu sein bedeutete heute nicht mehr dasselbe wie früher.

Andererseits, was bedeutete schon dasselbe wie früher?

•••

Und noch etwas Ungewöhnliches geschah an diesem Tag.

Nur ein paar Minuten nach dem Gehämmere vernahm Billy das Murmeln von Stimmen im Treppenhaus. An sich nichts Besonderes, weshalb sich Billy nicht die Mühe machte zuzuhören.

Es klang nach den Stimmen von Mrs Hinman und Rayleen, der großen, schönen afroamerikanischen Frau, die ihm direkt gegenüber wohnte. Die Frau, die Billy manchmal durch die Scheibe bewunderte, denn sie hatte Stil und war gut gekleidet. Sie wirkte immer traurig, diese Rayleen. Billy war der Meinung, dass das Verlangen nach Glück auf der eigenen Wunschliste des Lebens zu viel verlangt war. In der realen Welt musste man sich mit Stil und einem guten Aussehen zufriedengeben.

Sein Motto war: »Nimm, was du in diesem Leben bekommen kannst.« Ganz so, wie er es dem kleinen Mädchen geraten hatte. Er hätte es auch anderen Leuten gesagt, hätte er andere Leute gekannt.

Die Stimmen draußen wurden plötzlich lauter.

Rayleen sagte, nein, sie schrie, und zwar aufgeregt: »Rufen Sie wegen des armen kleinen Mädchens nicht das Jugendamt! Versprechen Sie, dass Sie das nicht tun! Versprechen Sie es!«

Mrs Hinman, offenbar ebenfalls aufgebracht, weil man sie anschrie, hob die Stimme und sagte: »Also, was wäre denn daran so falsch? Dafür sind diese Ämter doch da!«

Billy schlich sich näher heran und presste sein Ohr gegen die Tür.

»Wenn Sie dieses arme Mädchen wirklich so sehr hassen«, rief Rayleen, noch immer außer sich, »dann … können Sie es ebenso gut erschießen. Ich schwöre, das wäre tausend Mal humaner als eine Pflegeunterbringung.«

»Also, warum in aller Welt sagen Sie sowas?«, fragte Mrs Hinman.

»Weil ich es weiß«, sagte Rayleen, »weil ich solche Sachen kenne. Sachen, die Sie nicht kennen und niemals kennenlernen müssen. Seien Sie froh drüber.«

»Sind Sie eine Sozialarbeiterin?«, fragte Mrs Hinman.

Rayleen schnaubte und sagte: »Nein, ich bin keine Sozialarbeiterin. Ich arbeite – wie Sie wissen – als Nagelpflegerin, im Haar- und Nagelstudio hier in der Nähe.«

»Oh. Ja, natürlich. Natürlich weiß ich das, ich hatte es nur gerade vergessen.«

Frustrierenderweise entfernten sich die beiden Frauen jetzt in Richtung Treppe, und obwohl sie sich weiter unterhielten, kamen ihre Stimmen nun nur noch als ein gedämpftes Geräusch durch Billys Tür.

•••

Fast zwei Stunden später blickte Billy durch seine Glastür hinaus in den grauen Wintertag, um zu sehen, ob das Mädchen noch da war.

Sie war noch da.

Er hätte früher nachsehen können. Er hatte auch daran gedacht, früher nachzusehen. Aber er hatte geahnt, dass sie noch da sein würde, und er wusste, das würde ihn beunruhigen.

Im Geist machte er sich eine Notiz, sie ein zweites Mal zu fragen, warum sie nicht ins Haus ginge – falls er jemals den Mut dazu aufbringen könnte.

Grace

Daran gab es keinen Zweifel: Curtis Schoenfeld war ein riesiger Blödmann. Grace hatte das schon lange gewusst, und deshalb verstand sie auch nicht, warum sie ihm überhaupt zugehört hatte und warum das, was er gesagt hatte, sie verletzen konnte.

Warum hatte sie ihm eigentlich geglaubt?

Irgendwie hatte sie ihm aber geglaubt, und genau das war das Problem.

Manchmal kann dich der liebste Mensch auf der Welt anschreien und deine Gefühle verletzen, einfach nur weil du zu viel geredet hast, als er nachdenken wollte, dachte Grace. Blödmänner sind genau das Gegenteil davon, vermutete Grace, denn von Zeit zu Zeit öffnen sie ihre blöde Klappe und sagen etwas richtig Gemeines, das sogar wahr sein könnte.

Es war bei der Versammlung am Samstagabend passiert, dem Meeting in der Kirche. Das heißt, nicht direkt in der Kirche, also war es nichts Religiöses. Das Meeting hatte in dem Raum stattgefunden, wo sie Suchtseminare hatten und Potlucks und so weiter, und Sonntagsschule, aber dies war ein Samstag gewesen.

Manche Leute nannten diese Veranstaltung sogar Kindermeeting, denn viele der Leute waren neu in dem Programm, und Babysitter kosten Geld. Also brachten die Leute ihre Kinder mit. Und es war ein sehr großer, sehr langer Raum, sodass die Leute auf der einen Seite sitzen konnten, wo sie ihr Meeting abhielten und die Kinder auf der anderen Seite, wo sie einfach Kinder waren.

Die Kinder mussten leise sein, die Leute vom Meeting nicht.

Dieser Mann, der so viel fluchte, sprach gerade. Er war einer von den Leuten, die Grace nicht mochte. Er schien auf alles eine Wut zu haben, und wenn er einen sah, schien er bereits wütend auf einen zu sein, auch wenn er einen noch gar nicht kannte. Ständig fluchte er, und häufig kam ein Wort aus seinem Mund, das Grace nicht aussprechen wollte – es begann mit F.

»Also wirklich«, hatte sie sich einmal bei ihrer Mutter beschwert, »ständig dieses Wort, kennt er keine anderen?«

Es kümmerte sie nicht sehr, sie kannte das F-Wort, sie hatte es schon vorher gehört. Aber es war einfach so unhöflich.

Grace war auf der anderen Seite des Raums, mit Curtis Schoenfeld, Anna und River Lee. Anna und River Lee spielten Mikado, aber Curtis spielte nicht mit, weil er in einem Rollstuhl saß und nicht so weit nach unten greifen konnte. Er war älter als Grace, vielleicht schon zwölf, und er hatte diese Rückenkrankheit, Spina nochwas.

Grace spielte also auch nicht Mikado, weil Curtis es nicht spielen konnte. Richtig rücksichtsvoll, was? Daher war es ein besonders schlechter Augenblick für Curtis, sich Grace gegenüber wie ein Blödmann zu benehmen.

Und Grace hatte keine Bedenken, ihre Meinung zu sagen.

Jedenfalls lehnte er seinen großen Kopf zu ihr herüber (dieser Curtis hatte einen großen Kopf und ein rotes Gesicht) und sagte: »Ich habe gehört, dass deine Mutter draußen ist.«

Grace sagte: »Curtis, du Schwachmat, sie ist nicht draußen. Sie sitzt genau da.« Sie zeigte zur anderen Seite des Raums.

Er lachte, aber es war kein richtiges Lachen. Eher ein gekünsteltes, wie das Lachen eines Idioten. Zuerst quiekte es aus seinem Mund wie ein Luftballon, wenn man an dem Ende zieht, in das man gerade hineingeblasen hat, und dann wieder Luft hinauslässt. Aber dann änderte er das Lachen mit Absicht und klang wie ein Esel, mit diesem Eselgeräusch, das er machte.

Grace versuchte normalerweise, nicht so über Curtis zu reden, als sei er ein totaler Blödmann, weil man besonders nett zu Leuten sein soll, die im Rollstuhl sitzen. Aber Curtis Schoenfeld trieb es einfach zu weit. Manchmal musste man nun mal einen Blödmann einen Blödmann nennen, egal auf welchem Stuhl er saß.

»Ich meine nicht, dass sie rausgegangen ist«, sagte er, »sie ist aus dem Programm raus. Sie ist wieder drauf. Ich kann gar nicht glauben, dass du das nicht wusstest.«

Nur eine Sekunde lang drehte sich der Raum irgendwie, und sie konnte all diese Schimpfwörter hören, abgefeuert wie kleine Knaller aus einer Spielzeugpistole, wie ein winziges Feuerwerk. Grace erinnerte sich daran, wie sie gedacht hatte, dass ihre Mutter seit Kurzem besonders schläfrig war. Dies war eine Sekunde, bevor Grace entschied, dass es auf keinen Fall wahr sein konnte.

Also baute sie sich vor ihm auf und sagte: »Curtis Schoenfeld, du bist ein totaler Vollidiot!«

Die Schimpfwörter waren nicht mehr zu hören. Nichts war mehr zu hören. Es wurde richtig leise in diesem großen Raum, und Grace dachte: Ups! Ich glaube, das war vielleicht ein klein wenig zu laut.

Immer hatte sie damit Schwierigkeiten. Das Lautsein lag ihr im Blut, und leise zu sein erforderte eine Menge Arbeit. Wenn sie nur einen winzigen Augenblick lang nicht aufpasste, war die Lautstärke sofort wieder zurück.

Grace' Mutter stand auf und ging in Richtung Kinderseite, die drei anderen Kinder warfen Grace den Jetzt-wirst-du-was-erleben-Blick zu.

Ihre Mutter nahm Grace beim Arm und führte sie hinaus.

Draußen war es dunkel und auch irgendwie kalt. Leute denken immer, in LA würde es nie kalt werden, aber manchmal wird es sogar sehr kalt. Außerdem waren sie in einer Gegend, in der es nicht gerade klug ist, draußen herumzustehen. Aber Grace nahm an, dass ihre Mutter gedacht haben musste, sie seien noch nahe genug bei den Leuten in der Versammlung, um sicher zu sein. Sie wusste nicht, was ihre Mutter dachte, sie wusste nur, was sie selbst dachte, und das war dies: dass sie laut wie der Teufel schreien und reinrennen würde, sollte sich ihnen jemand nähern. Aber sie wusste, dass sich ihre Mutter sicher genug fühlen musste, denn sie zündete sich eine Zigarette an und setzte sich auf den kalten Steinboden, mit dem Rücken an die Kirche gelehnt.

Sie fuhr sich mit einer Hand durch die Haare und seufzte tief. Grace konnte einen etwas peinlichen Riss in ihrer Jeans erkennen.

»Grace, Grace, Grace«, sagte sie. Sie schien ganz zu ruhig zu sein, und Grace wunderte sich, warum sie nicht wütend wurde. »Kannst du nicht einmal leise sein?«

»Ich versuch's ja. Ich versuche, leise zu sein. Wirklich.«

Ihre Mutter seufzte ein weiteres Mal und zog an ihrer Zigarette. Grace fiel auf, dass sie sich irgendwie langsam bewegte.

Also nahm Grace all ihren Mut zusammen und fragte: »Nimmst du wieder Drogen?«

Sie wappnete sich dafür, dass ihre Mutter sofort wütend werden würde, aber nichts geschah.

Ihre Mutter blies nur eine große Rauchwolke aus und starrte sie an, als erwartete sie, dass die Wolke anfangen würde zu singen oder zu tanzen, falls sie nur genau genug hinsehen würde. Grace war sich ziemlich sicher, dass ihre Mutter vorher alles schneller gemacht hatte.

Als ihre Mutter schließlich sprach, sagte sie: »Ich gehe zu Meetings. Ich bin jetzt gerade in einem Meeting. Ich rufe immer noch jeden Tag Yolanda an. Ich rackere mir den Arsch ab, meine Kleine. Ich weiß nicht, was du noch von mir willst.«

»Nichts«, sagte Grace. »Tut mir leid, ich will sonst nichts von dir, das ist in Ordnung. Tut mir leid, wenn ich zu laut war. Ich habe versucht, leise zu sein, wirklich, aber dann hat sich Curtis Schoenfeld wie ein Vollidiot benommen. Und auch noch gerade dann, als ich versucht habe, besonders nett zu ihm zu sein. Er ist so ein Lügner. Ich wünschte, ich müsste nicht mit ihm zu Meetings gehen. Können wir nicht zu anderen Meetings gehen, ohne Curtis?«

Es dauerte lange, wirklich lange, bis ihre Mutter sich entschied zu antworten.

»Zu welchen zum Beispiel? Nicht überall sind Kinder erlaubt.«

»Zum Beispiel die netten AA-Meetings im Freizeitzentrum.«

»Gerade jetzt brauche ich eher die NA-Meetings.«

»Oh.«

»Spiel einfach mit Anna. Und mit … du weißt schon, mit dem Kind mit dem komischen Namen.«

»River Lee.«

»Genau.«

»Ich habe nicht mit Curtis gespielt. Man braucht nicht erst mit Curtis zu spielen, damit er sich wie ein Vollidiot benimmt. Er ist es einfach. Man kann ihm nicht aus dem Weg gehen.«

Grace' Mutter trat ihre Zigarette aus und schaute auf ihre Armbanduhr, in der Dunkelheit hielt sie ihr Gesicht ganz nah dran, als könnte sie die Zeit erst sehen, wenn sie mit der Nase dagegen stieß.

Dann sagte sie: »Halte noch fünfundzwanzig Minuten durch, okay?«

Grace seufzte so laut auf, dass ihre Mutter es hören konnte. »Okay«, sagte sie. Aber es klang, als ob der fluchende Mann versuchte, ›Schön dich zu sehen‹ zu sagen.

Als sie wieder hineinkamen, starrten die drei Kinder Grace an.

»Hat sie dich angebrüllt?«, fragte River Lee leise.

»Nein, überhaupt nicht. Nicht mal ein bisschen«, sagte Grace.

Vor Curtis benahm sie sich etwas stolz und hochnäsig und war sich dessen voll bewusst.

Niemand kehrte sofort zum Spielen zurück, was merkwürdig war, denn so hatten sie keine andere Wahl, als dem Meeting zuzuhören. Die Frau, die aussah, als würde sie auf der Straße schlafen, erzählte, wie man ihr die Kinder weggenommen hatte, als sie ins Gefängnis gekommen war, weil sie ihrem Freund geholfen hatte, eine Bank auszurauben. Alles wegen Drogen. Sie hatten ihre Kinder aufgegeben, weil sie mehr Drogen wollten. Das schien zu jener Zeit ein guter Tausch zu sein.

Wirklich deprimierend.

Dann redeten noch ein paar andere Leute, deren Geschichten mittelmäßig deprimierend waren.

Dagegen waren manche Meetings überhaupt nicht deprimierend. Das nette AA-Meeting im Freizeitzentrum war viel besser, fand Grace, weil die Leute dort mehr Zeit in dem Programm hatten, und normalerweise wollte man sich nach diesen Meetings nicht die Kugel geben.

Nach dem Meeting kam Yolanda auf Grace zu und lächelte sie an. Grace lächelte zurück.

»Hi Grace«, sagte sie, »hast du meine Telefonnummer?«

Grace schüttelte den Kopf und sagte: »Nein, warum sollte ich sie haben? Ich ruf nicht an, das macht meine Mom.«

»Ich habe nur gedacht, dass du sie vielleicht haben möchtest.«

Sie gab Grace ein Stück Papier mit der Telefonnummer, und Grace las sich die Nummer durch, obwohl sie nicht wusste, warum überhaupt. Vielleicht, weil es sich ein bisschen anfühlte wie in der Schule, wie eine Hausaufgabe, als würde Yolanda sagen: »Schau dir diese Zahlen an, kennst du sie alle?« Grace kannte sich mit Zahlen gut aus, aber sie sah sie trotzdem an.

»Okay. Hm. Warum will ich sie vielleicht haben?«

»Nur für den Fall.«

»Nur für welchen Fall?«

»Nur für den Fall, dass du mal was brauchst.«

»Dann würde ich meine Mom fragen.«

»Dann, wenn sie nicht da ist oder du sie aus irgendeinem Grund nicht fragen kannst.«

»Was für ein Grund?«

»Ich weiß nicht, Grace. Irgendetwas. Falls du allein bist oder so. Oder falls du Schwierigkeiten hast, sie aufzuwecken. Wenn du dich wegen etwas fürchtest, kannst du anrufen.«

In diesem Augenblick entschied Grace, keine weiteren Fragen mehr zu stellen. Nicht eine einzige.

»Okay, danke«, sagte sie und steckte die Telefonnummer in ihre Tasche.

»Erzähl es nicht deiner Mutter.«

»Okay.«

Hör auf zu reden, dachte sie, sagte es aber nicht.

Dann fuhr Yolanda sie und ihre Mutter nach Hause, was gut war, denn es war unheimlich, im Dunkeln mit dem Bus zu fahren. Und Grace war es bereits unheimlich genug.

Billy

Plötzlich wachte Billy auf. Ein lautes Rufen draußen hatte ihn aufgeschreckt, es kam von dem Fußweg vor dem Haus.

Es war nur ein Wort.

»Hey!«

Wieder schloss er die Augen und bedauerte den plötzlichen Verlust der Erwartung, die er für den neuen Tag gehegt hatte: dass es ein angenehm ruhiger und konfliktloser Tag werden würde.

Im Innersten seines Herzens ein Realist, sprang er auf und schlich sich zu seinem Beobachtungsposten. Hinter dem Vorhang stehend, spähte er durch die gläserne Verandatür auf die Vorderseite des Hauses.

Das Mädchen war immer noch da. Nein, nicht immer noch. Wieder. Natürlich wieder.

Felipe Alvarez, einer seiner Nachbarn von oben, saß in der Hocke neben ihr und hatte sie offenbar in ein Gespräch verwickelt. Und Jake Lafferty, sein anderer Nachbar von oben, trottete den Weg entlang und sah aus, als ob er mit dieser Szene ziemlich unzufrieden sei und daher eingreifen wolle.

Von den wenigen Beobachtungen ausgehend, die Billy in den letzten Jahren hatte machen können, nahm er an, dass sein ruppiger Nachbar nur mit herzlich wenigen Situationen zufrieden war. Tatsächlich ging Lafferty sogar noch einen Schritt weiter, indem er seine Unzufriedenheit sichtbar mit sich herumtrug, wie ein verfehltes Abzeichen von … na ja, von etwas eben.

Billy versuchte zu entscheiden, was es war, aber er konnte es sich nicht vorstellen.

Nun kam Lafferty an den Fuß der Treppe und rief: »Hey! José! Was machst du mit dem kleinen Mädchen?«

Felipe erhob sich. Nicht sehr kampfeslustig, nahm Billy an, aber aufgebracht und abwehrbereit. Der Anblick ließ Billys armes, müdes Herz rasen, denn es sah nach Ärger aus, seinem ungeliebtesten Lebenselement.

Wenn dieses kleine Mädchen doch nur reingehen würde! Ihre Anwesenheit dort auf den Stufen, Tag für Tag, war wie ein Joker, der in seinen Tag geworfen wurde und ihm ein erschreckend unberechenbares Blatt auf die Hand gab.

Aber trotz allem wollte er mitbekommen, wie es weiterging. Also schob er die Verandatür ganz leise einen Spalt weit auf, um besser beobachten und zuhören zu können.

»Erstens«, sagte Felipe fließend, aber mit starkem Akkzent, »mein Name ist nicht José.«

»Nun, das meinte ich auch nicht«, sagte Lafferty. »Es ist nur so ein Ausdruck, ein Spitzname, wissen Sie.«

»Nein, weiß ich nicht«, sagte Felipe. »Ich weiß das überhaupt nicht. Ich weiß aber, dass ich Ihnen wahrscheinlich schon zehn Mal meinen Namen gesagt habe. Und ich weiß auch, dass Sie mir Ihren Namen einmal gesagt haben. Und den vergesse ich schließlich auch nicht. Jake, stimmt's? Wie wäre es also, wenn ich Sie einfach Joe nenne? Denn die meisten weißen Amerikaner heißen Joe, oder? Das kommt doch in etwa hin, oder nicht?«

Billy warf einen Blick zu dem kleinen Mädchen, um zu prüfen, ob sie ängstlich aussah. Aber sie schaute mit einer offenen, fast erwartungsvollen Miene zu den zwei Männern hoch, als schaue sie einem unterhaltsamem Theaterstück zu.

Es war pummelig, dieses kleine Mädchen. Was war da heutzutage eigentlich los, mit Kindern und Übergewicht? Zu Billys

Zeiten waren Kinder noch herumgerannt. Dicke Kinder hatte es kaum gegeben – und wenn doch, dann waren sie eine Seltenheit gewesen.

Andererseits hatte er fast seine ganze Kindheit in der Tanzschule verbracht, was kaum der Ort ist, an dem man pummelige Kinder findet. Oh, natürlich war er auch zur Schule gegangen. Welche andere Wahl hätte er auch gehabt? Aber er verdrängte diese Erinnerungen so gut es ging aus seinem Gedächtnis.

»Ich weiß seinen Namen!«, schrie Grace schrill auf.

Felipe streckte eine Hand aus und sagte: »Nein, warte. Lass uns sehen, ob er es weiß.«

»Hören Sie mal …«, sagte Lafferty und zeigte damit, dass er allmählich genug hatte.

Billys Herz hämmerte lauter. Er fragte sich, ob es zu einer Schlägerei kommen würde. Aber Lafferty schaffte es nicht einmal, seinen Satz zu Ende zu bringen. Denn egal, wie fest man den Mund dieses kleinen Mädchens verschloss, er blieb nicht länger als einen winzigen Augenblick lang geschlossen.

»Er heißt Felipe!«, rief sie, offenbar sehr stolz auf sich selbst.

»In Ordnung«, sagte Lafferty. »Felipe. Wie wäre es nun mit einer Antwort auf meine Frage?«

»O ja, das ist die zweite Sache. Ich habe gerade Grace gefragt, warum sie nicht in der Schule ist. Und das war alles, was ich getan hab. Ich halte nicht viel davon, dass Sie etwas anderes andeuten.«

»Sie suchen wirklich immer nach einem Streit, was?«

»Ich? Ich? Ich bin nicht derjenige, der Streit sucht, *compañero*. Jedes Mal, wenn ich Sie sehe, sind Sie in derselben gereizten Stimmung. Ich kämpfe nie. Fragen Sie Leute, die mich kennen. Sie tragen denselben Konflikt überall mit sich rum und tun dann so, als sei es der Konflikt des Anderen. Sie sind schon so lange in dieser Stimmung, dass Sie das gar nicht mehr merken.

Ich wette, Sie wissen gar nicht, wie die Welt ohne diese gereizte Stimmung überhaupt aussieht.«

Lafferty schwoll die Brust, und er öffnete den Mund, um etwas zu sagen. Aber das laute Mädchen war schneller.

»Warum müsst ihr denn kämpfen?«, rief sie in voller Lautstärke.

Billy lächelte und bewunderte sie im Stillen. Wo in aller Welt kam dieser Mut her? Andererseits, sie war ein Kind. Ein Kind konnte sich fast alles erlauben.

Lafferty schaute missbilligend auf das Mädchen herab. »Warum bist du nicht in der Schule?«

»Ihr Name ist Grace«, sagte Felipe.

»Ich weiß das«, antwortete Lafferty, aber es klang nicht überzeugend, und Billy glaubte auch nicht, dass Lafferty es wirklich gewusst hatte. »Warum bist du nicht in der Schule, Grace?«

»Weil ich nicht den ganzen Weg allein laufen darf. Meine Mutter muss mit mir hingehen. Und sie schläft gerade.«

»Um neun Uhr morgens?«

»Ist es neun Uhr?«

»Ja. Fünf nach neun.«

»Dann, ja. Um neun Uhr.«

»Das klingt nicht richtig.«

»Sie sind derjenige, der eine Uhr hat«, sagte Grace.

Lafferty seufzte kläglich. »Hast du einen Schlüssel?«

Ja, dachte Billy. Hat sie. Er ist sehr neu. Er funkelt. Er glänzt. Diese wunderbare, undefinierbare Eigenschaft. Glanz.

»Ja.« Sie hielt den Schlüssel hoch, damit Lafferty ihn sehen konnte. Er baumelte noch immer an dem langen Band um ihren Hals.

»Geh rein und versuch sie aufzuwecken.«

»Ich habe es schon versucht.«

»Versuch es nochmal, okay?«

Das Mädchen stieß ihren Atem laut und dramatisch aus, stand auf und stapfte hinein.

Sobald sie weg war, ging Felipe die Treppe hinunter. Lafferty kam auf ihn zu und stand ihm von Angesicht zu Angesicht gegenüber, beide Männer starrten sich an.

Billy lehnte sich an den Türrahmen und fühlte sich leicht schwindlig.

»Ich bin nicht Ihr *compañero*«, sagte Lafferty.

»Sie wissen nicht mal, was das bedeutet.«

»Nein, weiß ich nicht, und das ist auch das Problem.«

»Es ist keine Beleidigung.«

»Na gut, woher soll ich das wissen? Als ich in Ihrem Alter war, wurde mir beigebracht, Respekt vor Älteren zu haben. Mein Vater hat mich das gelehrt.«

»Wissen Sie, was mein Vater mich gelehrt hat? Dass ich mir Respekt erst verdienen muss. Ich habe mich nur zu dem Mädchen gehockt und gefragt, warum sie nicht in der Schule ist. Und dann kommen Sie hier aus heiterem Himmel an und behandeln mich, als sei ich ein Kinderschänder oder so was.«

»Sie sollten sie noch nicht einmal das fragen. Wir leben in einer verrückten Welt. Alle verdächtigen sich gegenseitig. Ein Mann in Ihrem Alter sollte noch nicht einmal so nahe an ein kleines Mädchen herangehen, um sie etwas zu fragen. Es könnte falsch aufgefasst werden.«

»Ein Mann in meinem Alter? Sind Sie sicher, dass mein Alter hier das Problem ist? Was ist mit Ihnen? Sie haben sie doch auch gefragt.«

»Das ist was anderes. Ich bin älter.«

»Oh. In Ordnung. Das hatte ich vergessen, Männer in den Fünfzigern sind niemals Kinderschänder.«

»Du hast ein freches Mundwerk, mein Söhnchen.«

»Ich bin nicht Ihr Söhnchen!«

»Ganz sicher nicht. Mein Sohn würde mich mit Respekt behandeln.«

In diesem Augenblick tauchte Grace wieder auf, und die beiden Männer sprangen zurück, als sei das kleine Mädchen ihre Mutter oder Lehrerin und hätte sie beim Kämpfen erwischt. Für Billy in seiner Beobachterposition sah es zwar grotesk aus, aber er konnte sich vorstellen, wie das im ersten Schreck passieren konnte.

»Sie wacht nicht auf«, sagte Grace.

Lafferty warf Felipe einen Blick zu.

»Das ist nicht richtig«, sagte Lafferty zu Felipe und dann zu dem Mädchen: »Hast du irgendwo Flaschen rumliegen sehen?«

»Nein. Was für Flaschen?«

»Die Art Flaschen, aus denen man trinkt.«

»Sie hat nicht getrunken.«

»Ist alles in Ordnung mit ihr? Soll jemand einen Arzt rufen?«

»Sie ist nicht krank. Man kann sie nur nicht aufwecken, wenn sie schläft.«

Grace setzte sich wieder auf die Stufen, so als plane sie, dort eine Weile zu bleiben.

Lafferty schaute erneut zu Felipe. Dann fasste er den jungen Mann am Ärmel und zog ihn über den verunkrauteten Rasen, bis sie außer Hörweite des Mädchens waren.

Leider brachte sie das auch außer Reichweite von Billys Ohren.

Aber sie stritten sich jetzt nicht, soviel konnte Billy an ihrer Körpersprache ablesen. Sie hatten ihre Köpfe zusammengesteckt und berieten über etwas, entschieden wohl sogar etwas. Von Zeit zu Zeit warf Lafferty über seine Schulter einen Blick auf Grace.

»Kommt zu einer guten Lösung«, sagte Billy zwar laut, aber leise genug, um nicht von Grace gehört zu werden, die immer noch ziemlich nah bei ihm auf der Treppe saß. »Denn das ist ganz sicher ein Problem.«

Aber einen Augenblick später löste sich Felipe und ging den abfallenden Rasen hinunter auf die Straße.

Lafferty kam die Treppe hoch. Billy wartete hoffnungsvoll und dachte, sein Nachbar habe vielleicht eine geeignete Idee auf Lager. Aber er ging direkt an Grace vorbei, als hätte eine außerirdische Kraft sie plötzlich unsichtbar gemacht.

Gerade, als sein Fuß die oberste Stufe berührte, schaute er auf und sah Billy – oder was er von Billy, der hinter dem Vorhang stand, erkennen konnte. Er blieb auf der Stelle stehen.

»Was gibt es da zu glotzen?«, brüllte er Billy an.

Billy machte einen Sprung rückwärts in sein Appartement, sank auf den Teppich und kauerte sich dort zusammen. Sein Herz flatterte vor Panik. Er blieb in dieser schützenden Haltung, bis er hörte, wie sein Nachbar im Haus die Treppen hinaufging.

Dann sprang er schnell auf und schob die Verandatür behutsam zu, als sei sie die Ursache dieses ganzen Tumults gewesen.

An diesem Morgen sah er kein einziges Mal mehr hinaus.

Er wusste zwar, dass das Mädchen noch dort draußen sein musste, konnte sich aber nicht dazu durchringen, es nachzuprüfen.

•••

Die Dämmerung hatte schon fast eingesetzt, als er die Sache laut mit sich selbst diskutierte.

»Wir wollen es gar nicht unbedingt wissen«, sagte er.

Und, nach einigem Nachdenken: »Wir wollen es schon wissen. Natürlich. Natürlich wollen wir das. Nur nicht so sehr.«

»Außerdem«, fügte er einen Augenblick später hinzu, »ist es noch nicht dunkel genug.«

Er blickte wieder aus seiner Verandatür.

»Andererseits, wenn die Straßenlichter angehen, wird es zu spät sein, oder? Und dann werden wir die ganze Nacht überlegen. Und Überlegungen neigen dazu, uns vom Schlaf abzuhalten.«

Er seufzte tief und zog seinen alten Bademantel über. Er wagte sich eigentlich nicht deshalb hinaus, weil er die Frage unbedingt stellen wollte. Aber es schien der einzige Weg zu sein, diese vollkommene Erschöpfung zu beenden, die er durch sein Hadern mit sich selbst auslöste.

Das kleine Mädchen schaute auf, als er die Verandatür aufschob.

Billy trat zunächst nicht heraus.

Es war ein wenig früher und ein wenig heller, als es bei seinem letzten Hinausgehen gewesen war. Ein schockierender Gedanke, wie er plötzlich bemerkte. Hatte er das wirklich getan? War er tatsächlich hinausgegangen? Vielleicht war es nur ein Traum gewesen.

Er schüttelte diese Gedanken ab und zwang seinen Geist zur Konzentration. Zurück zum vorliegenden Fall: Es war dieses Mal nicht so dunkel wie letztes Mal. Und die Dunkelheit diente, wenn nötig, als ein elementarer Schutz.

Er wollte einen Schritt zurück machen, in sein sicheres Zuhause gehen und die Tür wieder zuschieben. Aber das kleine Mädchen beobachtete ihn, wartete darauf, dass er rauskam. Für wie geistesgestört musste sie ihn halten, würde er sich jetzt zurückziehen? Wie viel Wahrheit wollte er sie sehen lassen?

Er trat einen Schritt in die kühle Spätnachmittagsluft hinaus und fiel sofort auf seine Knie. Er bewegte sich ein kurzes Stück auf seinen Händen und Knien vorwärts, dann ließ er seinen Oberkörper auf den Boden sinken und glitt an das Ende der Terrasse. Es war keine Bewegung, die er sich im Voraus ausgedacht hatte. Ja, er wusste, dass es viel sonderbarer war, als einfach wieder hineinzugehen. Aber es war nun mal passiert, und jetzt war es zu spät es zurückzunehmen.

Er sah über den Rand der Veranda hinüber zu Grace.

»Warum krabbeln Sie auf dem Bauch?«, fragte sie mit ihrer berüchtigten Stimme.

»Psssst«, zischte er instinktiv.

»Sorry«, sagte sie, nur ein kleines bisschen leiser, »damit habe ich immer Schwierigkeiten.«

»Das ist eine lange Geschichte.«

»Erzählen Sie sie.«

»Vielleicht ein anderes Mal. Ich bin hergekommen, um dir eine Frage zu stellen.«

»Okay.«

»Warum sitzt du hier draußen?«

»Sie haben mich das letztes Mal schon gefragt.«

»Ich weiß. Aber du hast mir die Frage nicht beantwortet.«

Und zumindest im ersten Moment antwortete sie dieses Mal auch nicht.

»Ich weiß, dass deine Mutter irgendetwas anderes macht, als nach dir zu sehen. Soviel ist klar. Aber du hast einen Schlüssel. Du könntest dich drinnen aufhalten.«

»Ja.«

»Also, warum?«

»Vielleicht sollten Sie mir zuerst sagen, warum Sie auf dem Bauch kriechen.«

»Das glaube ich nicht. Ich glaube, heute Abend ist meine Frage dran.«

»Warum Ihre?«

»Weil ich zuerst gefragt habe.«

»Nein, ich habe zuerst gefragt.«

»Ich habe schon gestern Abend gefragt. Hast du selbst gesagt.«

»Oh, stimmt«, sagte Grace feierlich, als akzeptiere sie diese klaren Regeln. »Haben Sie. Also, es ist *so*. Wenn ich drinnen bin, erfährt keiner, dass ich in Schwierigkeiten bin. Und dann kann mir niemand helfen.«

Billy spürte, wie sein Herz sank. Ganz genau spürte er es. Er war sich körperlich des Gefühls des Fallens bewusst und fühlte, wie es die Organe in seinem armen Unterleib traf. Das konnte natürlich nicht wirklich passieren. Aber es fühlte sich danach an.

»Oh, du bist in Schwierigkeiten, was?«

»Wussten Sie das nicht?«

»Ich nehme schon an, dass ich es wusste.«

»Ja, es muss jemand sein, der hier lebt. Weil ich dann bei meiner Mom bleiben kann.«

Stille. Billy konnte fühlen, worauf die Unterhaltung zusteuerte und gab deshalb keine Antwort.

»Können Sie mir helfen?«

Eine weitere lange Stille setzte ein, in der sich Billy der steinigen Natur des Bodens bewusst wurde, auf der sein Oberkörper und seine Beine lagen.

»Kleines Mädchen, ich kann mir nicht mal selbst helfen.«

»Ja. Das hab ich mir gedacht.«

Es war ein deprimierender und sehr dunkler Moment, selbst nach Billys Maßstäben. Nicht nur war gerade nachdrücklich festgestellt worden, dass er vollkommen nutzlos war, auch das kleine Mädchen war in der Lage zu erkennen, wie nutzlos er war, ohne dass es ihr jemand sagen musste.

»Tut mir leid«, sagte er, »tut mir leid, dass ich nutzlos bin. Ich war es nicht immer, aber jetzt bin ich es.«

»Okay«, antwortete sie.

»Na, dann gute Nacht«, sagte er.

»Es ist noch nicht sehr spät«, sagte sie.

»Aber ich werde dich nicht mehr sehen, bevor du ins Bett gehst. Deshalb gute Nacht.«

»Gute Nacht«, sagte sie tonlos.

Grace

Grace versäumte einen Schultag, aber am nächsten Tag kam Yolanda und holte sie ab, um sie mit dem Auto zur Schule zu bringen. Was für ein Pech, fand Grace, denn es hätte ihr nichts ausgemacht, von jetzt an bis in alle Zukunft jeden einzelnen Schultag zu versäumen.

»Wie soll ich wieder heimkommen?«, fragte Grace Yolanda. »Ich darf doch nicht alleine laufen.«

»Deine Mom wird kommen und dich abholen.«

»Sicher?«

»Ja.«

»Wie kannst du da so sicher sein?«

»Weil ich ein langes Gespräch mit deiner Mom hatte und sie es mir versprochen hat.«

»Und wenn sie ihr Versprechen bricht? Das ist schon früher mal passiert.«

»Ich passe auf. Aber dieses Mal bin ich mir ziemlich sicher. Sie hat mir gesagt, dass sie bereit ist, sich zusammenzureißen.«

»Das wäre schön«, sagte Grace.

Aber es war nur etwas, was man so hinsagte. Vielleicht würde es passieren, und das wäre schön, aber vielleicht auch nicht. Grace wusste, dass es besonders hart sein würde, wenn sie den ganzen Tag darüber nachdachte, wie schön es sein könnte, und es dann doch nicht passierte. Grace hasste das mehr als alles andere.

Also gab sie sich den ganzen Tag alle Mühe, nicht zu viel darüber nachzudenken, aber sie dachte trotzdem viel daran, als sie auf das Klingeln der Schulglocke wartete. Sie fühlte sich nervös und seltsam. Sie wollte den allerletzten Schokoriegel essen, der in ihrem Rucksack lag, aber sie tat es nicht, weil ihre Lehrerin sie dabei entdecken konnte, und dann würde sie ihr den Schokoriegel wegnehmen. Und es war schließlich der letzte Schokoriegel, den sie hatte. Hätte sie mehr Geld gehabt, hätte sie mehr Schokolade gekauft, aber all ihr Taschengeld für diese Woche war schon aufgebraucht. Grace wollte sich immer etwas Schokolade aufheben, aber dann tat sie es doch nicht.

Als die Schulglocke läutete, sprang sie auf.

Während sie schnell hinausging, holte sie die Schokolade hervor und aß sie auf dem Weg zur Ausgangstür, wo ihre Mutter sie immer abholte.

Sie war tatsächlich da. Ihre Mom war da! Grace war überrascht. Zumindest ein kleines bisschen überrascht.

»Was isst du da?«, fragte ihre Mutter. Sie klang nicht allzu langsam und schien ziemlich wach zu sein, soweit Grace das sehen konnte.

»Nichts.«

»Lüg mich nicht an, Grace Eileen Ferguson. Du hast immer noch was davon auf deiner Lippe. Es sieht nach Schokolade aus.«

»Oh. Ja. Wir haben das in der letzten Stunde bekommen.«

»Ich spreche dann mal besser mit deiner Lehrerin darüber, dir kein Junk-Food zu geben. Du weißt, dass ich es nicht mag, wenn du von Leuten Junk-Food bekommst.«

»Nein, bitte. Heute ist das erste Mal seit ein paar Tagen, dass ich dich sehe. Ich meine, ich habe dich natürlich gesehen, aber nicht so, du weißt schon. Ich meine, ich wünsche mir, dass wir uns nicht streiten.«

Grace wusste, dass sich ihre Mutter schuldig fühlte, also appellierte sie ein wenig an dieses Gefühl.

»Okay, du hast recht«, sagte Grace' Mutter. »Lass uns einfach nach Hause gehen.«

Auf dem Heimweg dachte Grace: Wow, sie hat sich richtig im Griff, und das ist schön. Aber sie sprach lieber nicht aus, was sie dachte, denn ihre Mutter sollte nicht wissen, dass Grace erst jetzt an diese Besserung glaubte.

Sie kochte Grace' Lieblingsgericht, Hotdogs mit Makkaroni und Käse. Also, es hatte wirklich auch seine guten Seiten, wenn sie sich manchmal schuldig fühlte. Während des Essens fragte sie Grace, ob sie zu dem netten AA-Meeting im Freizeitzentrum mitkommen wolle, und Grace antwortete: »Auf jeden Fall, ja.«

Also fuhren sie nach dem Abendessen mit dem Bus zum Freizeitzentrum.

Im Bus war dieser seltsame Typ, der sie pausenlos anstarrte. Er saß Grace und ihrer Mutter direkt gegenüber. Grace fand, dass er äußerlich nicht seltsam wirkte. Er trug einen guten Mantel und hatte einen Ehering am Finger, seine Haare sahen ordentlich aus und das alles. Aber sie merkte, dass er innerlich seltsam war, weil er so starrte.

Ihre Mutter schien es nicht bemerkt zu haben. Sie hielt diese kleine Plastikflasche mit Wasser zwischen ihren Knien, und nach einer Weile legte sie den Kopf zurück, warf etwas in ihren Mund und spülte es mit einem Schluck Wasser herunter. Aber Grace hatte nicht gesehen, was sie geschluckt hatte.

Sie fragte: »Was war das?«

»Nichts«, war die Antwort. »Ich habe Kopfschmerzen, das ist alles. Vergiss nicht, wer hier die Mutter ist und wer das Kind.«

»Okay«, sagte Grace, »ich habe verstanden.«

»Du lässt heute Abend die Finger von der Schüssel mit den Süßigkeiten, okay?«

»Ich kann aber ein Stück Lakritze haben, oder?«

»Du kannst ein Stück haben, aber eins ist genug.«

Grace' Mutter sagte das jedes Mal, aber sie konnte die Süßigkeitenschüssel nicht dauernd beobachten. Also nahm sich Grace am Ende immer mehr, als abgemacht gewesen war.

Aber diesmal sollte alles anders laufen. Einerseits war es gut, andererseits aber war es gleichzeitig auch schlecht.

Mit den Süßigkeiten funktionierte es folgendermaßen: Die Schüssel wanderte um den Tisch, und jeder nahm sich etwas (es sei denn, man wollte nichts Süßes, was Grace unbegreiflich erschien). Dann ging die Schüssel wieder im Kreis herum, sodass die Leute noch einmal etwas nehmen konnten. Grace saß nicht mit am Tisch, sie konnte herumlaufen, wenn sie wollte, solange sie die Leute nicht bei ihrer Versammlung störte. Also konnte sie immer dort auftauchen, wo die Schüssel gerade war, und so bekam sie eine Menge Süßigkeiten. Und die einzige Person, die sie davon abhalten konnte, war ihre Mutter.

An diesem Abend jedoch hielt ihre Mutter sie nicht von den Süßigkeiten ab. Also war es gut und zugleich schlecht. Gut war, dass Grace eine rekordverdächtige Menge an Süßigkeiten ergatterte – schlecht war, dass ihre Mutter wieder schläfrig wurde.

Das machte Grace wütend, denn sie wusste, dass ihre Mutter Drogen gegen die Kopfschmerzen nahm – richtige, starke Drogen. Und es machte sie wütend, da andere Mütter höchstens ein Aspirin nahmen, wenn sie Kopfschmerzen hatten. Zumindest die Mütter der anderen Kinder in der Schule. Je länger Grace sah, wie ihre Mutter auf ihre Hand gelehnt einnickte und dann wieder kurz aufwachte, desto mehr Süßigkeiten wollte sie essen.

Also tauchte sie immer dort auf, wo sich die Schüssel gerade befand, und griff in die Schüssel, die eben von einer Frau gehalten wurde. Mit einer Hand nahm sie alle roten Lakritzestücke heraus.

Mit dem Rücken an die Wand gelehnt, saß Grace in der Ecke, aß Lakritze und fühlte sich sehr wütend.

Schließlich war das Meeting zu Ende. Die Leute zogen ihre Jacken an, um zu gehen. Manche von ihnen lächelten Grace an, als hätten sie Mitleid mit ihr. Das hasste Grace mehr als alles andere.

Nach einer Weile kam ein großer Mann mit einem grauen Schnurrbart zu ihr herüber und hockte sich so hin, dass er auf derselben Höhe war wie Grace, und sagte: »Das ist deine Mom, was?«

Mittlerweile hatte Grace' Mutter den Kopf auf den Tisch gelegt und schlief.

»Ja«, sagte Grace und klang nicht gerade glücklich darüber. Dann erinnerte sie sich daran, mit solchen Dingen vorsichtig zu sein, da ihre Mutter nunmal die einzige Mutter war, die sie hatte.

»Sie ist nicht in der Verfassung, euch zwei nach Hause zu fahren«, sagte der Mann.

»Wir haben gar kein Auto«, sagte Grace. »Wir sind mit dem Bus gekommen.«

»Oh. Vielleicht kann Mary Jo euch nach Hause fahren. Mary Jo?«

Diese ziemlich kleine Frau mit grauen Haaren und einem faltigen Gesicht kam zu ihnen, und der große Mann bekam Grace' Mutter auf die Beine und bugsierte sie zu dem Auto dieser Mary Jo. Es war ein sehr kleines Auto mit nur zwei Sitzen. So gurteten sie Grace' Mutter auf dem Beifahrersitz vorn an und Grace zwängte sich in den kleinen freien Raum hinter den Sitzen.

Während der Fahrt musste Grace der Frau den Weg zu ihrer Wohnung erklären und gleichzeitig eine Menge Fragen beantworten.

Die Frau fragte sie, ob sie wisse, wer der Sponsor ihrer Mutter sei.

»Ja, es ist Yolanda«, antwortete Grace.

Die Frau sagte: »Ich kenne keine Yolanda.«

»Sie ist von dem anderen Programm«, sagte Grace.

Die Frau sah überrascht aus. »Sie hat nur einen Al-Anon-Sponsor?«

»Nein, nicht das andere Programm, das andere andere Programm. Das Betäubungsmittelprogramm, nicht das mit dem Alkohol.«

»Oh, in Ordnung«, sagte die Frau nach einem Moment. »Das erklärt, warum sie nicht so riecht, als hätte sie getrunken.«

Und dann plötzlich hatte Grace etwas gegen diese Frau und ihre Fragen und gegen den ganzen Abend und gegen überhaupt alles. Sie hatte plötzlich einfach etwas gegen die ganze Welt und sprach nicht mehr mit der Frau, weil ihre Laune so schlecht war. Sie wollte mehr Lakritze, aber sie hatte längst schon alles aufgegessen.

Sie musste helfen, ihre Mutter ins Haus zu bringen und das war nicht einfach. Sie dachte, dies sei die letzte und schlimmste Sache dieses Abends gewesen, aber dann wollte die Frau nicht gehen. Sie verlangte Yolandas Telefonnummer, und als Grace sie gefunden hatte, rief die Frau Yolanda an, um ihr zu sagen, dass sie nicht ginge, bevor Yolanda da sei, denn sie hielte es nicht gerade für angebracht, ein Kind in dieser Situation alleinzulassen. So sagte sie es. Sie hielte es nicht gerade für angebracht. Grace wusste nicht genau, was die Frau damit sagen wollte, aber es machte sie wütend. Allerdings machte sie zu diesem Zeitpunkt fast alles wütend.

Nach einer Weile tauchte Yolanda auf, und Mary Jo ging, was eine Erleichterung war. Grace hätte sich eigentlich von ihr verabschieden und sich für die Fahrt bedanken sollen, aber sie wollte es nicht. Sie war in einer besonders störrischen Laune und sagte darum überhaupt nichts.

Nachdem die Frau gegangen war, schaute Yolanda Grace mit diesem mitleidigen Ausdruck an, den Grace so sehr hasste. Sie hasste diesen Gesichtsausdruck mehr als alles andere.

Und Yolanda sagte: »Nun, es sieht so aus, als hätten wir hier ein kleines Problem.«

•••

Yolanda blieb über Nacht da und brachte Grace am folgenden Morgen zur Schule. Grace dachte während des Schultags nicht allzu oft an die Situation. Falls Yolanda sich irgendwie einbringen wollte, wäre das schon okay und sicher nicht das Ende der Welt. Yolanda konnte etwas einschüchternd und herrisch sein, aber das geschah nur selten und normalerweise, wenn sie es mit Grace' Mutter zu tun hatte. Aber größtenteils war Yolanda ziemlich in Ordnung.

Nach der letzten Schulstunde schlenderte Grace zum Ausgang, mit dem Essen eines Schokoriegels beschäftigt, den sie im Austausch für einen Teil ihres Mittagessens bekommen hatte, und merkte zu spät, dass sie in eine andere Schülerin hineingelaufen war – nicht nur einmal, sondern zweimal. Vor der Tür sah sie schließlich auf und blickte sich um. Sie konnte weder Yolanda entdecken noch ihre Mutter und machte ein langes Gesicht.

Eine Frau winkte ihr zu.

»Ich bin's«, rief die Frau. »Deine Nachbarin, Rayleen. Kennst du mich noch?«

»Ja«, sagte Grace und sah sich wieder um.

»Ich bin hier, um dich abzuholen.«

»Sie?«

»Ja.«

»Warum Sie?«

»Warum nicht?«

»Wo ist Yolanda?«

»Sie musste arbeiten.«

»Sie sagte, sie würde sich freinehmen, um mich abzuholen.«

»Aber sie kann das nur einmal machen oder so. Sie kann das nicht jeden Tag machen. Weil ich heute Zeit habe, dachten wir, dass sie sich dann erst morgen freinehmen muss, wenn ich dich heute abhole. Es überrascht mich, dass sie dir das nicht gesagt hat.«

»Es könnte sein, dass sie mir etwas gesagt hat, so in etwa, dass jemand anders vorbeikommen würde. Ich glaube aber nicht, dass sie gesagt hat, wer. Oder vielleicht habe ich es auch vergessen.«

Sie machten sich auf den langen Weg durch die graue Nachbarschaft bis nach Hause. Ein Auto fuhr vorbei, das in ohrenbetäubender Lautstärke Rapmusik spielte. und Rayleen zuckte zusammen. Grace konnte die lauten Bässe in jedem ihrer Bauchmuskeln spüren, aber sie zuckte nicht zusammen.

Als es wieder stiller war, sagte Grace: »Sie können das also nur einmal machen?«

»Normalerweise bin ich bei der Arbeit. Ich habe heute früh angefangen, weil ein Kunde seinen Termin vom Nachmittag vorverlegt hatte.«

»Wenn Yolanda nur einmal oder so freibekommen kann, wer holt mich dann übermorgen ab?«

»Ich dachte, dass wir vielleicht zu Hause mal mit Mrs Hinman reden könnten. Sie ist doch Rentnerin. Ich glaube, sie könnte es vielleicht tun.«

»Und wenn sie Nein sagt?«

»Na ja … darüber können wir uns dann immer noch Gedanken machen.«

»Woher kennen Sie Yolanda?«

»Ich kenne sie eigentlich gar nicht richtig.«

»Wie hat sie Sie dann gefragt, ob Sie mich abholen können?«

»Ich habe sie heute Morgen im Hausflur getroffen, als sie auf dich gewartet hat. Da habe ich ein bisschen mit ihr über die Situation geredet.«

»Oh«, sagte Grace und stellte erstmal keine weiteren Fragen mehr.

•••

Zu Hause angekommen, fragte sie: »Gehen wir jetzt hoch, um Mrs Hinman zu fragen?«

»Willst du nicht erst rein und deinen Rucksack ablegen?«, erwiderte Rayleen.

»Lieber nicht.«

»Ich finde aber, du solltest es«, sagte Rayleen.

Grace hatte dazu keine besondere Meinung und antwortete mit einem ausdruckslosen Schulterzucken.

Rayleen folgte Grace in die Wohnung.

Rayleen blieb kurz an der geöffneten Tür zum Schlafzimmer von Grace' Mutter stehen und sah, wie sie schlafend auf dem Bett lag. Rayleen schien es ganz so, als werde gleich etwas passieren, aber Grace' Mutter bewegte sich nicht und zuckte weder mit der Wimper noch gab sie auch nur ein Geräusch von sich. Die Fenster in dem Souterrainzimmer wurden von staubbedeckten Jalousien verdunkelt. Grace konnte ihre Mutter im Schein des Nachmittagslichts sehen, das durch die Jalousien fiel. Ihre losen Haare bedeckten ihr Gesicht. Es war Grace unangenehm, dass Rayleen ihre Mutter so sehen konnte, aber sie wusste nicht genau, warum.

»Können wir gehen?«, fragte sie. Sobald die Worte aus ihrem Mund gekommen waren, wusste Grace, dass sie wieder zu laut gewesen war und empfand dieses vertraute Schuldgefühl .

Rayleen erschrak und stand starr in der Türöffnung, als erwartete sie, dass Grace' Mutter die Augen öffnen werde oder so etwas. Nur einen kurzen Moment lang dachte auch Grace, dass sie aufwachen werde. Aber nichts geschah.

»Ja«, sagte Rayleen. »Ja, wir gehen jetzt zu Mrs Hinman.«

Aber sie ging nicht, jedenfalls nicht sofort. Stattdessen öffnete sie in der Küche ein paar Schränke und schaute in den Kühlschrank. Grace verstand nicht, weshalb sich Rayleen oder irgendjemand anders für den Inhalt ihrer Schränke interessieren sollte.

»Hier ist nichts zu essen für dich.«

»Ich glaube, hinten in dem Schrank haben wir ein bisschen Müsli. Und ich weiß, wie man Eier kocht.«

»Aber es ist nur noch ein Ei da.«

»Oh.«

»Vielleicht sollten wir eine Pizza bestellen.«

Grace wurde so lebhaft, als stünde sie plötzlich unter Strom. Sie sprang auf und ab und schrie vor Freude.

»Jaaaa, Pizzaaaa! Das ist die beste Idee, die jemals jemand hatte! Ich liebe Pizza! Pizza, Pizza, Pizza, ich liebe Pizza!«, schrie sie.

»Oh, mein Trommelfell«, rief Rayleen und presste die flache Hand gegen ihr Ohr, das Grace zugewandt war, »mir platzt gleich das Trommelfell!«

Trotzdem war Grace' Mutter nicht aufgewacht.

Plötzlich klingelte das Telefon, und Rayleen erschrak wieder. Beim zweiten Klingeln war Grace schon hingerannt und hatte abgenommen.

»Hallo?«, rief sie in den Hörer.

Eine Frau am anderen Ende fragte, ob sie Grace Ferguson sei.

»Ja, ich bin Grace.«

Die Frau fragte, ob sie mit Grace' Mutter sprechen könne.

»Sie kann gerade nicht ans Telefon kommen«, sagte Grace.

Die Frau fragte, ob Grace alleine sei.

»Nein«, sagte Grace, »Rayleen ist hier.«

Die Frau fragte, ob sie mit Rayleen sprechen könne.

Grace hielt Rayleen den Hörer hin. »Sie will mit Ihnen sprechen«.

Rayleen nahm den Hörer, aber so zögernd, als sei dieses Telefon gefährlicher als andere Telefone.

»Hallo?« Pause. »Mein Name ist Rayleen Johnson.« Pause. »Ich bin ihre Nachbarin. Und … falls Sie nichts dagegen haben, dass ich frage, ich würde auch gerne wissen, mit wem ich spreche.« Pause. »Oh, okay, in Ordnung. Es war den ganzen Tag niemand hier, deshalb haben Sie erst jetzt jemanden erreicht. Grace ist in der Schule gewesen. Ich habe sie gerade von dort abgeholt.« Pause. »Ja, ich kümmere mich um sie.« Lange Pause. »Es ist so …«, Rayleen flüsterte jetzt fast, aber Grace konnte sie immer noch verstehen. »Ich glaube, die Anzeige, die Sie bekommen haben, das war vielleicht meine Schuld. Nicht die von Grace' Mutter, nein. Meine Schuld. Wer hat Sie eigentlich angerufen?« Pause. »Oh. Natürlich. Entschuldigung. Natürlich können Sie das nicht. Ich hätte nicht fragen sollen, ich hatte nur einen Moment nicht nachgedacht. Egal. Das Problem ist folgendes: Grace' Mutter hat sich den Rücken verletzt, aus diesem Grund nimmt sie starke Medikamente. Wissen Sie, das sind diese Schmerzmittel und diese Mittel zur Muskelentspannung, die einen schläfrig machen. Und deshalb gibt sie mir etwas Geld, damit ich nach Grace schaue. Aber … also, ich hasse es, das zuzugeben, weil ich mich deswegen ganz schrecklich fühle, aber an einem Tag habe ich meine Termine durcheinandergebracht, und ich war nicht da. Darum war Grace eine Weile lang allein. Aber ich schwöre Ihnen, ich verspreche es mit meiner Hand auf einem Stapel Bibeln, wenn Sie das wollen, so etwas wird nie wieder passieren. Jeder kann mal einen Fehler machen, oder? Einen Fehler. Aber ich bin eine gute Babysitterin. Ich bin sehr verantwortungsbewusst, wirklich. Grace ist bei mir gut aufgehoben, bis es ihrer Mutter wieder besser geht.«

Dann gab Rayleen noch einmal ihren Namen an. Und sie buchstabierte ihn – aber nur den Vornamen, da jeder Johnson buchstabieren kann – und erklärte, dass ihre Adresse dieselbe sei wie die von Grace, nur dass sie in Appartement D wohne anstatt F. Dann las sie ihre Telefonnummer ab.

Grace bemerkte, dass Rayleens Hände zitterten, aber sie wusste nicht, warum. Vielleicht zitterten ihre Hände immer. Sie hatte nie darauf geachtet.

»Aber sie ist …« Pause. »In Ordnung. Ich sorge dafür, dass sie zurückruft. Geben Sie mir die Nummer, ich schreibe sie auf.«

Nachdem sie aufgelegt hatte, erwartete Grace, dass Rayleen ihr erklären werde, wer die Frau am Telefon gewesen sei und warum sie angerufen habe, aber Rayleen sagte nichts.

Sie nahm nur Grace bei der Hand und ging mit ihr zur Tür. »Lass uns jetzt mit Mrs Hinman sprechen.«

•••

»Wer ist da?«, hörte Grace Mrs Hinmans Stimme durch die Tür der Dachgeschosswohnung. Sie klang ängstlich, als sei sie sich bereits sicher, dass es ein Einbrecher oder ein anderer schlechter Mann sei, vor dem sie sich schützen müsse. Als wäre es ihr nicht einmal in den Sinn gekommen, dass jemand Nettes vor der Tür stehen könnte.

»Ihre Nachbarin, Rayleen«, sagte Rayleen. »Und Grace.«

»Oh«, sagte Mrs Hinman durch die Tür und klang nur ein wenig glücklicher. »Ich komme. Ich bin sofort da. Dieses eine Schloss klemmt ein bisschen. Es dauert nur einen kleinen Moment.«

Grace fragte Rayleen: »Und dann können wir Pizza bestellen?«

Aber in diesem Augenblick hatte Mrs Hinman die Tür geöffnet.

»O je«, sagte sie. »Was ist los? Sie sehen ganz aufgebracht aus.«

»Ich muss mit Ihnen sprechen«, sagte Rayleen. »Es ist wirklich wichtig.«

Sie gingen in die Wohnung und blieben vor einem Küchentisch stehen, auf dem ein Solitärspiel lag – richtiges Solitär mit richtigen Karten, nicht das Solitär, das man auf dem Computer spielte. Grace hatte bisher immer nur das Computer-Solitär gesehen.

Rayleen sagte: »Ich wusste nicht, dass heute noch jemand Solitär spielt.«

»Manche Leute spielen es auf dem Computer«, sagte Grace.

»Ja. Computer-Solitär. Aber nicht mit richtigen Karten«, sagte Rayleen.

Mrs Hinman, die immer noch mit all diesen Schlössern an ihrer Tür beschäftigt war, sagte: »Also, wenn das nicht das Albernste ist, was ich je gehört habe. Computer kosten Tausende, und ein Kartenspiel kostet ungefähr neunundneunzig Cent.«

»Nein, Computer kosten nicht so viel«, sagte Grace. »Und außerdem kann man eine Menge Sachen mit einem Computer machen, aber mit einem Kartenspiel kann man nur Karten spielen.«

»Über was wolltet ihr mit mir reden?«

»Stimmt«, sagte Rayleen. »Wir wollten fragen, ob Sie Grace ein paar Tage lang von der Schule abholen könnten. Nur bis ihre Mutter … bis es ihr wieder besser geht.«

»Das kann nicht Ihr Ernst sein.«

»Warum nicht?«

»Wissen Sie, wie weit es bis zur Grundschule ist?«

»Ja. Ich war gerade da. Es sind etwa zwei Kilometer.«

»Aber nur eine Strecke. Etwa zwei Kilometer ist allein der Hinweg lang. Ich bin eine alte Frau, falls Sie das noch nicht gemerkt haben. Ich kann keine vier Kilometer am Tag laufen. Meine Knie würden anschwellen. Meine Knie tun schon weh, wenn ich vom Supermarkt komme, und das ist nicht mal ein Kilometer insgesamt.«

Rayleen ließ sich auf Mrs Hinmans Couch fallen. Mit so viel Schwung, dass sie wieder ein wenig hochfederte.

»Ich stecke in der Klemme«, sagte sie. »Ich habe gerade etwas getan. Ich würde nicht sagen, etwas Schlimmes, weil ich nicht weiß, ob es etwas Schlimmes war. Aber ich könnte dafür in Schwierigkeiten geraten. Ich habe eine Sozialarbeiterin von der Stadt angelogen. Ich habe ihr erzählt, ich sei Grace' Babysitter. Also bin ich das jetzt. Jetzt muss ich ihr Babysitter sein, weil sie jemanden herschicken könnten. Jederzeit. Jemand könnte plötzlich vor der Tür stehen, und dann könnten sie nicht nur Grace abholen, wenn niemand sie betreut, ich selbst könnte auch Ärger bekommen, weil ich eigentlich für sie sorgen sollte.«

»O je«, sagte Mrs Hinman, »warum haben Sie das nur getan?«

»Ich wollte nur nicht, dass sie dieses arme Mädchen wegstecken – ins System.«

Mrs Hinman schaute zu Grace hin, die neben Rayleen stand und sagte: »Vielleicht sollten wir ein anderes Mal darüber sprechen.«

Aber Rayleen sagte: »Nein. So sehe ich das nicht. Ich glaube, viele Leute machen das zu oft. Sachen vor Kindern geheim halten, weil es nichts für sie sein könnte. Wir reden hier über ihr Leben. Ich finde, sie hat ein Recht darauf, das mitzubekommen. Jedenfalls kann ich sie zur Schule bringen, bevor ich morgens zur Arbeit muss, aber ich brauche jemanden, der sie abholt.«

»Warum fragen Sie nicht Mr Lafferty?«

Rayleen schnaubte. Wirklich, sie schnaubte. Grace fand, dass es sich lustig anhörte, aber es war klar, dass dies abgesehen von dem Schnauben keine lustige Situation war, also hütete sie sich davor zu lachen.

»Dieser bösartige Mann? Ich will so einen Typen auf keinen Fall in Grace' Nähe haben. Er ist gemein, grob und engstirnig, ich kann ihn nicht leiden.«

Mrs Hinman lehnte sich vor und flüsterte: »Er wäre ihr gegenüber nicht engstirnig.«

»Das ist nicht der Punkt. Der Punkt ist, dass sie mit so jemandem keine Zeit verbringen sollte.« Zu Grace sagte Rayleen: »Ich bin mir nicht so sicher, was Mr Lafferty betrifft. Kennst du ihn?«

»Ich glaube. Er ist doch derjenige, der Felipe nicht leiden kann, oder?«

»Das klingt nach ihm. Ja, ich bin mir auch nicht sicher, ob er geeignet ist.«

»Warum fragst du nicht Felipe? Oder Billy?«, fragte Grace fröhlich.

»Billy? Wer ist Billy?«

»Billy. Unser anderer Nachbar. Im ersten Stock.«

»Der mir gegenüber wohnt? Du kennst ihn?«

»Ja, warum?«

»Na ja, niemand kennt ihn. Ich habe ihn noch nie gesehen. Ich wohne hier seit sechs Jahren und bin ihm kein einziges Mal begegnet. Ich habe ihn noch nie herausgehen sehen, und ich habe noch nie jemanden in seine Wohnung gehen sehen. Ich habe gehört, dass er sogar seine Lebensmittel geliefert bekommt. Woher kennst du ihn?«

»Ich kenne ihn einfach. Wir reden miteinander.«

»Felipe könnte eine gute Idee sein«, sagte Rayleen. »Ja. Vielleicht sollten wir Felipe fragen.«

»Aber wer schaut nach ihr, bis Sie nach Hause kommen?«, fragte Mrs Hinman.

Rayleens Miene wurde weich, als sei sie gleichzeitig traurig und ängstlich und stünde gerade davor, um etwas sehr Wichtiges zu bitten.

»Ich hatte gehofft, Sie könnten das tun.«

»Oh, nun, da bin ich mir nicht so sicher.«

Grace spürte, wie wichtig dieser Augenblick war und mischte sich ein: »Bitte, Mrs Hinman. Bitte. Ich werde mich wirklich gut benehmen, und ich will auch versuchen, leise zu sein. Außerdem ist es doch sowieso nur für kurze Zeit, bis es meiner Mom wieder besser geht.«

»Ich bin sicher, dass du dich gut benehmen würdest, mein Liebes«, sagte Mrs Hinman, »aber ich fürchte, darum geht es nicht. Ich bin einfach nicht die richtige Person für so eine Aufgabe. Ich bin zu alt und habe nicht genug Energie, um mich um dich zu kümmern.«

Gerade, als Rayleen von der Couch aufstehen wollte, nahm Mrs Hinman sie beim Ärmel, zog sie näher zu sich heran und flüsterte etwas in ihr Ohr. Aber Grace konnte es gut hören. Warum machten die Leute das immer? Dachten sie, sie sei taub? Grace hatte sehr gute Ohren, aber niemand schien das zu wissen.

Mrs Hinman hatte gesagt: »Es ist nicht Ihr Problem. Und Sie machen es nur noch schlimmer. Sie schieben das Unvermeidliche sowieso nur auf.«

Rayleen riss ihren Arm los und zog ihren Ärmel aus Mrs Hinmans Fingern. Sie gab keine Antwort, sondern nahm Grace' Hand, und ohne ein Wort zu sagen verließen sie die Wohnung.

Vor der Tür fragte Grace: »Können wir jetzt Pizza bestellen?«

Aber es stellte sich heraus, dass sie zuerst mit Felipe sprechen mussten.

Es gibt immer eine Sache, die erst noch erledigt werden muss, dachte Grace entmutigt, bevor man endlich die Pizza bestellen kann.

•••

Als er die Tür öffnete, fragte Rayleen: »Felipe. Ist alles in Ordnung?«

Felipe sagte: »Klar, warum?«

»Du siehst furchtbar aus. Bist du sicher, dass alles in Ordnung ist?«

»Du siehst traurig aus«, fügte Grace hinzu.

Und gerade als sie dies gesagt hatte, schien es so, als versuchte Felipe, die Tränen zurückzuhalten. Grace war sich dessen, was sie sah, zwar ziemlich sicher, vermutete aber gleichzeitig, dass sie falsch liegen müsse, denn schließlich war er ein erwachsener Mann, und erwachsene Männer weinen nicht. Na ja, vermutlich nicht. In der Tat war sich Grace in diesem Punkt nicht sicher. Sie wusste nur, dass sie noch nie so etwas gesehen hatte. Erwachsene Frauen weinten ab und zu, aber Männer nicht so häufig – zumindest, soweit sie wusste. Aber es schien nun mal so zu sein, und so war es die Sache wert, etwas mehr darüber nachzudenken.

Felipe wischte sich mit einer Hand über die Augen, dann presste er die Augen zusammen, als täten sie weh, und rieb sie.

»Verdammte Allergie«, sagte er, »die macht mich noch verrückt. Kommt rein, kommt rein. Es muss aber schnell gehen, weil ich mich gerade für die Arbeit fertigmache.«

Rayleen ging jedoch nicht hinein, und so blieb auch Grace stehen. Grace fragte sich, ob sie draußen blieben, weil Felipe etwas über die Arbeit gesagt hatte oder ob es damit zusammenhing, dass er traurig war, aber sie war sich nicht sicher. Also machte sie, was am sichersten schien und tat einfach, was die Erwachsenen tun würden.

»Wir sind hier, um dich um einen Gefallen zu bitten«, rief sie ziemlich fröhlich.

»Das sind wir wirklich«, sagte Rayleen. »Du arbeitest also nicht mehr tagsüber beim Bau?«

»Nein. Nein, ich habe jetzt einen besseren Job. In einem Restaurant. Ist eigentlich nicht so gut bezahlt, aber dafür ist es etwas auf Dauer. Um was für einen Gefallen geht es?«

»Ich hatte gehofft, du könntest Grace ein paar Tage lang von der Schule abholen.«

»Oh. Klar. Kann ich machen.« Dann änderte sich sein Gesichtsausdruck, als hätte er gerade an etwas Ärgerliches gedacht. »Oh. Nein. Nein. Das nehm ich zurück. Ich kann es nicht. Tut mir leid. Ich wünschte, ich könnte. Ich würde helfen, wenn ich könnte. Aber es ist der Typ von gegenüber. Er würde Ärger machen. Ich weiß das. Vor ein paar Tagen habe ich mich hingehockt und Grace gefragt, warum sie nicht in der Schule war – das ist alles – und daraufhin hat er mich schon so gut wie ins Zuchthaus geschickt.«

»Mist. Verdammt. Dieser Typ ist so ein Arschloch«, schimpfte Rayleen. Sie sah plötzlich nach unten und schien sich erst jetzt daran zu erinnern, dass Grace dort stand. »Oh, entschuldige, Grace.«

»Ich habe diese Wörter auch schon vorher gehört«, sagte Grace.

Schließlich war sie kein Baby mehr.

»Na gut, aber ich wollte nicht, dass du sie von mir hörst. Hör zu, Felipe. Wie wäre es, wenn ich die Sache mit Lafferty wieder ins Lot bringe?«

»Ähm …«

»Lass es mich einfach versuchen, ja? Wenn du dir wirklich sicher sein könntest, dass er sich nicht einmischt, dann würdest du es doch machen?«

»Sicher, ich hätte nichts dagegen, sie ein paar Tage lang von der Schule abzuholen. Aber wer kümmert sich dann um sie, bis du nach Hause kommst? Ich meine, was mache ich mit ihr, soll ich sie einfach in ihrer eigenen Wohnung lassen? Ich muss mich schließlich schon kurz danach für die Arbeit fertigmachen.«

Rayleen runzelte die Stirn noch mehr, als sie schon vorher gerunzelt war, zumindest seit diesem Telefonanruf.

»Wir arbeiten daran«, sagte sie. »Das Einzige, was ich gerade weiß, ist, dass sie nicht allein bleiben kann. Das schließt das Alleinsein mit Ihrer Mutter in ihrer Wohnung ein. Sie muss immer bei jemandem sein.«

»Billy!«, schaltete sich Grace ein. »Lasst uns Billy fragen!«

»Wer ist Billy?«, fragte Felipe.

»Unser anderer Nachbar!«

Rayleen übernahm und sagte: »Grace behauptet, den Typen zu kennen, der in der Wohnung mir gegenüber wohnt.«

»Du machst Witze. Niemand kennt diesen Typen. Ich wusste nicht mal, dass es ein Mann ist. Ich wohne hier seit drei Jahren und habe noch nie jemanden dort reingehen oder rausgehen sehen. Ich dachte schon, es sei vielleicht eine leere Wohnung.«

»Nein«, sagte Grace, »Billy wohnt dort.«

»Woher kennst du ihn?«

»Ich kenne ihn einfach. Wir reden miteinander. Ich weiß alles Mögliche über ihn. Er war mal ein Tänzer. Und ein Sänger und ein Schauspieler, aber jetzt ist er es nicht mehr. Und sein Name ist Billy Schein, aber den Namen hat er nicht von seiner Mutter bekommen. Sie hat ihm seinen Vornamen gegeben – ich glaube, Ronald oder Douglas – und sein Nachname war Fleinsteen, aber er hat ihn geändert, weil Fleinsteen nicht der Name eines Tänzers ist. Ich habe keine Ahnung, woher er weiß, was ein Tänzername ist und was nicht, aber er sagt, man könne sowas einfach wissen. Er ist sehr nett.«

Felipe schaute Rayleen an, und Rayleen schaute Felipe an, und Grace schaute sie beide an. Sie wusste, dass sie unschlüssig darüber waren, ob sie ihr glauben sollten oder nicht, obwohl sie keine Ahnung hatte, was so schwierig daran sein konnte, ihr zu glauben, dass sie Billy kannte.

»Ich glaube, Grace hat eine sehr blühende Fantasie«, sagte Rayleen.

»Stimmt!«, rief Grace, »auf jeden Fall. Ich weiß das, weil es mir jeder sagt. Alle sagen das.«

»Wie auch immer«, sagte Rayleen, diesmal zu Felipe. »Wir haben noch nicht alle Probleme mit dieser Nachmittagssache gelöst. Aber Lafferty … ich kümmere mich um Lafferty, okay?«

»Ja. Sicher. Sag mir einfach, wie es gelaufen ist. Aber jetzt … sollte ich mich wahrscheinlich für die Arbeit fertigmachen.«

»Oh. In Ordnung. Natürlich. Sorry, wir lassen dich jetzt in Ruhe, damit du nicht noch zu spät kommst.«

»Tschüss, Felipe!«, rief Grace.

»Tschüss, Felipe«, fügte Rayleen weniger fröhlich hinzu.

Auf der Treppe sagte Grace: »Ich glaube nicht, dass Felipe eine Allergie hat. Ich meine, vielleicht schon. Ich sage nicht, er hat keine, denn wie sollte ich das wissen? Aber ich bin mir ziemlich sicher, dass er traurig war, und ich glaube, er hat geweint und nur gesagt, es ist eine Allergie, weil wir das nicht wissen sollen.«

»Vielleicht«, sagte Rayleen, aber sie klang, als würde sie an etwas völlig anderes denken.

»Ich mag es auch nicht, wenn Leute mich weinen sehen, außer vielleicht es ist meine Mom, weil sie mich schon weinen gesehen hat, als ich noch ein Baby war. Aber in der Schule hasse ich das mehr als alles andere. Wenn ich in der Schule wegen etwas weinen würde und ein paar Kinder mich sehen würden, dann würde ich auch machen, was Felipe getan hat, und deswegen lügen. Ich muss mir das merken. Allergie. Das ist gut.«

Rayleen sagte: »Ich muss jetzt überlegen, wo du bleiben kannst, während ich mit diesem Lafferty rede.«

»Warum kann ich nicht mitkommen?«

»Weil es sehr unschön werden könnte.«

»Na und? Ich habe schon vorher unschöne Sachen gesehen.«

Grace merkte, dass Rayleen ihr nicht richtig zuhörte und ganz in ihre Gedanken versunken war, so wie es bei Erwachsenen oft passierte. Normalerweise hörten sie überhaupt nicht zu, vor allem Kindern nicht.

»Und ich muss mir überlegen, wer nach der Schule auf dich aufpassen kann«, sagte Rayleen.

Also antwortete Grace: »Lass uns Billy fragen«. Egal, wie oft sie es schon gesagt hatte, sie schien es nicht in Rayleens Kopf reinzubekommen.

»Ich bin mir da nicht so sicher«, sagte Rayleen.

»Aber er ist wirklich nett. Und wir wissen, dass er zu Hause ist. Denn er ist immer zu Hause.«

»Na ja, das kann man nicht bestreiten.«

»Ich weiß, warum Mrs Hinman und Felipe nicht auf mich aufpassen wollen«, sagte Grace. »Ich weiß, was sie uns gesagt haben, aber ich kenne auch den richtigen Grund. Sie können mich nicht leiden.«

Sie waren am Ende der Treppe angekommen, als Grace dies sagte. Sie gingen gerade auf Rayleens Wohnung zu, denn hier schienen sie eine Weile zu bleiben, zumindest bis Rayleen entschieden hatte, ob sie Grace zu dieser Sache mit Mr Lafferty mitnehmen sollte. Aber als Grace dies sagte, blieb Rayleen mitten im Flur stehen.

Sie hielt immer noch Grace' Hand, nur dass Grace nicht wusste warum, denn sie gingen ja nicht über die Straße oder sowas. Soweit Grace wusste, konnte nicht allzu viel passieren, wenn man durch einen Hausflur ging. Grace dachte, Rayleen würde ihre Hand halten, weil sie aufgebracht war und vielleicht dachte, das sei auch bei ihr der Fall, nur war Grace gar nicht so sehr aufgebracht. Oder vielleicht wollte Rayleen nur die Hand von jemandem halten und Grace war die Einzige, die in der Nähe war.

Jedenfalls, was auch immer der Grund sein mochte, Rayleen hielt an und sah schockiert zu ihr herunter, als hätte Grace gerade etwas Furchtbares gesagt. Als ob sie ein Schimpfwort gesagt hätte oder so etwas. Grace ging in Gedanken sehr schnell alles durch, was sie gesagt hatte, konnte aber keine Schimpfwörter entdecken.

»Warum sagst du so etwas, Grace?«

»Weil es die Wahrheit ist.«

»Warum sollten sie dich nicht mögen?«

»Also, ich bin mir nicht ganz sicher, aber ich weiß, dass manche Leute mich nicht leiden können. Ich glaube, sie mögen mich vielleicht nicht, weil ich zu laut bin, denn einige Leute sagen mir immer, dass ich zu laut bin, und dann klingt es so, als sei es etwas, das sie nicht mögen. Und vielleicht, glaube ich, mögen Leute Kinder manchmal, weil sie mit ihnen nicht zu viel Zeit verbringen müssen und nur ein paar Dinge zu dem Kind zu sagen brauchen und es dann zu seiner Mutter zurückschicken können. Also glaube ich, dass manche Leute mich jetzt vielleicht nicht so sehr mögen, weil sie mich nicht so einfach zu meiner Mom zurückschicken können.«

»Ich bin mir sicher, dass alle dich mögen.«

Grace sagte: »Nein, nicht alle«, aber Rayleen sah so bestürzt aus, dass Grace sich entschied, lieber das Thema zu wechseln, denn sie mochte nicht, dass Leute wegen ihr traurig wurden und wollte das vermeiden. Also fragte sie: »Magst du mich?« Und als sie es sagte, merkte sie, dass es wirklich nicht so weit vom Thema entfernt war, wie es sein sollte.

»Natürlich mag ich dich.«

»Was magst du an mir?«

Und was passierte? Rayleen fiel kein Grund ein.

»Na ja, ich kenne dich nicht wirklich gut. Noch nicht. Später werde ich dich besser kennenlernen, und ich bin mir sicher, dass ich viele Sachen aufzählen kann, die ich an dir mag. Eine Riesenmenge von Sachen.«

»Also magst du mich doch nicht wirklich. Noch nicht. Es ist aber nicht so, dass du mich nicht leiden kannst.«

»Nein, ich mag dich. Auf jeden Fall. Ich brauche nur mehr Zeit, um dich kennenzulernen, bevor ich dir alle Gründe dafür sagen kann.«

»Ich mag dich. Und ich weiß auch warum. Du lässt mich Pizza bestellen.« Grace dachte, es sei ein kluger Schritt, jetzt die Pizza zu erwähnen, nur um sicherzustellen, dass sie nicht vergessen wurde. »Und weil du von allen Leuten, die mich auf der Treppe gesehen haben, die Einzige warst, die sich entschieden hat, mir zu helfen.«

Grace wartete. Aber Rayleen sagte nichts darauf. Sie ging auch immer noch nicht weiter. Sie standen einfach weiterhin da, mitten im Hausflur, und hielten sich an der Hand. Es war fast so, als sei eine große Windböe vorbeigeweht und hätte Rayleens Worte gestohlen.

Da irgendwann jemand etwas sagen musste, sprach Grace zuerst. »Lass uns mit Billy reden.«

Und Rayleen löste sich aus ihrer Starre und sagte: »Okay. Ja. Lass uns das tun. Ich würde gern diesen Freund von dir treffen.«

»Und danach Pizza«, sagte Grace.

»Ja. Und danach Pizza.«

Billy

»O je!«, sagte Billy. Dann stand er einen Augenblick lang starr da, als würde ein einfaches »O je!« ausreichen, um die Situation zu bewältigen.

Aber die Person auf der anderen Seite der Tür klopfte noch einmal.

»Da scheint jemand an der Tür zu sein«, sagte er.

Er sprach die Worte leise und in einem vernünftigen Ton, dann nahm er sich einen Moment Zeit, um sich selbst dafür zu gratulieren, dass er so ruhig bleiben konnte.

Leute klopften an seine Tür. Dies war kein gänzlich unbekanntes Phänomen. Ab und zu passierte es. Aber immer an den Tagen, an denen er seine Lebensmittel geliefert bekam. Und heute war kein Liefertag.

»O je!«, sagte er wieder, als Antwort auf das dritte Klopfen.

Es war ein höfliches Klopfen. Würden Räuber und Einbrecher und andere Übeltäter höflich anklopfen? Vielleicht. Sie könnten es tun, um jemanden in falscher Sicherheit zu wiegen.

Als stünde er im Visier eines Heckenschützen, machte er einen Sprung zur Tür und drückte sich mit seinem Rücken gegen das schwere Holz.

»Wer ist da?«, rief Billy und bemühte sich, seine Stimme fest klingen zu lassen. Leider war seine Anstrengung völlig umsonst und seine Stimme brach wie die eines Jungen in der Pubertät.

»Ihre Nachbarin von gegenüber. Rayleen. Und Grace. Sie kennen doch Grace, nicht? Sie sagt, sie kennt sie.«

»Ja, wir … ich kenne Grace«, sagte er etwas fester. Dann ließ er seine Stimme sinken. »Aber wir kennen *Sie* nicht«, murmelte er viel leiser. »Jemanden vom Fenster aus zu sehen und zu meinen, dass diese Person einen guten Stil hat, kann man kaum ›kennen‹ nennen.«

»Hallo?«, sagte Rayleen durch die Tür. »Ist da gerade jemand bei Ihnen? Sollen wir lieber ein anderes Mal wiederkommen?«

Gute Frage. Sollte er von ihnen verlangen, ein anderes Mal wiederzukommen? Aber dann würden sie das sicher tun. Und dann würde er tagelang mit dem Wissen leben müssen, dass ihn diese heikle Situation wieder ereilen wird. Eine solche Aussicht war kaum schmackhaft. Nein, es würde am wenigsten unangenehm sein, wenn er die Situation jetzt bewältigte.

Billy schloss zwei Schlösser auf und öffnete die Tür ein paar Zentimeter, die Sicherheitskette blieb noch da, wo sie war.

Er sah auf Grace hinunter, die ihm zuwinkte. Von Rayleen sah er den mittleren Teil, der sich etwa auf der Höhe von Grace befand, aber er konnte sich nicht dazu durchringen, in ihr Gesicht zu schauen. Schließlich könnte sie ihn direkt ansehen oder eine andere unerträgliche menschliche Interaktion versuchen.

»Hi Billy!«, brüllte Grace. Na ja, nach Grace' Maßstäben war es war kein Brüllen, aber für jeden anderen schon.

»Hey, Grace.«

»Wir sind hier, um dich um einen Gefallen zu bitten!« Grace schaffte es, Gefälligkeiten nach Spaß klingen zu lassen – als ginge es um Eiscreme oder darum, wer als Erster mit dem Stock gegen die Piñata schlagen darf.

Billy bückte sich zu Grace herunter und sprach in der Lautstärke eines Bühnenflüsterns durch den geöffneten Türspalt zu ihr.

»Grace, ich dachte, wir hätten schon darüber gesprochen«, flüsterte er.

»Ja, ich weiß. Aber es ist anders.« Grace imitierte das Bühnenflüstern und kam gerade oberhalb der Lautstärke an, die die meisten Leute in einer normalen Unterhaltung verwendeten.

»Was ist anders?«

»Weil Rayleen eigentlich diejenige ist, die hilft. Du würdest ihr nur helfen zu helfen. So ist das viel einfacher.«

»Ich bin hier«, sagte Rayleen und bewirkte damit, dass Billy zusammenzuckte. »Ich kann das alles hören.«

»Ich weiß«, sagte Grace. »Ich hasse das auch. Manche Leute machen das auch immer so mit mir, als hätte ich keine guten Ohren oder so, aber ich kann sie trotzdem hören. Sogar du hast das gemacht, Rayleen, heute erst, und auch Mrs Hinman. Ich finde, es ist albern. Ich habe sehr gute Ohren. Ich kann fast alles hören. Ich meine, außer wenn etwas so weit weg ist, dass niemand es hören kann. Ich wette, ich kann sogar so gut hören wie ein Hund, aber ich weiß das nicht sicher, weil wir nie einen Hund hatten. Meine Mom sagt, dass es schon schwer genug ist, auf *mich* aufzupassen.«

Rayleen seufzte und fragte dann Billy: »Können wir hereinkommen?«

Billy holte tief Atem und versuchte sein pochendes Herz zu beruhigen.

»Es ist ein bisschen unordentlich. Ich hatte keine Zeit, die Wohnung etwas herzurichten.«

»Sicher«, sagte Rayleen. »Ja, das kenne ich. Meine Hausangestellten sind schon seit Tagen in Urlaub, außerdem bin ich sehr unzufrieden mit meinem derzeitigen Raumausstatter. Ich kann also vollkommen verstehen, wie Sie sich fühlen … Kommen wir auf den Boden zurück, okay? Diese Wohnungen sind alle ungefähr die gleichen Dreckslöcher. Und hier geht es gerade ein bisschen um Leben oder Tod, sonst würde ich nicht fragen. Wir werden sicher nicht über die Wohnung urteilen, das verspreche ich.«

Billy stand auf, und da ihm kein eleganter Ausweg aus dieser Situation einfiel, nahm er die Sicherheitskette ab und öffnete die Tür.

»Kommen Sie herein«, sagte er, seine Stimme und Hände zitterten.

Er hockte sich auf den äußersten Rand der Couch und bearbeitete mit seinen Zähnen den Nagel seines Zeigefingers. Rayleen setzte sich nicht hin, sondern blieb einfach in der Mitte seines Wohnzimmers stehen und redete.

»Grace braucht einen Ort, an dem sie sich nachmittags für ungefähr zwei Stunden aufhalten kann. Nur, bis ich von der Arbeit komme. Es wird wahrscheinlich nur für eine kurze Zeit sein. Das hoffe ich. Aber … trotzdem ist es eine große Sache. Eine riesige Sache sogar. Grace ist jetzt beim Jugendamt gemeldet. Wenn also jemand vorbeikommt, um zu prüfen, wo sie ist … nun, jemand muss sie beaufsichtigen. Also, dabei will ich es belassen.«

In der Zwischenzeit lief Grace in Billys Wohnung herum und sah sich die eingerahmten Fotos aus Billys jüngeren Jahren an. Sie schien nicht zuzuhören, aber Billy konnte trotzdem spüren, dass sie alles mitbekam.

Er kaute härter als gewollt an seinem Zeigefingernagel, die dünne Haut riss und etwas Blut kam hervor.

Grace kam auf ihn zu und stand beunruhigend nahe. Nur ein paar Zentimeter von ihm entfernt. Aufgrund dieser Nähe erstarrte er und drückte einen Finger auf seinen gerissenen Nagel, um das Bluten zu stoppen.

»Was machst du mit deinen Nägeln?«, fragte sie.

»Kauen«, sagte er.

»Warum?«

»Das mache ich, wenn ich nervös bin. Was machst du, wenn du nervös bist?«

»Nichts. Ich glaube, ich bin dann einfach nur nervös.«

»Jeder macht etwas.«

»Manchmal esse ich Süßigkeiten, wenn ich nervös bin.«

»Aha! Der Klassiker.«

»Aber manchmal esse ich auch Süßes, wenn ich nicht nervös bin. Also bin ich nicht sicher, ob das zählt.«

Als hätte ihr Interesse gerade nachgelassen, entfernte sie sich wieder und ging in Richtung Billys Küche.

Immer noch nicht in der Lage, den Augenkontakt mit seinem erwachsenen Besuch herzustellen, knabberte Billy nun an seinem Daumennagel.

Keine Sekunde später stand Grace Auge in Auge mit ihm, schimpfte und zeigte mit dem Finger auf seine Stirn.

»Billy Schein, du hörst jetzt sofort damit auf, an deinen Nägeln zu kauen!«

Die Zeit stand still. Billy atmete einmal ein und war sich sehr bewusst, dass das Mädchen so nahe stand, dass sich fast ihre Nasenspitzen berührten. Dann prustete er ohne jede Vorankündigung plötzlich los. Zu seiner weiteren Überraschung fing Grace spontan zu kichern an, als hätte sein Lachen sie angesteckt.

»Hey, spuck mich nicht an«, sagte sie und wischte sich über das Gesicht.

Dann brach Billy in eine weitere Runde Gelächter aus, und wieder wurde Grace sofort von dem Lachen angesteckt. Hartnäckig, dieser Kicheranfall. Sie fand es schwer, sich zusammenzureißen.

»Okay«, sagte Billy und stand auf, was ein kleiner Hinweis darauf war, dass der Besuch jetzt oder zumindest bald beendet sein könnte.

»Okay?«, fragte Grace.

»Okay was?«, fragte Rayleen.

»Okay, Grace kann für eine kleine Weile zwei Stunden täglich hier bleiben«, sagte Billy. Dann, unversehens, sagte er: »Uff!«

Grace hatte seinen Magen getroffen, als sie sich mit vollem Gewicht gegen ihn warf und ihre Arme um ihn schlang.

Er legte eine Hand auf ihren Kopf und staunte über die leichte Wärme, die er unter seiner Hand spürte. Ein richtiges, lebendiges menschliches Wesen. Wie lange war es her, dass er zuletzt eine andere Person berührt hatte oder selbst berührt worden war? Zwölf Jahre? Fünfzehn?

Er fühlte fast buchstäblich, wie ihn die Situation zum Schmelzen brachte.

Er sank auf die Knie, womit er genau ihre Höhe erreichte, und umarmte sie zurück. Er nahm an – das heißt, er hoffte –, dass es von außen nach einer absichtlichen Bewegung aussah. In Wahrheit waren einfach seine Knie geschmolzen.

»Du hast Ja gesagt«, sagte Grace, und merkwürdigenderweise war es fast ein Flüstern. »Alle anderen haben Nein gesagt. Das muss bedeuten, dass du mich magst.«

»Ja, ich mag dich«, sagte Billy, und es wurde ihm selbst erst in dem Moment klar, als er es aussprach.

»Was magst du an mir?«

»Du bist mutig«, sagte er, entzog sich der Umarmung und hielt Grace an den Schultern eine Armeslänge von sich entfernt. Das war genug Nähe für nur einen Tag.

»Warum bin ich mutig?«

»Na ja, du gehst nach draußen.«

»Ach nee. Klar tu ich das, und alle anderen auf diesem Planeten auch.«

»Und du hast den Streit dieser beiden großen Männer beendet.«

»Welche beiden großen Männer?«

»Jake Lafferty und Felipe Alvarez.«

Grace' Gesicht leuchtete auf. Sie fragte nicht, woher er das wusste oder warum er die Namen all der Nachbarn kannte, die er nie getroffen hatte.

»Ja. Wow. Dann nehme ich an, ich *bin* mutig, was?«

Sie prallte wieder gegen ihn, eine weitere fluggeschossartige Umarmung.

»Ich wusste, dass du nicht nutzlos bist«, flüsterte sie in sein Ohr. Dann sagte sie lauter: »Okay, dann bis morgen, Billy.«

Und damit marschierte sie aus der Tür.

»Danke«, sagte Rayleen, bevor sie hinausging.

Billy grübelte darüber nach, worauf er sich da gerade eingelassen hatte. Aber er konnte die Frage vom gegenwärtigen Standpunkt aus nicht zergliedern. Erst morgen würde es sich zeigen. In diesem Moment konnte er nichts daran ändern. Er hatte es gesagt, und das war es dann.

Er entschied sich, ein Nickerchen zu machen. Er fühlte sich wie ausgewrungen und musste sich erholen.

•••

Billy wurde von einem lauten Klopfen an der Tür geweckt.

Er blieb noch einen Moment im Bett liegen und zog die Bettdecke zu seinem Kinn hoch. Aber das Klopfen wiederholte sich und schreckte ihn auf, obwohl er dieses Mal schon etwas besser darauf vorbereitet war.

Er atmete tief ein und akzeptierte, dass es nur einen Weg gab, das Klopfen zu beenden.

Vorsichtig stieg er aus dem Bett und ging auf Zehenspitzen durch das Wohnzimmer und an die Tür.

»Wer ist dort?«

»Jake Lafferty, von oben.«

»Oh«, sagte Billy.

Hätte er mehr gesagt, wäre das Zittern in seiner Stimme zu stark gewesen, zu offensichtlich. Auf eine möglicherweise gefährliche Art hätte es ihn verraten, wie ein Beutetier, das seinen Verfolger sein Blut oder ein gebrochenes Bein sehen lässt.

»Ich möchte Ihnen eine Frage stellen. Bevor Sie nach diesem kleinen Mädchen schauen.«

»Okay«, sagte Billy und verriet trotz der Kürze der Antwort das Zittern in seiner Stimme.

»Öffnen Sie nun die Tür oder nicht?«

»Wahrscheinlich nicht.«

»Gibt es dafür einen besonderen Grund?«

»Ich finde Sie ein wenig ... bedrohlich.«

»Au weia!«, sagte Lafferty. »Was mich zu meiner Frage zurückbringt: Sind sie ein Homosexueller?«

»Wie bitte?«

»Haben Sie die Frage wirklich nicht gehört?«

»Nein, ich habe sie durchaus gehört. Ich kann nur kaum glauben, dass Sie sie gestellt haben.«

»Schauen Sie, in diesem Fall habe ich ein Recht, das zu fragen. Weil Sie auf das kleine Mädchen aufpassen werden, stimmt's? Und jeder weiß, dass Homosexuelle mit größerer Wahrscheinlichkeit Kinder belästigen als andere Leute. Sonst wäre es nur Ihre Sache. Aber deshalb muss ich fragen. Weil das jeder weiß.«

Das Zimmer schien sich vor Billys Augen leicht zu drehen. Er erinnerte sich daran, schnell durchatmen zu müssen, um nicht das Bewusstsein zu verlieren.

»Hm. Nein. Nicht wirklich. Jeder weiß das nicht. Weil es nicht im Geringsten der Wahrheit entspricht.«

»Machen Sie Witze? Was glauben Sie denn, wer all diese kleinen Jungs belästigt?«

»Hm. Eine Menge verheirateter Männer in Ihrem Alter.«

»Was wollen Sie damit andeuten?«

»Einfach nur, dass Sie falsch liegen. Im Hinblick auf so ziemlich alles.«

»Ich merke, dass Sie meine Frage immer noch nicht beantwortet haben.«

»Lassen Sie uns der Diskussion zuliebe einfach sagen, Sie hätten recht«, sagte Billy, immer noch zitternd. »Sie haben zwar nicht recht. Aber lassen Sie uns nur eine Sekunde lang annehmen, es gäbe eine Welt, in der Sie recht hätten. Haben Sie Grace getroffen?«

»Natürlich.«

»Ist sie … ein Junge? Oder ein Mädchen?«

»Oh«, sagte Lafferty, »ja, okay.«

Billy konnte Laffertys Schritte hören, als er den Hausflur entlangging – und dann hörte er ein Wort, das der andere vor sich hinmurmelte: »Irrer!«

Billy ging zurück ins Bett, obwohl er wusste, dass die Aussicht auf etwas mehr Schlaf verschwindend gering war.

•••

In dieser Nacht lag er wach, abgesehen von der Dreiviertelstunde, in der er sich von dem Schlagen der Flügel umzingelt fühlte, das ihn verschlucken wollte. Das Schlagen der Flügel war länger, weiter und leidenschaftlicher als sonst – es war ein lärmender Missklang aus Flügeln.

•••

»Wer hat dich von der Schule heimgebracht?«, fragte er Grace.

Er hatte sich auf den äußersten Rand seines Sofas gehockt und beobachtete sie, wie sie sich in der Wohnung umschaute.

Er sah, wie sie wieder alle seine Fotos beäugte, als hätte sie sie nicht erst am Tag zuvor schon inspiziert.

Er konnte sich auf nichts anderes als seinen Mangel an Schlaf konzentrieren. Seine Nerven lagen blank und fühlten sich an, als wären sie vor Kurzem mit Sandpapier geschmirgelt worden.

»Felipe«, sagte Grace. »So muss Yolanda sich nicht freinehmen. Weil sie Yolanda nicht bezahlen, wenn sie sich von der Arbeit freinimmt. Sie kann es zwar, aber dann verliert sie das Geld.«

»Und Yolanda ist …«

»Die Sponsorin meiner Mutter.«

»Sponsorin? Was für eine Art von Sponsorin? Für was sponsert sie deine Mutter?«

»In dem Programm. Wie ein AA-Sponsor, nur dass Yolanda eine NA ist.«

»O mein Gott, das erklärt einiges«, sagte Billy und wünschte sofort, er hätte es nicht laut gesagt.

»Was erklärt es?«

»Vergiss, dass ich es erwähnt habe. Oh – das bin ich in einer Aufführung von *The Iceman Cometh*.«

»Ich habe das Foto besser verstanden, bevor du mir das gesagt hast.«

»Und wie hat Jake Lafferty nun herausgefunden, dass ich auf dich aufpasse?«

»Oh, das ist einfach. Rayleen musste zu ihm, um mit ihm zu reden. Denn Felipe wollte mich nicht von der Schule abholen, weil er dachte, dass dann Mr Lafferty ihm das Leben schwer machen würde. Also musste Rayleen mit Mr Lafferty reden und ich musste mitkommen, weil ich sonst nur mit meiner Mom, die am Schlafen war, allein geblieben wäre, und dann wäre es schlecht gewesen, wenn das Amt gekommen wäre, um nach mir zu sehen. Also bin ich mitgekommen. Und wow, er war wirklich wütend. Aber Rayleen hat sich nicht so benommen, als hätte sie nur das kleinste bisschen Angst vor ihm. Sie hat ihm nur gesagt, dass Felipe mich von der Schule abholen würde und er sich besser nicht einmischen solle. Er mochte das zwar nicht besonders, aber er sagte nur so was wie: ›Warum sollte es mich kümmern? Machen Sie, was immer Sie wollen.‹ Aber dann wollte er wissen, wo ich bin, nachdem Felipe zur Arbeit gegangen ist, was ich komisch fand, weil er ja gerade eine Minute vorher noch gesagt hatte, es kümmere ihn nicht. Ich habe ihm viel über dich erzählt.«

»Oh. Okay. Das erklärt einiges.«

»Du sagst das ständig, wusstest du das? Was erklärt es denn?«

»Es erklärt, warum er hierher kam und mir persönliche Fragen gestellt hat.«

»Was für persönliche Fragen?«

»Na … wie soll ich dir das sagen … wenn sie persönlich sind?«

»Ah, ja, in Ordnung«, sagte Grace.

»Was hast du ihm über mich erzählt?«

»Dass du ein Tänzer warst und ein Schauspieler und ein Sänger …«

Das erklärt einiges, dachte Billy, behielt es aber für sich.

»… und dass dein Name Billy Schein ist, aber dass dein Vorname früher Rodney oder Dennis war oder sowas …«

»Donald, genau genommen.«

»Oh. In Ordnung. Donald. Und ich habe ihm erzählt, dass dein Nachname früher Fleinsteen war, dass du ihn aber geändert hast, weil Fleinsteen kein Tänzername ist.«

»Feldman«, sagte Billy, plötzlich noch müder geworden.

»Oh. Feldman. Wie bin ich auf Fleinsteen gekommen?«

»Ich wage keine Vermutung.«

»Jetzt redest du wieder komisch. Ich glaube, ich habe ihm das Falsche gesagt. Was ist das da? Bist du das beim Tanzen?«

Sie hielt ein eingerahmtes Foto hoch, das auf einem Beistelltisch in der Nähe der Couch gestanden hatte. Tatsächlich war es ein Foto von Billy beim Tanzen.

»Ja. Ich tanze da sogar am Broadway.«

»Was ist Broadway?«

»Eine Straße. In New York.«

»Das sieht nicht aus wie eine Straße. Es sieht aus, als tanzt du in einem Raum.«

»Stimmt. In einem Theater. Am Broadway.«

»Oh. Ist das gut?«

»Besser geht es eigentlich nicht.«

»Wirklich schade, dass du das nicht mehr machst. Ich meine, weil du das doch so geliebt hast.«

»Na, betrachte es mal von dieser Seite, Grace. Wenn ich immer noch tanzen würde, wäre ich jetzt am Broadway, und wer würde dann nach dir schauen?«

»Stimmt. Aber das ist eine andere Sache, über die wir sprechen könnten, weil … wenn du immer noch ein Tänzer wärst …«

»Vielleicht sollten wir das Schweigespiel spielen«, unterbrach Billy.

»Was ist das Schweigespiel?«

»Du weißt schon, das Spiel, in dem wir sehen, wer am längsten nichts sagen kann.«

»Bäh«, machte Grace und stellte das Broadway-Foto an den richtigen Platz zurück, aber in einem falschen Winkel, »klingt wirklich langweilig.«

»Ich bin nur so müde«, sagte Billy, lehnte sich vor und korrigierte den Winkel des Fotos. »Ich habe letzte Nacht nicht geschlafen. Ich weiß nicht, wie viel Energie ich noch zum Reden übrig habe.«

Plötzlich tauchte Grace vor ihm auf und wippte auf ihren Zehenspitzen auf und ab.

»Kannst du mir das Tanzen beibringen?«
»Das kostet auch Energie.«
»Bitte, Billy? Bitte, bitte, bitte! Bitte, bitte, bitte!«
Billy seufzte tief und erschöpft auf.
»Okay«, sagte er, »ich nehme an, es kostet weniger Energie, als sich *das* anzuhören.«

Grace

Am nächsten Tag holte Felipe Grace von der Schule ab, aber er brachte sie nicht nach Hause. Stattdessen ging er mit ihr zu Rayleens Haar- und Nagelstudio. Das war zwar nicht der Name des Studios, und Rayleen war auch nicht die Inhaberin oder so etwas, aber sie arbeitete dort.

»Warum gehen wir dahin?«, frage Grace Felipe, als sie die Straße entlanggingen.

»Ich weiß nicht«, sagte Felipe. »Sie sagte nur, ich solle dich dort hinbringen. Sie sagte, sie hätte mit dir darüber gesprochen.«

»Oh«, meinte Grace, »vielleicht. Sie hat vielleicht etwas gesagt, und ich hab's vergessen.«

»Willst du nicht dort hingehen?«

»Doch, schon. Ich hatte mich nur darauf gefreut, zu Billy zu gehen, weil er mir das Tanzen beibringt. Er will mir diesen Tanz beibringen, der Time Step heißt. Er sagt, das sind die ersten Schritte, die ich lernen muss. Das heißt, es sind eine ganze Menge Schritte. Ich finde es schwer, sie alle im Kopf zu behalten, aber ich hatte erst eine Stunde. Es ist Stepptanz. Weißt du, was das ist, Stepptanz?«

»Klar«, sagte Felipe, »ich habe auch schon Stepptanz gesehen.«

»Ich muss diese besonderen Schuhe tragen, Steppschuhe. Und ich habe natürlich keine Steppschuhe. Ich meine, warum sollte ich auch welche haben? Also hat mir Billy dieses ganz besondere Paar Schuhe gegeben, aus der Zeit, als er jung war. Sie sind wirklich etwas Besonderes, weil sie sein erstes Paar Steppschuhe waren. Da ist er etwa in meinem Alter gewesen. Aber weißt du was? Sie sind immer noch zu groß für mich. Selbst als Billy in meinem Alter war, waren seine Füße größer als meine. Ich nehme an, weil er ein Junge ist. Jedenfalls musste ich drei Paar Socken anziehen, und dann haben sie gepasst. Ich kann sie nicht mit nach Hause mitnehmen, weil sie zu besonders sind, aber ich kann sie wenigstens in seiner Wohnung tragen. Und ich muss in der Küche tanzen, weil man auf einem Teppichboden nicht stepptanzen kann. Jedenfalls hatte ich mich irgendwie auf meine zweite Tanzstunde gefreut, aber ich glaube, ich kann sie auch morgen haben. Du hörst mir gar nicht zu, Felipe, oder?«

»Oh, entschuldige«, sagte Felipe, »ja, doch, größtenteils. Ich habe größtenteils zugehört.«

»Hast du an die Sache gedacht, wegen der du traurig warst?«, fragte Grace, weil er jetzt wieder traurig aussah.

»Ein bisschen. Ich glaube, ich habe ein kleines bisschen daran gedacht.«

»Willst du mir davon erzählen? Das hilft manchmal.«

»Vielleicht nicht heute«, sagte Felipe. »Vielleicht ein anderes Mal, aber lieber nicht heute. Es ist wahrscheinlich sowieso schwierig für dich zu verstehen, weil es eine Erwachsenensache ist. Eine Männer-Frauen-Sache, weißt du.«

»Oh«, sagte Grace, »ja, das ist wirklich schwer zu verstehen.«

Schweigend liefen sie eine Straße weiter, dann fragte Grace: »Felipe? Sprichst du Spanisch?«

»O ja. Spanisch ist meine Muttersprache.«

»Kannst du mir Spanisch beibringen?«

»Na ja«, sagte Felipe und kratzte sich am Kopf, »ich nehme an. Ich glaube, ich könnte dir ein wenig Spanisch beibringen. Hier ist ein guter Satz: ›*Como se dice en Español?*‹ Das bedeutet: ›Wie sagt man das auf Spanisch?‹ Und dann kannst du einfach auf eine Sache zeigen, für die du das spanische Wort wissen willst. Oder du sagst mir einfach das Wort. Und dann können wir jeden Tag ein neues Wort lernen.«

»*Como se dice* in *Español*«, sagte Grace. »Ich verstehe ein Wort, ›in'«.

»Nicht ›in‹, sagte Felipe, ›En. E-N‹.«

»Oh. *Como se dice en Español.*«

»Sehr gut.«

»Aber du musst mir heute noch ein spanisches Wort beibringen. Das reicht nicht für heute, nur die Frage zu können. Ich finde, ich sollte heute auch eine Antwort lernen.«

»Okay. Welches Wort willst du wissen?«

»Stepptanz. Wie sagt man auf Spanisch Stepptanz?«

»Du musst schon richtig fragen.«

»Oh, stimmt. *Como se dice en Español* ... Stepptanz?«

»*Baile zapateado.*«

»Boah. Das klingt schwer.«

»Vielleicht sollten wir es heute mit einem leichteren Wort probieren.«

Ein alter Mann ging mit einer Bulldogge an der Leine vorbei, also fragte Grace: »*Como se dice en Español* ... Hund?«

»*Perro.*«

»*Perro*«, sagte Grace.

»Gut.«

»Felipe? Magst du mich?«

»Natürlich mag ich dich.«

»Was magst du an mir?«

»Viele Sachen.«

»Sag eine.«

»Also, du hast mich gefragt, ob ich dir ein bisschen Spanisch beibringen kann. Niemand fragt mich das sonst. Alle meinen einfach, Spanisch sprechende Leute sollten Englisch lernen. Niemand kommt jemals darauf, ein paar Worte Spanisch zu lernen. Dass du gefragt hast, zeigt eine Menge Respekt für mich und Respekt für meine Sprache.«

»Ich mochte meinen Spanischunterricht«, sagte Grace. »Ich glaube, weil ich meinen Stepptanzunterricht verpasst habe, ist es gut, dass ich zumindest etwas Spanisch gelernt habe. Ich frage mich, warum Rayleen will, dass ich in ihr Studio komme.«

»Ich vermute, sie möchte etwas mit deinen Haaren machen«, sagte Felipe.

»Oh. Meine Haare«, sagte Grace. »Ja, das erklärt einiges.«

•••

»Ach du lieber Gott im Himmel!«, sagte diese Frau namens Bella, als sie die Haare von Grace' Hinterkopf hochhielt.

Bella war eine große, schwere afrikanische Frau. Nicht afroamerikanisch wie Rayleen, sondern richtig afrikanisch-afrikanisch, aus Nigeria (das hatte Rayleen Grace gesagt), mit diesem schönen Akzent, den Leute manchmal haben, wenn sie aus Afrika kommen. Und sie trug ihre Haare in Dreadlocks.

Sie war eine von den Hairstylisten aus Rayleens Haarstudio und eine Freundin von Rayleen. Jetzt stand sie in der Nähe und schüttelte den Kopf.

Grace konnte die beiden im Spiegel beobachten.

»Kannst du sie herausbürsten?«, fragte Rayleen.

»Oh, das würde aber höllisch weh tun. Und sie würde eine Menge Haare verlieren. Ich meine, wir sollten sie schneiden.«

Grace beobachtete Rayleen im Spiegel und sah, wie sie die Stirn runzelte.

»Ich weiß nicht, was ihre Mutter davon halten würde.«

»Was kümmert es dich, was ihre Mutter denkt? Wo ist ihre Mutter, wenn diese Entscheidung getroffen werden muss?

Schließlich muss etwas getan werden, und jemand muss die Entscheidung treffen, also kannst du das entscheiden.«

Je mehr Bella redete, desto mehr mochte Grace ihren Akzent. Obwohl sie sich nicht sicher war, ob sie mochte, was Bella über ihre Mutter sagte. Trotzdem, es wäre schön, einen neuen Haarschnitt zu bekommen, anstatt all diese Knoten entfernen zu lassen, was brutal war. Grace hasste das mehr als alles andere. Es wäre schön, wenn sie das einfach entscheiden könnten, hier und jetzt.

»Am Ende bin aber ich diejenige, die sich ihre Vorwürfe anhören muss«, sagte Rayleen.

Rayleen war dünn und hübsch. Grace schaute sie an, als hätte sie Rayleen noch nie zuvor gesehen, denn es war anders, sie im Spiegel zu sehen und Bella stand direkt neben ihr. Nicht, dass Bella nicht hübsch gewesen wäre. Grace fand sie auch hübsch, aber sie war nicht dünn und nicht so hübsch wie Rayleen.

Bella strich mit ihren langen Fingernägeln durch Grace' Haare – zumindest durch den Teil, durch den man noch durchkam – und über ihre Kopfhaut. Es fühlte sich gut an, wie eine Massage.

»Bist du sicher, dass sie überhaupt lang genug aus dem Bett kommen wird, um dir Vorwürfe zu machen? Hast du sie eigentlich dazu bekommen, das Amt anzurufen?«

»Sie sagte, sie hätte es getan«, sagte Rayleen und klang, als sei sie sich nicht so sicher.

»Sie hat es getan«, meldete sich Grace zu Wort, »ich weiß es, weil ich dabei war.«

»Oh. Gut. Hat sie gesagt, was sie sagen sollte?«

»Ja, dass du meine Babysitterin bist und das alles. Ja.«

Rayleen runzelte die Stirn noch mehr. »War sie … erschien sie … ziemlich … wach?«

»Mittel«, sagte Grace.

Rayleen und Bella sahen sich im Spiegel an, und Bella rollte mit den Augen.

»Hoffen wir einfach das Beste«, sagte Rayleen.

Und Bella sagte: »Also, aufgepasst, Mädels. Was machen wir jetzt mit ihrem Haar?«

»Ich finde, wir sollten das Grace entscheiden lassen. Es sind schließlich ihre Haare. Grace?«

»Hmmm«, sagte Grace. »Wir sollten sie wahrscheinlich schneiden. Weil ich es hasse, wenn jemand meine Haare ausbürstet, wenn sie verknotet sind. Das zieht so. Aber ... ich weiß nicht, wird es okay aussehen?«

»Wird es *okay* aussehen?«, rief Bella. »Große Güte! Mädchen! Du weißt wohl nicht, mit wem du es hier zu tun hast. Wenn ich deine Haare schneide, wird es ganz fabelhaft aussehen!«

»Oh. Okay dann.«

Bella legte einen dieser Umhänge um Grace, und als sie ihn eng um ihren Nacken befestigte, machte Grace zum Spaß ein Geräusch, als würde sie erwürgt.

»Du willst doch bestimmt keine Haare unter deinem Kragen haben«, sagte Bella, »das juckt wie verrückt.«

»Stimmt, ich hasse das«, sagte Grace. »Ich hasse das mehr als alles andere.«

»Wir sollten ihr erklären, wie sie ihre Haare bürsten kann«, sagte Rayleen.

»Ich weiß, wie man Haare bürstet«, sagte Grace ein wenig zu laut.

Sie war abgelenkt, denn im Spiegel sah sie gerade eine Kundin, die im Stuhl hinter ihr saß und einen kleinen, braunen Chihuahua auf dem Schoß hielt.

»*Perro*«, sagte Grace, aber niemand schenkte ihr Aufmerksamkeit.

»Warum hast du dir dann die Haare nicht gebürstet?«

»Wir haben nur eine Bürste, und die ist ganz oben in der Kommode im Schlafzimmer meiner Mom, und ich komme da nicht dran. Als ich ein kleines Kind war, habe ich versucht, die Schubladen herauszuziehen und sie wie Stufen zu benutzen, um hochklettern zu können. Aber nicht, um die Bürste zu holen. Ich wollte etwas anderes, aber ich weiß nicht mehr, was es war. Jetzt habe ich es vergessen. Es war zu der Zeit so wichtig, dass ich da hochgeklettert bin, aber jetzt kann ich mich nicht mal daran erinnern. Ist das nicht komisch? Jedenfalls fiel das ganze Ding auf mich drauf, und ich habe geschrien und geweint, und meine Mutter rannte raus und holte einen Nachbarn, um das Ding von mir runterzubekommen. Das war, bevor wir hier wohnten, wir wohnten da an der Alvarado Street. Jedenfalls habe ich das dann nicht noch mal versucht.«

»Ich kann sie nicht richtig waschen, bevor ich diese Knoten herausbekommen habe«, sagte Bella, als hätte sie nicht einmal zugehört. Sie zog eine lange, dünne, spitz zulaufende Schere hervor und hielt sie über Grace' Kopf.

Bye-bye Haare, dachte Grace. Aber es war besser als all das Gebürste und Geziehe.

»Ich bin überrascht, dass niemand in ihrer Schule das bemerkt hat«, sagte Rayleen. »Sollte man nicht meinen, dass ein Lehrer sieht, wenn seit Wochen niemand ihre Haare gebürstet hat?«

»Vielleicht hat es ja jemand bemerkt«, sagte Bella, immer noch mit der Schere über Grace' Kopf, »schließlich weißt du immer noch nicht, wer das Amt verständigt hat.«

»Hmm«, sagte Rayleen. »Stimmt, daran hatte ich nicht gedacht.«

•••

Auf dem Heimweg mit Rayleen konnte Grace nicht aufhören, ihre Fingernägel anzusehen. Sie hielt beide Hände vor sich hin und bewunderte ihre Nägel. Darum stolperte sie zwei Mal über eine unebene Stelle auf dem Gehweg. Okay, drei Mal.

»Du solltest aufpassen, wo du hinläufst.«

»Aber sie sehen so schön aus!«

Der neue Haarschnitt sah irgendwie lustig aus, wahrscheinlich einfach, weil Grace nicht daran gewöhnt war, aber zugleich war er stylisch und schön. Nach dem Haarschnitt hatte Grace von Rayleen Nägel bekommen. Es waren diese Nägel zum Aufkleben, in einem wirklich hübschen Pinkton, und darauf waren Glitzersteinchen und andere kleine Dinge. Zum Beispiel war auf dem Nagel ihres Mittelfingers eine winzige, silberne Figur in der Form eines fliegenden Pferdes zu sehen. Grace konnte nicht aufhören, dieses fliegende Pferd anzusehen.

»Freut mich, dass sie dir gefallen«, sagte Rayleen.

»Ich kann Spanisch sprechen«, sagte Grace und schaute dabei immer noch ihre Fingernägel an.

»Seit wann?«

»Erst seit heute.«

»Du hast an einem Tag Spanisch gelernt?«

»Etwas. Ich kann *como se dice en Español* … Hund. Das ist *perro*. Man sagt ›Hund‹ auf *Español*, wenn man ›*perro*‹ sagt.«

»Okay. Ich nehme alles zurück. Das ist eine Menge Spanisch für einen Tag. Ich bin beeindruckt. Hoppla. Pass auf, Grace. Schau, wo du hingehst.«

Grace blickte gerade noch rechtzeitig auf, um im Zickzack zwei jungen Frauen auszuweichen, die ihnen auf dem Fußweg entgegenkamen.

»Tschuldigung«, sagte sie zu ihnen und dann zu Rayleen: »Vielleicht können wir eine Pizza bestellen, wenn wir zu Hause sind.«

»Vielleicht«, sagte Rayleen. »Aber nicht so eine wie die letzte Pizza. Ich konnte das Ding kaum reintragen. Ich wusste nicht, dass eine Pizza so viel kosten kann. Als der Typ mir den Preis sagte, dachte ich, er macht einen Witz. Wer bestellt Peperoniwurst *und* Salami *und* Schinken *und* Hackbällchen, alles auf einer Pizza?«

»Ich.«

»Und dreifachen Käse? Ich habe von zweifachem Käse gehört, aber …«

»Tut mir leid, wenn es zu teuer war. Aber du hattest gesagt, ich könnte bestellen, was ich wollte.«

»Stimmt«, sagte Rayleen, »das habe ich gesagt. Man lernt nie aus. Aber dieses Mal mache *ich* den Anruf. Und dieses Mal sage ich dir im Voraus, dass du Käse und Peperoni willst. Schluss.«

Grace lächelte vor sich hin. Denn es war immer noch Pizza. Und es war immer noch eine Million mal mehr Pizza, als sie von irgendjemand anderem bekommen würde.

»Hast du schon darüber nachgedacht, was du an mir magst?«

»Ja«, sagte Rayleen, »das habe ich tatsächlich. Du bist eine Überlebenskünstlerin. Und du beschwerst dich nicht. Aber das ist nur das, was mir bisher aus dem Stegreif eingefallen ist. Wie ich schon vorher gesagt habe, ich bin sicher, dass mir noch eine Menge mehr einfällt, wenn ich dich besser kennengelernt habe.«

»Das ist schon sehr gut«, sagte Grace und riskierte wieder einen schnellen Blick auf ihre Nägel. Auf dem Nagel ihres rechten kleinen Fingers war ein kleiner Sichelmond zu sehen. »Das und Pizza ist sehr, sehr gut für heute.«

Billy

Billy riss seine Wohnungstür weit auf, sprang in den Hausflur und landete direkt vor Rayleen und Grace.

»Warum hat mir niemand gesagt, dass Grace heute nicht kommt?«, brüllte er und erschrak selbst über den Ärger in seiner Stimme. »Ich war außer mir vor Sorge. Ich meine es ehrlich. Ich hatte einen furchtbaren Nachmittag, absolut miserabel. Ich dachte, ihr sei was passiert. Ich war völlig aufgelöst. Meine Fingernägel sind bis auf die Nagelhaut abgebissen. Jeder einzelne. Schaut euch das an.«

Aber er zeigte ihnen seine Nägel gar nicht.

Rayleen stand einen Augenblick mit offenem Mund da, während er sprach, dann sah sie zu Grace hinunter.

»Grace«, sagte sie, »du hast es ihm nicht gesagt. Du hast versprochen, dass du es ihm sagen würdest.«

Grace schaute zu Rayleen auf. »Uuups«, sagte sie.

Daraufhin konnte Billy nur so dumm dastehen wie ein Volltrottel. All das Feuer und die Leidenschaft war aus ihm entwichen, schließlich kann man einem Kind in Grace' Alter nicht dafür böse sein, wenn es etwas vergisst.

»Tut mir leid«, sagte Rayleen. »Das ist alles meine Schuld. Ich habe die Verantwortung, ich hätte sie nicht auf Grace abwälzen dürfen. Das nächste Mal sage ich es selbst, wenn wir den Plan ändern.«

»Tut mir auch leid, Billy«, sagte Grace. »Ich wollte nicht, dass du dir deine Nägel abkaust.«

Billy seufzte tief und atmete einen ganzen Nachmittag jämmerlicher Panik aus.

»Kann ich immer noch eine Tanzstunde bekommen?«, fragte Grace.

»Oh, nein. Nein, nicht heute. Dieser Nachmittag war einfach zu anstrengend. Ich könnte nicht ... o mein Gott! Schau dich an! Deine Haare!«

»Gefällt es dir?«

»*Gefallen*? Du bist eine veränderte Frau! Ein verändertes Mädchen, meine ich. Du bist stylisch! Ich bin *sehr* beeindruckt!«

»Und schau dir die Nägel an.«

Stolz hielt Grace Billy ihre Finger hin.

»Verblüffend. Absolut verblüffend. Du bist wie neugeboren.«

Sie lächelte.

Plötzlich brach Billys Zauber wie eine aufplatzende Luftblase.

»O mein Gott, ich bin draußen im Hausflur«, schrie er und stolperte in seine Wohnung zurück.

»Ja, und in deinem Pyjama«, sagte Grace.

Er schloss die Tür fast ganz und spähte durch einen kleinen Spalt hindurch.

»Wir dachten irgendwie, dass du das wüsstest.«

•••

Grace sagte zu Billy: »Das mit gestern tut mir wirklich noch leid.«

Sie stand in seiner Küche – denn in seiner Küche gab es keinen Platz zum Sitzen – und versuchte, Billys besondere Steppschuhe über drei paar Socken anzuziehen.

»Das muss dir nicht mehr leidtun.«

»Aber sieh dir doch deine armen Fingernägel an. Sie sehen so traurig aus.«

»Nein, sieh dir nicht meine armen Fingernägel an«, sagte Billy und steckte seine Hände tief in die Taschen seines alten Bademantels. Es schmerzte, weil seine Finger immer noch wund waren.

»Warum soll ich sie nicht anschauen?«

»Weil sie traurig aussehen.«

»Ich habe nur das Gefühl, dass es meine Schuld ist«, sagte sie und kam endlich mit dem Fuß in den ersten Schuh.

»Schau mal, Grace. Es ist ganz bestimmt nicht deine Schuld, wenn ich so ein Verrückter bin, dass ich nicht ein bisschen Nervosität aushalten kann.«

»Nenn dich nicht so«, sagte sie und runzelte die Stirn, als sei es für die Kamera. Dramatisch. Sie war ein Mädchen nach Billys Herzen. »Ich mag das nicht.«

»Außerdem«, sagte er, »war es ein aufrichtiger Fehler. Die Vergangenheit ist Vergangenheit. Es ist vorüber, Gott sei Dank!«

»Ich dachte, du magst deine Vergangenheit.«

»Ja, manches davon. Aber manches auch nicht.«

»Aber du hast alle diese Bilder hier, um dich an die Vergangenheit zu erinnern.«

Sie setzte ihren beschuhten Fuß auf den Linoleumboden der Küche. Das Steppgeräusch fuhr direkt durch jeden einzelnen von Billys Widerständen und traf auf eine emotionale Stelle. Etwa so, wie wenn man plötzlich und ohne Vorwarnung auf der Straße einem Ex begegnet, von dem man irreparabel verletzt worden ist, den man aber immer noch liebt.

Wie viel von seinem Leben hatte er diesem winzigen, aber absolut einzigartigen Geräusch gewidmet?

»Ich erinnere mich gern an die guten Sachen und vergesse den Rest.«

»Ich glaube nicht, dass das funktioniert«, sagte Grace.

»Du glaubst nicht, dass *was* funktioniert?«

Sie probierte den Klang ihrer Schritte aus und machte einen langsamen Flat Step, an den sie sich noch aus ihrer ersten Stunde erinnerte. Dann machte sie sich daran, den zweiten Schuh anzuziehen.

»Es ist wie mit den Leuten, die immer nur glücklich sein wollen, aber nie traurig«, sagte sie. »Das funktioniert nicht. Man fühlt Dinge entweder oder man fühlt sie nicht. Man kann sich nicht nur die guten Sachen herauspicken. Zumindest glaube ich das nicht.«

Billy antwortete nicht sofort. Er stand einfach an den Türrahmen gelehnt da und bewunderte ihre tiefe Konzentration, als er ihr dabei zusah, wie sie sich an dem zweiten Schuh zu schaffen machte.

Nach ein paar Sekunden schaute sie zu ihm hoch.

»Du bist so ruhig geworden.«

»Kinder in deinem Alter sollten nicht solche Dinge sagen.«

»Warum? War es dumm?«

»Nein. Es war sehr klug. Zu klug.«

»Zu klug gibt es nicht. Aha! Geschafft!«

Sie band den zweiten Schuh zu, steppte ihren Weg durch die Küche mit der Routine, die Billy ihr beigebracht hatte und schaffte es, jeden einzelnen Schritt falsch zu setzen. Aber sie tanzte mit einem guten Gefühl, zumindest in den Beinen.

Der Klang, auch wenn er auf dem Linoleum nicht perfekt war, füllte Billys Magengegend mit lang vergessenen Erinnerungen. Er merkte, dass diese Erinnerungen sich nicht so auftrennen ließen, dass man einen Teil behalten und den anderen wegwerfen konnte. Man bekam Erinnerungen nur als Ganzes.

»Warte, warte, warte«, sagte Billy, als er sich auf die Tanzvorführung selbst konzentrierte. »Du hast ein paar Dinge vergessen.«

»Ja, ich hatte gestern keinen Unterricht.«

»Lass uns im Moment nicht an dem Time Step arbeiten.«

»Aber ich will ihn lernen!«

»Das wirst du auch, ich verspreche es. Aber ich will, dass du Arme hast. Erinnerst du dich daran? Ich habe dir gesagt, dass ich will, dass du Arme hast.«

»Ich habe Arme«, sagte sie und hielt sie zum Beweis hoch.

»Ich habe dir gesagt, was das bedeutet. Erinnerst du dich? Als ich gesagt habe, dass ich will, dass du Arme hast?«

»Oh! Ja! Hmm. Lass mich nachdenken. Nein, daran kann ich mich nicht erinnern.«

»Es bedeutet, du konzentrierst dich so sehr darauf, deine Schritte hinzubekommen, dass du nur an deine Füße denkst. Was ich verstehen kann, denn beim Time Step muss man sich einiges merken, besonders nach nur einer Unterrichtsstunde. Aber ich möchte, dass deine ersten Schritte nicht nur Schritte sind. Ich möchte nicht, dass du dir die schlechte Gewohnheit zulegst, deine Füße korrekt zu bewegen, aber den Rest deines Körpers steif wie eine Statue zu halten. Das ist nicht Riverdance, weißt du. Nicht, dass an Riverdance etwas auszusetzen wäre, es ist nur eine andere Art von Tanz.«

»Ich weiß nicht, was dieses Riverdings ist.«

»Stimmt, das hätte ich mir denken können. Lass uns etwas ganz Einfaches mit deinen Füßen machen. Lass uns eine Reihe von Stamps und Stomps versuchen, und wenn du einen einfachen Rhythmus erreicht hast, kannst du dich auf deinen Torso und deine Arme konzentrieren.«

»Was ist ein Torso?«

»Der Oberkörper.«

»Oh. Warum sagst du das nicht gleich?«

»Nicht reden. Nicht dem Lehrer das Leben schwer machen. Vor allem nicht bei diesem Unterrichtshonorar. Also. Mit deinem rechten Fuß. Stamp.«

Mit einem überzeugenden Laut brachte Grace ihren rechten Fuß auf den Boden, dann hob sie ihn wieder, schaute zu Billy hoch und lächelte.

»Das ist kein Stamp. Das ist ein Stomp.«

»So ein Mist!«, sagte sie, während ihr Lächeln verflog, »ich verwechsle die zwei immer.«

»Ich habe dir gesagt, wie du dich an den Unterschied erinnern kannst. Weißt du noch, was ich dir darüber beigebracht habe?«

»Nicht ganz.«

»Wenn du aufstampfst, bleibt dein Fuß erstmal auf dem Boden. Wie ein Baumstamm fest auf dem Boden.«

»Stimmt! Ich erinnere mich. Stamm – Stampfen. Richtig. Also ein Stamp ist, wenn ich aufstampfe, mit beiden Taps zur selben Zeit, Heel Tap und Ball Tap, und dann lasse ich mein Gewicht auf diesem Fuß.«

»Richtig. Stampfe mit deinem rechten Fuß, verlagere dein Gewicht nach rechts, hebe deinen linken Fuß, stampfe mit deinem linken, verlagere dein Gewicht nach links und wiederhole.«

»Das ist leicht«, sagte Grace nach der dritten oder vierten Runde, »zu leicht.«

»Deshalb sollst du jetzt an den Rest deines Körpers denken.«

»Oh, in Ordnung. Meine Arme«, sagte sie, immer noch stampfend. »Was soll ich mit meinen Armen tun?«

»Frag sie.«

»Das ist bescheuert.«

»Versuch's, bevor du es bescheuert nennst.«

Grace' Arme erhoben sich etwa auf Hüfthöhe und bewegten sich im Rhythmus mit den Schritten. Billy lächelte still vor sich hin.

»Gut, dass außer uns niemand unten wohnt«, sagte Grace.

»Das ist wirklich gut«, sagte Billy.

Ausgerechnet in diesem Moment klopfte jemand an die Tür. Alle Bewegung gefror, und sie warteten in der Stille, während sie von der Küche aus auf Billys Wohnungstür starrten.

»Verdammt nochmal«, fluchte Billy flüsternd, »warum klopfen ständig Leute an meine Tür? Außer den Lieferanten hat jahrelang nie jemand an meine Tür geklopft. Und jetzt plötzlich täglich.«

»Das ist meine Schuld«, sagte Grace in einem überraschend leisen Flüsterton.

»Ach … nein.«

»Es hat aber angefangen, als du sagtest, du würdest dich um mich kümmern.«

»Das stimmt allerdings«, antwortete Billy und rief dann lauter: »Wer ist da?«

»Eileen Ferguson. Ihre Nachbarin von unten.«

Billy warf Grace einen Blick zu.

»Weiß sie, dass du hier bist?«

»Ich bin nicht sicher.«

Billy atmete tief ein, ging zur Tür, öffnete alle Schlösser außer der Sicherheitskette und machte die Tür ein paar Zentimeter weit auf. Er hoffte, dass niemand außer ihm das laute Pochen seines Herzens hören konnte.

»Tut mir leid«, sagte er, »zu laut?«

»Ja, ziemlich. Ich versuche zu schlafen, und was auch immer es sein mag, das Sie hier oben machen, es klingt wie dieses Tanzensemble, das mit Mülltonnen an den Füßen diesen stampfenden Tanz macht.«

»Sorry. Mir war nicht bewusst, dass um diese Uhrzeit jemand versuchen würde zu schlafen.«

Falls sie diese kleine Stichelei bemerkt hatte, ließ sie es sich jedenfalls nicht anmerken.

Sie sah schlecht aus. Billy wusste, dass er nicht gerade derjenige war, der hier urteilen sollte, doch konnte er diese Tendenz zum Urteilen nicht operativ aus seinem Charakter entfernen. Es war einfach ein zu großer Teil von ihm geworden. Sicher, wahrscheinlich sah er auch höllisch schlecht aus. Andererseits war er aber auch nicht rausgegangen, um an die Tür eines Nachbarn zu klopfen. Hätte er das vorgehabt, dann hätte er sich ganz sicher vorher ein bisschen aufgefrischt.

Na, wollen wir ehrlich sein, er wäre erst gar nicht hinausgegangen. Aber theoretisch hätte er es gekonnt.

»Also, ich wollte schlafen. Haben Sie meine Tochter gesehen? Grace? Kennen Sie Grace?«

»Jeder in diesem Gebäude kennt Grace.«

»Wissen Sie, wo sie ist?«

»Ich … weiß, dass es ihr gut geht.«

Sie warf ihm einen skeptischen Blick zu.

»Wenn Sie nicht wissen, wo sie ist, woher wissen Sie dann, dass es ihr gut geht?«

»Weil wir eine Art Zeitplan haben«, sagte Billy und fragte sich, ob er gerade zu viel preisgegeben hatte. »Grace geht zur Schule, dann holt sie jemand ab, und dann kümmert sich jemand um sie, bis Rayleen nach Hause kommt. Und danach ist sie bei Rayleen. Also ist sie entweder in der Schule, bei Felipe oder bei mir, oder bei Rayleen.«

»Aber wenn sie bei Ihnen wäre, würden Sie das wissen.«

»Wie wahr!«, sagte Billy scherzend, um seinen Fauxpas so gut wie möglich herunterzuspielen.

»Hmm, ich wusste nichts von dieser Zeitplangeschichte. Ich dachte, es läuft nur mit Rayleen. Aber das ist gut, nehme ich an. Gut für Grace. Also, wenn Sie sie sehen, können Sie ihr sagen, dass sie heimkommen soll?«

»Mach ich. Wenn ich sie sehe.«

»Danke«, sagte sie und ging.

Billy verschloss die Tür wieder und blieb mit dem Rücken an die Wand gelehnt stehen. Er atmete allen überschüssigen Stress aus.

Als er wieder zu Grace in die Küche ging, sah er, dass sie immer noch ein bisschen Stamps übte, allerdings ohne dabei ihre Füße anzuheben.

Sie verlagerte nur ihr Gewicht hin und her und beugte ihre Knie. Und sie hatte Arme.

»Gute Arme«, sagte er.

»Danke. Mist, dass ich jetzt nicht tanzen kann. Warum musste sie das aufwecken? Nichts kann sie aufwecken, höchstens vielleicht mal eine Stunde am Tag. Und das musste ausgerechnet jetzt sein.«

»Sie will, dass du nach Hause kommst.«

Grace seufzte.

»Okay«, sagte sie, »das sollte nicht sehr lange dauern.«

Sie zog Billys Steppschuhe aus, und es schien ganz so, als verabschiedete sie sich von einem alten Freund.

•••

Keine zwei Minuten später war Grace wieder zurück.

»Sie schläft schon wieder. Ich wette, diesmal weckt es sie nicht auf.«

»Ich will das Risiko lieber nicht eingehen.«

»Wir könnten rausgehen.«

»*Du* könntest rausgehen.«

»Oh, stimmt. Das hatte ich vergessen. Vielleicht könnten wir einfach auf deine Terrasse gehen. Deine Terrasse ist nicht direkt über meiner Wohnung.«

»Es ist hellichter Tag.«

»Und?«

Sie wartete darauf, dass er antwortete. Erstaunlich lang. Billy war über ihre Geduld erstaunt. Aber natürlich gab sie schließlich auf.

»Du kannst nicht mal auf die Terrasse gehen?«

»Sagen wir einfach, ich ziehe es vor, nicht auf die Terrasse zu gehen.«

»Aber ich habe dich dort schon zweimal gesehen.«

»Aber beim ersten Mal war es fast dunkel. Und das andere Mal war es dämmrig. Und ich bin auf meinem Bauch rumgerutscht, wie du dich erinnern wirst.«

Wieder blieb Grace lange Zeit still, so lange, dass Billy hoffte, sie werde etwas sagen. Fast alles wäre zu diesem Zeitpunkt besser als gar keine Erwiderung.

Schließlich hielt es Billy nicht länger aus und sagte: »Ich habe nie behauptet, dass ich normal bin«.

»Ich nehme an, das stimmt«, sagte sie. »Aber egal. Was auch immer, ich mag dich trotzdem. Wie wäre es, wenn ich auf die Terrasse gehe, und du stehst hier und schaust mir durch die Glastür zu, und wenn ich etwas falsch mache, öffnest du die Tür und sagst es mir?«

»Das könnte funktionieren«, sagte Billy.

•••

Als Rayleen von der Arbeit zurückgekehrt war und vorbeikam, um sie abzuholen, hatte Grace eine volle Stunde getanzt, mit nur kurzen Pausen von ein oder zwei Minuten. Ihr Gesicht leuchtete rot, von ihren kurzen Haaren tropfte der Schweiß, aber sie tanzte immer noch.

Sie hatte nicht nur Arme, sie war auch zum Time Step zurückgekehrt und übte die Schritte langsam und in der richtigen Reihenfolge. Als sie die Schritte auswendig konnte, ging sie zu einem normalen Tempo über und schaffte es, ihre Arme einzubeziehen.

Sie könnte Tänzerin werden, dachte Billy. Wenn sie sich genug engagierte und sich die Zeit nahm und nicht abgelenkt werden würde von Jungs oder von ihrem Ego oder von der Welt oder von allem zusammen, dann könnte sie es. Wenn sie sich nicht von der Brutalität des Lebens niedermachen ließ, dann vielleicht. Nur daran zu denken, tat Billy schon weh, und der Schmerz zog sich wie ein dünner Faden durch seinen Solarplexus. Er konnte nicht sagen, was der Schmerz bedeutete – ob er auf sie stolz war oder neidisch, oder ob er sich Sorgen um sie machte.

Wahrscheinlich waren alle drei Gründe zusammen die Ursache für den Schmerz.

Als Rayleen auftauchte, zog Grace sie in Billys Wohnung und vor die gläserne Schiebetür. Rayleen spielte ihre Rolle in dem Zweierpublikum, sie stand Schulter an Schulter neben Billy und sah zu, wie Grace auf der Terrasse ihren Time Step vorführte.

»Eindrucksvoll«, sagte Rayleen, »sie lernt jetzt auch noch Spanisch.«

»Das ist gut für sie. Ich wünschte, ich könnte besser Spanisch. So nützlich in L.A. Obwohl … wahrscheinlich ist es vor allem für solche Leute nützlich, die aus dem Haus gehen.«

Rayleen warf ihm einen kurzen Blick zu, dann schaute sie zurück zu Grace, bevor Grace bemerken konnte, dass sich ihre Aufmerksamkeit verlagert hatte.

»Ich muss mich entschuldigen, nehme ich an«, sagte sie. »Ich hatte es zwar nicht direkt gesagt, aber … ich hatte meine Zweifel, sie hierzulassen.«

»Klingt wie ein normaler Gedanke«, sagte Billy.

Sie sah ihn wieder an und zog ihre Augenbrauen hoch.

»Hey«, sagte Billy, »nur weil ich nicht normal denke, heißt das noch lange nicht, dass ich normale Gedanken nicht verstehe, wenn ich sie höre.«

Sie legte eine Hand auf seine Schulter und ließ sie einfach dort liegen. Und so passierte es wieder. Das Schmelzen. Jedoch war es dieses Mal nicht angebracht, auf seine Knie zu fallen, denn er hätte keine Chance, es zu erklären. Also wandte er all seine Konzentration auf, damit seine Knie fest blieben und er nicht wieder einknickte.

Kurz darauf beendete Grace ihren Tanz mit einer überschwänglichen Geste und verbeugte sich tief. Rayleen nahm ihre Hand zurück, um zu applaudieren, und Billy war sowohl erleichtert als auch enttäuscht, als sie sich von seiner Schulter entfernte.

Dann gab Grace eine Zugabe, bestehend aus Stamps und Stomps, und bewies, dass sie den Unterschied zwischen den beiden Schritten kannte und reibungslos von dem einen zum anderen wechseln konnte.

»Ihre Mutter ist vorbeigekommen«, bemerkte Billy. »Ich habe ihr aber nicht gesagt, dass Grace hier war. Ich war nicht sicher, ob sie es wissen sollte.«

Rayleen zog gut hörbar tief Luft ein.

»Ja«, sagte sie, als würde sie es in diesem Augenblick entscheiden, »sie kann es ruhig wissen. Es ist in Ordnung, dass sie es weiß. Grace blüht hier auf, und wer das in Frage stellt oder ein Problem damit hat, kann zu mir kommen und es mit mir aufnehmen.«

»Gott sei Dank«, sagte Billy. »Ich hasse es nämlich wirklich, wenn Leute es mit *mir* aufnehmen wollen.«

Grace

Es war zwei Tage später, etwa um sieben Uhr abends, als Grace und Rayleen hörten, wie Grace' Mutter von der Souterraintreppe aus nach Grace rief.

»Wo bist du, Grace?«, schrie ihre Mutter, als sei sie schon jetzt höllisch wütend, Grace nicht zu finden, obwohl sie kaum begonnen hatte, nach ihr zu suchen.

»Geh und sag ihr, wo du bist«, sagte Rayleen.

»Aber meine Frühlingsrollen werden kalt.«

»Sag ihr, wo du bist, und dann komm zurück und iss deine Frühlingsrollen auf.«

»Es wird ein bisschen schwer sein zu laufen.«

»Zerdrück einfach die Watte nicht zu sehr. Und was immer du machst, halte deine Zehen gespreizt, damit du den Nagellack nicht verschmierst.«

»Ich dachte, die Watte wäre dafür da, meine Zehen gespreizt zu halten.«

»Halt sie einfach noch mehr auseinander.«

»Okay, ich versuch's.«

Grace glitt von dem Holzstuhl herunter und watschelte zur Tür, in jeder Hand eine Frühlingsrolle. Dann musste sie eine Frühlingsrolle in den Mund stecken, damit sie die Tür öffnen konnte. Aber sie hatte immer noch etwas fettige Hände und konnte darum die Tür nicht öffnen, bis sie die clevere Idee hatte, den Zipfel ihres T-Shirts zu benutzen.

Währenddessen rief ihre Mutter – jetzt noch wütender klingend – ein zweites Mal nach ihr.

Als sie in das Treppenhaus gewatschelt kam, war Grace damit beschäftigt, die Frühlingsrolle, die sie im Mund hatte, zu kauen, was die Unterhaltung sehr erschwerte.

»Da bist du ja«, sagte ihre Mutter, »komm jetzt nach Hause.«

Die Haare ihrer Mutter sahen ähnlich zersaust aus, wie Grace' Haare bis vor Kurzem ausgesehen hatten. Sie hatte dunkle Ränder unter den Augen. Sie sah schlecht aus. Aber natürlich sagte Grace das nicht, selbst wenn sie in der Lage gewesen wäre, jetzt deutlich zu sprechen.

Manche Dinge sagt man einfach nicht.

»Kann nicht«, sagte Grace, aber es kam nur als ein lauter Ton hervor, die Wortendungen waren zu gerundet.

»Was hast du gesagt?«

Grace zeigte mit der anderen Frühlingsrolle auf ihren Mund und bat ihre Mutter pantomimisch zu warten, bis sie fertiggekaut hatte.

»Was isst du da?«, fragte ihre Mutter. Sie verstand entweder den pantomimischen Hinweis nicht ganz oder tat nur so, als verstünde sie ihn nicht.

Grace zeigte mit dem Finger wieder auf ihren Mund und kaute noch einen Moment, dann sagte sie: »Frühlingsrolle. Kein Junk-Food.«

»Komm jetzt nach Hause.«

»Ich kann nicht. Ich esse Frühlingsrollen. Und bekomme eine Pä ... Pe ... Fußpflege.«

»Pediküre. Wer gibt dir Frühlingsrollen und eine Pediküre?«

»Rayleen. Du weißt schon, meine Babysitterin.«

»Stimmt. Rayleen. Sie weiß aber, dass ich sie nicht dafür bezahle, dein Babysitter zu sein, oder?«

»Keine Ahnung. Ich glaube schon. Ich frage sie. Aber jetzt muss ich gehen.«

»Aber ich will dich zu Hause haben. Ich hatte keine Ahnung, wo du warst.«

Grace stützte beide Hände fest gegen ihre Hüften, selbst die Hand, in der sie die Frühlingsrolle hielt.

»Mom. Seit *Tagen* wusstest du nicht, wo ich bin. Es ist wirklich eher so, als hättest du dich das bis jetzt nicht mal gefragt. Ich sehe nicht ein, warum ich meine Frühlingsrollen und meine Pedi ... Fußpflege aufgeben soll, nur weil du endlich aufgewacht bist und herausgefunden hast, dass du nicht weißt, wo ich bin.«

»Ich habe erst gestern gefragt, wo du bist.«

»Ja, aber dann hast du etwa eine Minute später schon geschlafen, bevor ich kommen konnte, um es dir zu sagen.«

Es war mutig, all diese Sachen zu sagen, und Grace wusste das. Die Worte, die sie sprach, rührten von einem verrückten Ort her, von übrig gebliebenen schlechten Gefühlen. Es waren Wortbündel, die ihre Kritik und all die verletzten Gefühle einhüllten.

Sie wartete ab, was ihre Mutter tun würde. Früher wäre sie wütend geworden, da war sich Grace sicher.

»Okay, in Ordnung«, sagte ihre Mutter, »aber wenn du fertig gegessen hast und ... also, wenn du fertig bist, komm gleich nach Hause.«

»Okay«, sagte Grace und steckte sich die andere Frühlingsrolle in den Mund.

Dann watschelte sie zurück in Rayleens Wohnung und setzte sich wieder auf den Stuhl, so dass Rayleen mit ihren Fußnägeln weitermachen konnte – auch wenn sie eigentlich nur noch prüfen musste, ob der Nagellack trocken war.

Als sie fertig gekaut hatte, fragte Grace: »Meinst du, ich war pampig zu meiner Mom?«

»Nein, das glaube ich nicht, ehrlich gesagt. Ich finde, du warst ganz okay. Gerade pampig genug.«

•••

Grace tappste barfuß mit ihren Schuhen in der Hand die Treppe hinunter und freute sich darauf, zur Abwechslung mal etwas Zeit mit ihrer Mutter verbringen zu können. Sie versuchte die Tür zu ihrer Wohnung zu öffnen, aber sie war von innen verschlossen.

Grace klopfte laut und rief durch die Tür: »Ich bin's, Mom, lass mich rein.«

Die Tür schwang weit auf, und ihre Mutter stand mit weit geöffnetem Mund da.

»O mein Gott!«, flüsterte sie. »Grace Eileen Ferguson, was ist mit deinen Haaren passiert? Hast du sie mit einer Schere abgeschnitten?«

Grace versuchte zu antworten, kam aber nicht dazu. Ihre Mutter hielt sie am Kinn fest und drückte ihren Kopf zur Seite, zuerst in die eine Richtung, dann in die andere. Sie sah die Frisur von allen Seiten an.

»Nein. Du hast sie nicht geschnitten. Das hättest du nicht gekonnt. Das ist ein professioneller Haarschnitt. Das sieht wie ein richtiger Haarschnitt aus. Wie ein teurer Haarschnitt. Wer hat das gemacht?«

»Bella«, sagte Grace und zog ihren Kopf zurück.

»Und wer ist Bella?«

»Eine Freundin von Rayleen, die mit ihr in dem Haarstudio arbeitet. Warum? Gefällt es dir nicht? Allen anderen gefällt es.«

Grace' Mutter antwortete nicht. Stattdessen nahm sie Grace bei der Hand und marschierte mit ihr ein Stockwerk höher.

Grace sagte: »Du hast mich doch gerade eben schon gesehen. Du hast mich im Hausflur gesehen, als ich die Frühlingsrollen gegessen habe und Watte zwischen meinen Zehen hatte. Warum hast du da nichts über meine Haare gesagt?«

»Ich hatte es nicht gesehen.«

»Ich habe direkt vor dir gestanden!«

»Du warst ein Stück entfernt. Ich dachte, du hättest sie zurückgebunden, zu einem Pferdeschwanz oder so was.«

»Gefällt es dir nicht? Allen anderen gefällt es.«

Vor Rayleens Wohnung angelangt, schlug Grace' Mutter fest gegen die Tür – so fest, dass es klang, als wollte jemand die Tür mit einem Rammbock aufstoßen, so wie die Polizei im Fernsehen.

Aus einem Augenwinkel bemerkte Grace, wie sich Billys Tür einen oder zwei Zentimeter öffnete, und sie konnte durch den Spalt seine Augen sehen. Sie winkte ihm zu, aber er legte einen Finger an die Lippen, und Grace verstand. Also tat sie so, als habe sie ihn nicht gesehen.

Rayleen öffnete, und als sie sah, wer an die Tür gehämmert hatte, stützte sie ihre Hände gegen ihre Hüften wie jemand, der kampfbereit ist, aber nicht mit den Fäusten kämpft.

»Geht das nicht etwas zu weit?«, fragte Grace' Mutter wütend.

»Ich weiß nicht, wovon Sie reden.«

»Das wissen Sie nicht? Sehen Sie, ich weiß es zu schätzen, dass Grace bei Ihnen sein kann. Besonders, da ich nichts dafür zahle. Sie wissen doch, dass ich nichts dafür zahle, oder?«

Rayleen gab keine Antwort. Sie stand nur mit steinerner Miene da, und Grace wusste, dass alles, was Rayleen von nun an sagen würde, Dinge sein würden, über die sie sorgfältig nachgedacht hatte.

»Aber das ist schon seltsam. Das ist zu viel. Weil sie immer noch meine Tochter ist. Nicht Ihre. Das verstehen Sie doch, oder? Ich meine, ich mache einen Mittagsschlaf, und wenn ich aufwache, haben Sie entschieden sie umzustylen.«

Eine lange, steinerne Stille. Grace begriff, dass, wenn Rayleen wütend war, sie immer stiller wurde, je wütender sie wurde.

»Grace' Haare wurden vor drei Tagen geschnitten«, sagte Rayleen. »Das ist ein verdammt langer Mittagsschlaf.«

Grace konnte fühlen, wie ihre Nackenhaare zu Berge standen.

»Okay. Sehen Sie, ich bin dankbar. Ich bin dankbar für … das meiste, was Sie tun. Ich bin es wirklich. Aber dass Sie plötzlich entscheiden, Grace solle kurze statt lange Haare haben, als ob Sie das entscheiden könnten …«

An dieser Stelle schnitt ihr Rayleen das Wort ab.

»Denken Sie, so war das? Grace. Sag deiner Mutter, wie es war.«

»Oh, okay«, sagte Grace. »Es war so, Mom. Die Haarbürste war oben in der Kommode, und ich kam nicht dran, und ich wollte sicher nicht nochmal da hochklettern, nach dem, was letztes Mal passiert ist. Du erinnerst dich, oder? Also wurden meine Haare so verknotet und verfilzt, dass Rayleen mich zum Haarstudio mitnehmen musste und ihre Freundin Bella fragte, ob sie die Knoten lösen könnte. Aber Bella sagte, es sei so schlimm, dass es höllisch weh tun würde, sie herauszubürsten, und ich würde auch viele Haare verlieren. Also sagte sie, es liege an mir. Und sie haben mich gefragt, was ich machen wolle. Und du weißt doch, wie ich es hasse, wenn ich Knoten habe und es zieht, nur war das hundert Mal schlimmer, also sagte ich, ich will sie geschnitten haben. Gefällt es dir nicht? Allen anderen gefällt es.«

Während sie auf die Antwort warteten, sah Grace, wie ihre Mutter kleiner wurde – nicht wörtlich, aber so als würde sie einfach weniger und weniger Platz einnehmen. Aber was tatsächlich kleiner wurde, war ihre Wut.

»Es ist wirklich ein schöner Haarschnitt«, sagte Grace' Mutter.

Dann begann sie zu weinen. Grace hatte ihre Mutter erst ein- oder zweimal zuvor weinen sehen, und so war sie ziemlich bestürzt darüber.

»Es tut mir leid«, sagte Grace' Mutter durch die Tränen, und dann weinte sie noch stärker.

Dann nahm sie Grace bei der Hand und ging mit ihr zurück. Grace winkte Billy zum Abschied zu, und er winkte zurück. Auf dem Weg zu ihrer Wohnung sagte Grace' Mutter wieder und wieder, wie leid es ihr tue.

Na ja, wenigstens kann ich heute Nacht bei meiner Mom sein, dachte Grace, selbst wenn sie weint und es ihr leid tut.

Aber Grace hatte sich geirrt.

•••

Keine Stunde später stand Grace wieder vor Rayleens Tür und klopfte. Sie klopfte leise, damit es nicht so klang, als sei jemand wütend.

Rayleen öffnete die Tür, als erwartete sie eine große Person. Sie musste erst herunterschauen, und dann sah sie Grace.

»Kann ich reinkommen?«, fragte Grace.

»Ja, natürlich. Ist alles in Ordnung mit dir?«

»Ja, ich glaube. Kann ich heute Nacht hierbleiben?«

»Wenn deine Mom einverstanden ist. Was ist mit ihr?«

»Sie ist wieder drauf.«

»Oh«, sagte Rayleen, »das tut mir leid. Natürlich kannst du hierbleiben.«

Etwas später, als Rayleen eine Decke holte, um für Grace ein Bett auf der Couch zu machen, sagte sie: »Interessant, dass du gesagt hast, deine Mom sei *drauf*. Vorher hast du immer gesagt, sie schläft.«

»Ja, ich hatte es satt«, sagte Grace. »Sie ist drauf.«

Billy

»Du siehst nicht sehr glücklich aus«, sagte Billy zu ihr, sobald sie hereingekommen war.

Um ihre schlechte Laune noch zu unterstreichen, stürzte sich Grace nicht sofort auf Billys besondere Steppschuhe. Stattdessen schüttelte sie ihren kleinen Schirm aus und ließ sich auf die Couch plumpsen.

»Mmh«, sagte sie.

»Was ist los?«

»Nichts.«

»*Was*, Grace Ferguson? Ich habe dich nie als eine Lügnerin betrachtet.«

»Ich bin keine Lügnerin! Wie gemein, das zu sagen! Warum würdest du überhaupt … oh, okay. Das. Ja. Ich glaube, es gibt da vielleicht etwas.«

Er setzte sich neben sie auf die Couch.

»Erzähl es mir.«

Etwas schuldbewusst fühlte er sich für dieses Ablenkungsmanöver ein wenig dankbar. Er hatte erwartet, sie tanzbereit durch die Tür stürzen zu sehen, und er wäre gezwungen gewesen, ihr die schlechte Nachricht mitzuteilen. In diesem Fall hätten nur er und seine Neurosen diesen kindlichen Enthusiasmus gelöscht – wie ein Eimer eiskalten Wassers.

Es regnete. Das war das Problem. Es regnete, und Billy wollte auf keinen Fall riskieren, sie auf dem nicht überdachten Balkon tanzen zu lassen.

Vielleicht hatte er Glück, und das Thema würde nicht einmal aufkommen.

Grace seufzte theatralisch. »Es ist nur diese Sache, die Mr Lafferty gesagt hat.«

Billy fühlte wie ihm bei der Erwähnung dieses Namens seine kleine tägliche Portion Seelenruhe entglitt.

»Was hat dir dieser furchtbare Mann gesagt? Wann hast du ihn überhaupt gesehen?«

»Gerade eben. Draußen im Hausflur. Ich bin mit Felipe reingekommen, er hat mir das spanische Wort für Tür beigebracht – das ist übrigens *puerta*, nur für den Fall, dass du es nicht wusstest – ich wusste es nämlich bis gerade eben nicht, also dachte ich, dass du das vielleicht auch nicht wusstest. Ich weiß nicht, wie viel Spanisch du …«

»Grace«, sagte Billy, »komm zum Punkt!«

»Okay. Mr Lafferty stand im Hausflur. Und er schaute mich an, und dann schaute er Felipe an, und er schüttelte den Kopf und sagte, dass alles, was wir tun, es nur meiner Mom ermöglichen würde, so weiterzumachen wie bisher.«

»Oh«, meinte Billy. »Ich bin überrascht, dass du das Wort so gut kennst, dass du deswegen deprimiert sein kannst.«

»Nun, ich kannte es nicht genau. Aber er hat einfach immer weitergeredet. Und es war ziemlich leicht verständlich, was er meinte. Zum Beispiel sagte er ständig, er kenne eine Menge Leute, die Probleme mit Alkohol und Drogen haben, und er sagte, dass sie fast nie davon loskommen. Aber wenn sie es doch tun, dann passiert das, weil sie es müssen. Wenn sie davorstehen, etwas zu verlieren, ohne das sie einfach nicht sein wollen. Er sagte, selbst ihr Haus oder ihr Auto oder ihr Job sind wahrscheinlich nicht genug, denn manche Leute leben einfach lieber unter einer Brücke, als davon loszukommen. Er sagte, es passiert nur, wenn es um ihren Ehepartner oder ihre Kinder geht. Er hatte das schon vorher gesagt, als das Amt mich fast abgeholt hätte. Er hatte gemeint, dass sie dann vielleicht einen Grund hätte, sich zusammenzureißen. Aber warum sollte sie das jetzt tun? Er sagte, dass du, Rayleen und Felipe, ihr all ihre Verantwortung abnehmt. Warum sollte sie jetzt also gesund werden? Sie hat nicht mal einen Grund, es zu versuchen. Also glaube ich, dass er das gemeint hat, als er sagte, dass wir es ihr ermöglichen, so weiterzumachen wie bisher.«

»Ja«, sagte Billy und fand ihre depressive Stimmung ansteckend, »das meint er.«

»Er hat aber nicht recht, oder?«

Billy antwortete nicht.

»Ich meine, er ist ein Saftsack, das hast du selbst gesagt, oder?«

»Nicht so unmissverständlich«, antwortete Billy.

»Aber du magst ihn nicht.«

»Kein bisschen.«

»Also liegt er falsch. Oder?«

Billy schaute auf den Teppich und antwortete nicht.

»Okay, was soll's«, sagte Grace. »Lass uns einfach mit dem Tanzunterricht weitermachen. Dann werde ich mich besser fühlen.«

»Oh. Der Tanzunterricht. Okay. Mach dich aber darauf gefasst, dich dann … nicht besser zu fühlen. Mir ist nicht wirklich wohl dabei, wenn du auf dem Küchenboden tanzt.«

»Warum? Wegen meiner Mom?«

»Ja. Wegen deiner Mom. Weil ich nicht gut damit umgehen kann, wenn Leute an meine Tür kommen und mich anbrüllen.«

»Sie hat nicht direkt gebrüllt.«

»Aber sie wird es nächstes Mal tun. Weil sie das nächste Mal weiß, dass sie mich bereits einmal höflich gefragt hat.«

»Aber sie schläft fast immer so tief, dass sie durch so was nicht aufwacht«, sagte Grace beinahe weinerlich.

»Genau. *Fast* immer. Wir können einfach nicht wissen, wann die Ausnahme von der Regel eintreten wird. Und ehrlich gesagt ist das die Art von Spannung, für die ich einfach nicht geschaffen bin.«

Grace seufzte.

Billy bemerkte ihren Mangel an Widerstand. Er wusste auch, was das bedeutete. Sie kannte ihn bereits allzu gut – gut genug, um zu wissen, dass eine vernünftige Diskussion nichts nützte, wenn es um seine Ängste ging.

Sie saßen beide einige Zeit Seite an Seite zusammengesackt auf der Couch. Ohne zu reden, vielleicht zehn Minuten, vielleicht auch mehr. Sie starrten nur in den strömenden Regen hinaus.

»Dieser Tag ist Mist!«, sagte Grace.

Er schaute sie an und sah, dass sie ihre Hand fest über ihren Mund gepresst hielt.

»Es ist kein so schlimmes Wort«, sagte Billy. »Ich meine, im Vergleich zu anderen Wörtern.«

»Nein, das stimmt. Es ist nur, weil ich mich beschwert habe.«

»Und? Jeder beschwert sich.«

»Rayleen sagt, ich tue es nie, und das ist eins der Dinge, die sie an mir mag.«

Einen Augenblick lang versanken sie wieder in Schweigen, dann sagte Billy: »Dein Geheimnis ist bei mir sicher.«

»Danke. Vielleicht tanze ich einfach auf dem Läufer. Das ist besser als nichts.«

»Okay, zieh deine Schuhe an. Ich meine, zieh *meine* Schuhe an.«

Er sah diesmal nicht einmal zu, als sie mit dem langwierigen Prozess begann, seine alten Steppschuhe für ihre kleinen

Füße passend zu machen. Er war ganz und gar in die düstere Stimmung hineingezogen worden.

Es schien nicht viel später zu sein, als er hochschaute und sah, wie sie einen Stomp machte, gefolgt von einem Flat Step und einem anschließenden Fall auf ihr Hinterteil.

»Au!«, sagte Grace.

»Vorsichtig«, sagte Billy leblos, »auf dem Läufer ist es rutschig.«

»Toll, dass du mir das jetzt schon sagst«, murmelte Grace und stand wieder auf.

Sie machte prüfend noch einen oder zwei Flaps und ließ ihr Gewicht dabei auf dem stehenden Fuß.

»Das ist Mist!«, sagte sie. »Ups, jetzt habe ich mich schon wieder beschwert.«

»Noch ein Mal, und ich sage es Rayleen.«

Grace machte ein mitleiderregendes langes Gesicht.

»Wirklich?«

»Nein, nicht wirklich. Ich hab nur Spaß gemacht.«

»Oh. Mach keinen Spaß. Ich bin nicht in der Stimmung. Das funktioniert überhaupt nicht. Es ist zu rutschig. Und ich verpasse die Taps.«

Sie kam zurück auf die Couch und setzte sich wieder hin, sackte in sich zusammen und starrte den Regen an.

»Ich habe gehört, dass es die ganze Woche regnen soll«, sagte sie.

»Es gibt eine Sache, die wir tun könnten. Aber ich habe keine Ahnung, wie wir es realisieren sollen.«

»Was für eine Sache?«

»Na ja. Es ist nicht schwer, eine kleine Tanzfläche herzustellen. Alles, was wir brauchen, ist ein großes Brett Sperrholz. Etwa ein Meter fünfzig mal ein Meter achtzig. Was immer wir bekommen können. Und wir können es hier auf den Wohnzimmerteppich legen, und der Teppich würde das Geräusch dämpfen, sodass die Schritte nicht so schallend klingen. Wenn wir das hätten, wären wir auf der sicheren Seite. Aber das ist so, als würde man sagen ›Du brauchst einfach nur die Autobahn durch mein Wohnzimmer zu leiten. Einfach, was?‹ Ich gehe nicht raus, und du kannst nicht allein zu einem Baumarkt gehen …«

»Ich könnte Felipe fragen!«

»Hat er ein Auto?«

»Ich glaube nicht. Aber vielleicht kann er laufen oder den Bus nehmen.«

»Das Brett ist ziemlich groß – zum Hertragen.«

»Ich könnte ihn fragen«, sagte sie, bereits auf dem Weg zur Tür. »Wenn er noch nicht zur Arbeit gegangen ist.«

»Die Schuhe«, rief Billy, »meine Schuhe!«

Grace blickte entmutigt auf ihre Füße herunter. »Aber ich muss mich beeilen!«

Nach einem kurzen Zögern sagte Billy: »In Ordnung. Los, beeil dich.«

In dem Moment, als sie mit den Steppschuhen hinausging, fühlte er schmerzhaft die Trennung. Als hätte sie gerade das Haus mit seinem Hund oder seinem Baby verlassen. Das heißt, hätte er einen Hund oder ein Baby gehabt. Er starrte einige Minuten lang auf den Regen und atmete, sich auf seine Angst konzentrierend, bewusst ein und versuchte so, die Angst anzunehmen, ohne sie zu verstärken.

Dann kam Grace wieder herein, rutschte auf dem Läufer aus und landete wieder auf ihrem Hinterteil.

»Ich habe das langsam satt«, sagte sie, als sie auf dem Boden saß.

»Vielleicht ziehst du für heute besser die Schuhe aus.«

Grace seufzte und band die Schnürsenkel auf.

»Er hat gesagt, er kann es nicht. Er hat gesagt, dass es viele Kilometer zum nächsten Baumarkt sind. Und er muss das wissen, weil er beim Bau gearbeitet hat. Er hat gesagt, es ist viel zu weit entfernt, um etwas so Großes nach Hause zu tragen. Und es sei zu groß, um damit in den Bus zu steigen. Er hat gesagt, dass Mr Lafferty einen Kleinlaster hat, aber er spricht wohl nicht mit Mr Lafferty, was ich irgendwie verstehen kann, weil Mr Lafferty ja nicht sehr nett zu ihm ist. Felipe sagt, das liegt daran, dass er aus Mexiko kommt. Glaubst du auch, dass es daran liegt, dass Felipe aus Mexiko kommt?«

»Wahrscheinlich, ja.«

»Das ist kein sehr guter Grund.«

»Da stimme ich dir zu.«

Sie saß auf der Couch neben ihm und stellte die Steppschuhe vorsichtig zwischen sie, als betrachtete sie die Schuhe auch als ein Baby oder einen Hund.

»Also hat er gesagt, er würde Mr Lafferty nicht fragen, aber ich könnte Mr Lafferty fragen, wenn ich will.«

»Hat Rayleen ein Auto?«

»Ja.«

»Oh, gut.«

»Aber es ist kaputt, und sie hat nicht genug Geld, um es reparieren zu lassen.«

»Oh, schlecht.«

»Was meinst du, was soll ich tun?«

»Ich finde, du solltest warten und mit Rayleen reden, bevor du irgendwas machst. Besonders, bevor du mit Lafferty sprichst.«

»Okay«, sagte Grace.

Und sie starrten ein paar weitere Minuten den Regen an.

»Das ist wirklich langweilig«, sagte Grace.

»Da stimme ich dir zu.«

»Was machst du, wenn ich nicht hier bin?«

»So ziemlich dasselbe wie jetzt.«

»Lass uns ein Spiel spielen«, sagte Grace.

»Ich weiß nicht, ob ich dafür Energie habe.«

»Es braucht nur ein Redespiel zu sein. Weißt du, so eins in der Art von Wahrheit oder Pflicht.«

»Ooh«, sagte Billy. »Ich weiß nicht. Klingt gefährlich.«

»Es sind nur Worte. Wie können Worte gefährlich sein?«

»Du musst noch viel über die Welt lernen, Kleines. Nichts ist gefährlicher als Worte.«

»Das ist doch dumm. Was ist mit einem Gewehr? Das kann dich töten.«

»Nur deinen Körper«, sagte Billy. »Es kann nicht deine Seele töten. Aber Wörter können deine Seele töten.«

»Na ja, aber vielleicht könnten wir uns einfach von diesen Wörtern fernhalten. Von den gefährlichen.«

»An welche Spiele hattest du gedacht?«

»Ich hatte mal eine Freundin. Also, ich habe ein paar Freundinnen, aber keine, die ich außerhalb der Schule oder so treffe. Aber ich hatte eine wirklich gute Freundin, sie hieß Janelle, nur … als ich in der ersten Klasse war, zog sie mit ihrer Familie nach San Antonio. Das ist in Texas.«

»Ich habe davon gehört«, sagte Billy.

»Wir haben immer dieses Spiel gespielt, wenn ich bei ihr übernachtet habe oder sie bei mir. Das war, als meine Mutter noch clean war und das Haus war sauber, und es gab Essen und alles, und es war in Ordnung, Freunde zu Besuch zu haben. Also waren wir im Bett, unter den Decken. Wir zogen die Decken über unsere Köpfe wie ein Zelt, in das wir beide reinpassen …«

»Diesen Teil machen wir nicht«, sagte Billy.

»Okay, ich weiß, unterbrich mich nicht.«

»Sorry.«

»Das Spiel besteht aus nur zwei Fragen. Was willst du mehr als alles andere? Und was willst du überhaupt nicht? Also, was macht dir wirklich Angst, mehr als alles andere?«

Billy wollte etwas einwenden, aber dann schien es ihn doch zu viel Anstrengung zu kosten.

»Du bist zuerst dran«, sagte er.

»Okay. Ich will mehr als alles andere, dass es meiner Mom besser geht. Und was mir am meisten Angst macht, ist das, was Mr Lafferty gesagt hat, nämlich dass es Menschen fast nie gelingt. Weil ich dann denke, dass es ihr vielleicht nie besser gehen wird.«

Es blieb einen Augenblick still, und der Regen fiel noch stärker, falls das überhaupt möglich war. Es regnete, als würde das Wasser durch eine Rinne auf die Erde strömen, alles auf einmal und noch nicht einmal tropfenweise.

»Das war aber schnell«, sagte er.

»Du bist dran.«

»Ich weiß, deshalb habe ich mich ja gerade beschwert. Okay. Los geht's. Was ich am meisten will ... ist *nichts*. Das ist das Problem. Alles, was mir wichtig war, liegt hinter mir, und so bleibt nichts übrig, was ich will. Und übrigens ist es auch das, was mir Angst macht. Keine Zukunft. Nichts zu wollen. Das ist keine Art zu leben, lass mich dir das sagen, Kleines.«

Sie schwiegen und sahen dem Regen ein paar Minuten lang weiter zu.

»Normalerweise fühle ich mich nach dem Spiel besser«, sagte Grace.

»Sag nicht, ich hätte dich nicht gewarnt.«

»Dieser Tag ist Mist.«

»Er ist nicht schlimmer als üblich, wenn du mich fragst.«

»Nächstes Mal frage ich dich dann besser nicht«, erwiderte Grace.

•••

Es schien noch zu früh für Rayleen zu sein, aber dann hörte er sie anklopfen. Rayleen hatte ein besonderes Klopfen. Es hatte einen Rhythmus. Vier kurze Klopfer. Eins, zwei, drei … Pause … vier. Würde sie lange genug klopfen, könnte man fast dazu tanzen. Und das Beste an der Situation war, dass Billy ihr nicht zu sagen brauchte, dass ein besonderes Klopfen für seine Angststörung Wunder bewirkte. Sie hatte das von selbst herausgefunden.

Er neigte den Kopf zu Grace hinüber, die immer noch sehr ruhig war.

»Hast du abgeschlossen?«

»Oh. Nein, hab ich vergessen. Ich bin ausgerutscht und hingefallen, und dann musste ich die Schuhe ausziehen, und dann hatte ich's vergessen.«

Diese Wendung der Ereignisse war irgendwie natürlich, dachte Billy. Das wirklich Seltsame an der Situation war, dass er es auch vergessen hatte.

»Die Tür ist offen«, rief er, »komm rein.«

Die Tür schwang weit auf, und Rayleen schaute sie fragend an.

»Was zum Teufel ist mit euch zweien passiert?«

Billy seufzte. »Niemand kann täglich in guter Form sein«, sagte er.

»Rayleen«, sagte Grace. »Kann ich Mr Lafferty fragen, ob er für uns in den Baumarkt fährt? Ich weiß, dass du ihn nicht magst, und ich weiß auch, dass du nicht magst, wenn ich mit ihm zu tun habe, aber es geht nur um diesen einen Gefallen. Nur damit wir ein großes Stück Holz bekommen können. Darf ich ihn bitte fragen?«

»Ein großes Stück Holz für was?«

»Für eine Tanzfläche für meinen Stepptanz. Damit wir es auf den Teppich legen können, und dann wird das Tanzen meine Mom nicht aufwecken, und dann kann sie nicht hier hochkommen und Billy anbrüllen.«

»Ich weiß nicht, Grace. Er ist so ein mieser Typ. Es würde mich überraschen, wenn er bereit wäre, dir einen Gefallen zu tun.«

»Ich könnte aber fragen.«

»Sicher. Fragen kannst du.«

Immer noch auf Socken rannte Grace zur Tür hinaus.

Billy schaute zu Rayleen, die ihn nachdenklich ansah. Er klopfte auf den freien Platz neben sich auf der Couch, und sie setzte sich zu ihm.

»Eine Frage«, sagte er. »Ermöglichen wir es Grace' Mutter, so weiterzumachen wie bisher, dadurch, dass wir uns um ihr Kind kümmern?«

»Hmm«, sagte Rayleen, »darüber habe ich nie nachgedacht.«

»Schade. Ich hatte gehofft, du würdest Nein sagen. Es ist nur so, dass sie nichts macht außer dreiundzwanzig Stunden am Tag zu schlafen, und mir scheint, dass sie ohne uns nicht in der Lage wäre, das zu tun.«

»Oder sie würde es einfach trotzdem machen, und Grace hätte darunter zu leiden.«

»Aber auf diese Art kann sie es machen, ohne sich schuldig zu fühlen oder Konsequenzen zu ziehen.«

»Wie kommt es, dass du, darüber nachdenkst?«

»Lafferty hat das zu Grace gesagt.«

»Lafferty! Natürlich. Dieser verdammte Kerl. Ich hasse ihn so sehr. Vielleicht sollte ich Grace nachlaufen und sie einholen, bevor sie überhaupt mit ihm reden kann.«

»Zu spät. Ich bin sicher, dass sie längst mit ihm spricht.«

Rayleen seufzte, dann lehnte sie sich zurück und schaute durch Billys Tür auf den Regen. Was hatte es mit diesem Regen auf sich, dass Leute ihn immer anstarren wollten?

»Da kommt was runter«, sagte sie.

Billy hatte dem Thema Regen keine weitere Bemerkung hinzuzufügen. Es regnete einfach. Das war nichts, woüber man viel redete, fand er. Es war etwas, was einfach passierte.

»Okay«, sagte Rayleen. »Meine ehrliche Antwort ist: Vielleicht. Ich weiß es nicht. Ich nehme an, ich muss mehr darüber nachdenken.«

»Hasst du es auch so, wenn ein solcher Typ recht hat?«

»In den seltenen Fällen, in denen das vorkommt, ja.«

Grace

Grace stand im Hausflur vor Mr Laffertys Tür und kratzte sich, auf einem Fuß balancierend, durch drei Lagen Socken den Fußrücken ihres anderen Fußes. Billys Wollsocken juckten an ihren Füßen.

Die Tür wurde geöffnet, und Mr Lafferty schaute mit einem finsteren Blick über ihren Kopf hinweg, dann sah er zu ihr hinunter, und der finstere Blick verschwand.

Es kam Grace merkwürdig vor, dass er diesen Blick offenbar für jeden, der groß war, bereit hatte. Nur Grace schien diese Reaktion nicht in ihm hervorzurufen.

»Oh, du bist es«, sagte er und klang, als hätte er nichts dagegen, dass sie es war.

»Ja, ich bin's, Mr Lafferty. Ich bin gekommen, um Sie um einen Gefallen zu bitten.«

»Ist alles okay? Bist du in Schwierigkeiten?«

»Nein, eigentlich nicht. Es ist nur so, dass niemand sonst im ganzen Haus hier ein Auto hat, das funktioniert ...«

»Musst du irgendwo hingefahren werden? Wohin musst du?«

»Lassen Sie es mich ganz einfach erklären«, sagte sie und versuchte, ihre Frustration zu verstecken.

Wenn es Billy oder Rayleen gewesen wäre, hätte sie ihren Frust nicht versteckt. Sie hätte einfach gesagt: »Genug jetzt! Hör auf, mich zu unterbrechen!« Aber dies hier war Mr Lafferty, und mit ihm musste man ein wenig vorsichtiger sein.

»Tschuldigung«, sagte er, was sie überraschte.

»Ich brauche jemanden, der zum Baumarkt fährt und ein großes Stück Holz holt.«

»Welche Art von Holz?«

»Ich bin mir nicht sicher.«

»Wie groß?«

»Billy sagte, ein Meter fünfzig bis ein Meter achtzig.«

»Ich muss aber noch ein bisschen mehr wissen. Eins fünfzig bis eins achtzig hoch oder breit? in welche Richtung?«

»Hmm«, sagte Grace, weil Rayleen dies immer in solchen Situationen sagte.

»Ich frage ihn lieber.«

»Nein!«, rief Grace. »Nein, bitte klopfen Sie nicht mehr an Billys Tür, bitte. Er hasst das.«

Sie sah, wie sich Mr Laffertys Augen verengten, und sie wusste nicht, was sie davon halten sollte. Es schien etwas mit seinem Gesichtsausdruck von vorhin zu tun zu haben, bevor er herausgefunden hatte, dass nur jemand Kleines an seiner Tür war.

Warum hassten Leute es, wenn an ihre Tür geklopft wurde? Grace glaubte, sie würde das mögen. Es könnte jemand an der Tür sein, den sie noch nicht kannte, oder eine Überraschung. Sie fragte sich, ob sie dieser Offenheit mit den Jahren entwachsen würde, denn es schien so, dass alle anderen eine solche Offenheit nicht mehr besaßen.

Mr Lafferty sagte: »Lass uns Folgendes versuchen: Warum erzählst du mir nicht, wofür das Holz gebraucht wird? Vielleicht kann ich dann helfen.«

»Oh. Ja. Es ist für eine Tanzfläche. Weil ich Stepptanzen lerne.«

»Ah«, sagte Mr Lafferty. Als ob das alles erklärte, wie Billy es ausdrücken würde. Also brauchst du ein Holzbrett. Wie Sperrholz. Ein großes Quadrat Sperrholz.«

»Ja!«, rief Grace aufgeregt. »Das hat er gesagt! Er sagte Sperrholz, und er sagte ein Meter fünfzig bis ein Meter achtzig.«

»Sicher«, sagte Mr Lafferty, »das kann ich machen.«

»Das können Sie?«

»Sicher.«

»Wow. Ich bin überrascht.«

»Wenn du nicht glaubtest, ich würde es tun, warum hast du mich dann gefragt?«

»Na ja, es kann nie schaden zu fragen.«

»Wo sind deine Schuhe?«, fragte er mit einer missbilligenden Miene.

»Ich habe sie bei Billy gelassen. Ich hatte seine Steppschuhe an. Ich muss aber eigene Steppschuhe bekommen, weil ich Billys Schuhe nur benutzen kann, wenn ich bei ihm bin. Ich kann sie nicht mit nach Hause nehmen. Und ich muss wirklich zu Hause üben, und auch bei Rayleen, weil ich nämlich nicht genug übe. Und außerdem passen sie mir überhaupt nicht richtig, aber ich habe nicht das Geld für Steppschuhe, und Billy und Rayleen haben das auch nicht, glaube ich. Und ich weiß, dass meine Mom kein Geld hat, also weiß ich nicht, was ich deswegen tun soll. Aber wenn ich das Holz hätte, könnte ich wenigstens ein bisschen üben. Also überhaupt üben.«

»Gut«, sagte er, als sei dies das Ende der Unterhaltung.

Grace stand einfach nur da. Sie wollte fragen, wann er das Holz holen könnte, aber das wäre unhöflich gewesen. Schließlich hatte er schon gesagt, er würde es besorgen, was schockierend genug war, und es schien nicht richtig, danach noch weitere Fragen zu stellen.

»Okay, danke«, sagte sie.

Dann watschelte sie mit ihren besockten Füßen die Treppe hinunter.

Im ersten Stock kam gerade Rayleen aus Billys Tür.

»Er hat Ja gesagt«, schrie Grace glücklich.

»Wirklich?«

»Wirklich. Er hat Ja gesagt.«

»Ich fasse es nicht! Wann fährt er hin?«

»Ich weiß nicht. Ich habe nicht gefragt.«

»Soll ich ihm dafür Geld geben?«

»Ich weiß nicht. Ich habe nicht gefragt.«

»Was genau hast du gefragt?«

»Ob er es machen kann. Und er hat gesagt: Ja!«

Rayleen legte eine Hand auf Grace' Schulter. Grace bemerkte, dass sie bedrückt wirkte. Sie hatte nicht bedrückt gewirkt, als sie nach Hause gekommen war, aber jetzt war sie es. Vielleicht hatte sie sich bei Billy angesteckt. Und Billy hatte sich bei Grace angesteckt. Vielleicht war also alles ihre Schuld.

»Komm rein«, sagte Rayleen. »Ich muss mir überlegen, was ich uns heute zum Abendessen koche. Heute hat ein Kunde abgesagt, und ein anderer ist nicht aufgetaucht, also können wir uns nicht leisten, etwas zu bestellen.«

»Oh. Das ist okay«, sagte Grace.

»Ich bin nicht sicher, was ich zu Hause habe.«

»Was ist, wenn Mr Lafferty mit dem Holz zurückkommt? Haben wir dafür genug Geld?«

»Ich habe keine Ahnung«, sagte Rayleen, »ich weiß nicht einmal, was Sperrholz kostet.«

Grace spürte, dass Rayleen mehr und mehr in eine düstere Stimmung geriet.

In ihrer Küche durchstöberte Rayleen die Schränke und den Kühlschrank.

»Ich glaube, es wird Cornflakes oder Eier geben«, sagte sie schließlich.

»Oh. Das ist okay«, sagte Grace.

Sie dachte wieder daran, dass dieser Tag viel schlechter gewesen war als die meisten anderen Tage, selbst wenn Billy diese Meinung nicht teilte. Dann erinnerte sie sich an das Holzbrett und wusste, dass es nicht fair war, diesen Tag für so schlecht zu halten, denn es passiert nicht alle Tage, dass man von jemandem einen Tanzboden geholt bekommt.

»Können wir beides machen?«, fragte Grace.

»Sicher, warum nicht?«

Rayleen klang, als hätte sie keine Energie. Sie stellte eine Packung Knuspermüsli und einen fast leeren Tetrapack Milch vor Grace hin, schlug Eier in eine Schüssel, um Rührei zu machen und tat alles auf dieselbe, energielose Art.

Grace schüttete eine riesige Menge Müsli in die Schale, denn es war viel davon da, ein ganzer Karton, aber sie nahm nur ganz wenig Milch, denn sie wollte noch etwas für Rayleen übrig lassen.

Rayleen stand mittlerweile am Herd und sah ihr über die Schulter hinweg zu.

»Du möchtest mehr Milch, oder?«

»Und was ist mit dir?«

»Ich esse nur Rührei. Aber danke, das war sehr nett von dir.«

»Darf ich die Milch leer machen? Bist du sicher?«

»Ich bin sicher«, sagte Rayleen.

Sie sagte eine Weile lang nichts mehr, dann setzte sie sich mit zwei Tellern Rührei zu Grace an den Tisch.

»Hast du Ketchup?«, fragte Grace.

Rayleen stand auf und holte eine Tube Ketchup aus dem Kühlschrank.

»Danke«, sagte Grace und drückte die Tube über ihre Rühreier aus.

»Wow. Das ist eine Menge Ketchup«, sagte Rayleen.

Dann aßen sie schweigend, und keiner sagte mehr etwas.

•••

Etwa eine Viertelstunde, nachdem das Essen beendet war und Rayleen gerade das Geschirr gespült und weggestellt hatte, hörten sie ein Klopfen an der Tür.

Grace rannte hin und öffnete, aber niemand war dort.

Sie trat in den Hausflur und schaute in beide Richtungen, doch das Einzige, was sie sah, war ein großes Stück Sperrholz. Ein sehr großes Stück. Es war größer als Grace selbst und lehnte an der Wand neben Rayleens Tür.

Sie drehte sich um und stieß sofort mit Rayleen zusammen.

»Na, das war … schnell«, sagte Rayleen.

»Aber ein Stück Holz kann nicht anklopfen«, sagte Grace.

»Ich glaube auch nicht, dass das Holz angeklopft hat. Ich glaube, Mr Lafferty hat an die Tür geklopft und ist gegangen.«

»Oh. Ja, das ergibt mehr Sinn. Was hab ich nur gedacht?«

»Du weißt, was das bedeutet, oder?«, fragte Rayleen.

Grace wusste es nicht. Aber Rayleens Stimme nach schien es nichts Gutes zu sein.

»Nein, was bedeutet es denn?«

»Es bedeutet, er hat was Nettes für uns getan. Also müssen wir jetzt hingehen und ihm sagen, dass wir ihm dankbar sind.«

»Oh, ist das alles?«

»Ich finde, es klingt schlimm genug.«

»Soll ich allein gehen?«

»Nein. Ich komme mit. Es wird mich nicht umbringen, mich auch bei ihm zu bedanken. Außerdem muss ich ihm wahrscheinlich das Geld dafür geben.«

»Was, wenn es mehr kostet, als du hast?«

»Darüber kann ich mir dann noch den Kopf zerbrechen.«

Rayleen nahm Grace bei der Hand, und gemeinsam gingen sie die Treppe hinauf.

Als Mr Lafferty die Tür öffnete, hatte er wieder diesen finsteren Gesichtsausdruck. Nur dass er dieses Mal Rayleen ansah und diese Miene beibehielt. Er lehnte am Türrahmen und sah sie einfach an und dies nicht gerade auf eine freundliche Art.

»Wir wollten uns bei Ihnen bedanken«, sagte Rayleen.

»Mir gefällt, dass sie steppen lernt«, sagte Mr Lafferty. »Sie braucht Bewegung. Und es ist ein gutes Hobby. Gesundheitsfördernd, wissen Sie? Nicht wie der Mist, den die Kinder heutzutage so machen. Es klingt wie ein Schritt in die richtige Richtung … für sie.«

»Es war sehr nett von Ihnen«, sagte Rayleen. »Und auch so schnell.«

»Ja, es ging wirklich schnell!«, rief Grace.

Mr Lafferty starrte Rayleen einen Augenblick an und sah immer noch nicht sehr freundlich aus.

Er sagte: »Ich kann ein netter Kerl sein.«

Rayleen nahm einen tiefen Atemzug, bevor sie antwortete, als müsse sie erst bis zehn zählen. Dann sagte sie: »Offensichtlich. Offensichtlich können Sie das. Also, wie viel schulde ich Ihnen dafür?«

»Wenn ich mein Geld dafür zurückwollte, hätte ich die Quittung an das Holz geklebt. Und ich hätte es nicht einfach dort unten gelassen und wäre hier hochgekommen. Dann wäre ich an Ihre Tür gekommen und hätte Ihnen gesagt, was Sie mir schulden.«

Er klang etwas unfreundlich, so als gäbe es irgendein Problem, aber Grace konnte nicht verstehen, warum. Alles schien doch gut funktioniert zu haben.

»Vielen Dank«, sagte Rayleen, als wäre das Gespräch damit beendet.

»Ja, vielen Dank«, sagte auch Grace.

Rayleen nahm wieder ihre Hand und drehte sich um, aber bevor sie die Treppe erreichen konnten, rief Mr Lafferty hinter ihnen her.

»Hat Grace Ihnen erzählt, was ich ihr über das gesagt habe, was Sie machen? Hat sie Ihnen erzählt, dass ich gesagt habe, dass Sie ihre Mutter nur in die Lage versetzen, weiterhin süchtig zu bleiben?«

Rayleen blieb ruckartig stehen, und Grace, die weitergegangen war, prallte zurück. Rayleen blickte Mr Lafferty an und sagte erstmal nichts.

»Ich habe davon gehört, ja«, antwortete sie dann.

»Haben Sie sie angelogen und gesagt, ich hätte unrecht?«

Wieder eine lange Pause. Es machte Grace nervös. Sie fragte sich, warum Rayleen nicht schneller redete, so wie sie es normalerweise tat.

Nach einer viel zu langen Pause sagte Rayleen nur: »Nein.«

Dann nahm sie Grace bei der Hand und ging mit ihr zurück nach unten.

•••

Grace klopfte an Billys Tür und rief gleichzeitig: »Ich bin's, Grace«, damit Billy nicht nervös wurde.

Er öffnete die Tür, ganz ohne Sicherheitskette, da es nur Grace war. Na ja, es waren Grace und Rayleen, aber das war nach Billys Kriterien schon in Ordnung. Zumindest in diesen Tagen.

Seine Augen öffneten sich weit, als er das Holzbrett sah.

»Darüber habt ihr also dort draußen geschwatzt.«

»Hilf uns, es hereinzubringen, okay?«

Der Ausdruck in Billys Augen veränderte sich, sie schienen dunkler zu werden, als würde er sich irgendwie abschotten.

»Ich weiß, ich weiß«, sagte Grace. »Es ist der Hausflur. Aber es wird nur eine Minute dauern.«

Billy sah Rayleen an.

»Ich nehme diese Seite«, sagte Rayleen. »Wenn du nur ganz schnell herauskommst und die andere Seite nimmst, haben wir es in zwei Sekunden in der Wohnung.«

Billy stand da und atmete, als befinde er sich unter einer Decke und könne nicht genug Luft bekommen. Er zählte laut bis drei.

»Okay«, sagte er, »eins, zwei, drei!«

Als er ›drei‹ sagte, machte er einen Sprung in den Hausflur und schnappte die andere Seite des Holzbretts. Dann rannte er damit so schnell hinein, dass Rayleen fast nicht mit ihm mithalten konnte und beinahe hinfiel.

»Schließ die Tür! Grace! Schließ die Tür!«, rief er, als sie alle drinnen waren.

Grace schloss die Tür und rief begeistert: »Jetzt kann ich heute doch noch tanzen!«

»Oh, das weiß ich nicht, Kleines. Es ist furchtbar spät.«

»Es ist nicht spät! Es ist gerade erst halb sieben.«

»Aber ich habe dich nur von halb vier bis halb sechs.«

»Und? Dann ist es heute eben etwas später.«

»Aber ich bin an halb vier bis halb sechs gewöhnt.«

Grace wusste, was Billy meinte. Sie hatte von ihm verlangt, etwas Neues, etwas Anderes zu tun, und darin war er nicht gut. Und wenn man etwas tun wollte, worin Billy nicht gut war, dann schien eine Diskussion nicht zu helfen.

Grace sah Billy an, und Billy sagte: »Oh, Kleines. Schau nicht so geknickt drein.«

»Ich kann nicht anders«, sagte sie.

»Okay«, sagte Billy, »dann tanz.«

Billy

Billy schlief und hatte einen tiefen, selig traumlosen Schlaf, ganz ohne ein Rascheln von Federn oder Flattern von Flügeln.

Dann, plötzlich und ohne Vorwarnung, stand er hellwach auf den Beinen und schnappte nach Luft. Sein Herz raste, und er fragte sich, ob der Pistolenschuss, den er gerade gehört hatte, nur Teil eines Traumes gewesen war.

»Aber wir haben nicht geträumt«, sagte er zu sich selbst.

Dennoch, wenn rätselhafte Dinge in der Nacht passierten, waren sie oft Teil eines Traums – ob man nun zu diesem Zeitpunkt gedacht hatte, dass man träumte oder nicht.

Andererseits hatte es erst vor ein paar Monaten tatsächlich eine Schießerei in der Nachbarschaft gegeben. Aus einem fahrenden Auto hatte jemand zwei Häuser entfernt zehn Kugeln durch die Fensterscheiben einer Wohnung im ersten Stock gefeuert. Zum Glück war niemand getötet oder verletzt worden. Aber Jake Lafferty war durch das ganze Gebäude gerannt und hatte um zwei Uhr morgens an Türen geklopft und jeden Nachbarn gefragt, ob alles in Ordnung sei. Mit einer Schrotflinte über seiner Schulter. Billy hatte ihn durch seinen Türspion gesehen und sich geweigert, die Tür zu öffnen.

Aber dieser Pistolenschuss eben … dieser Schuss hatte lauter geklungen als der Schuss aus dem Auto.

»Vielleicht, weil wir es geträumt haben«, sagte Billy.

Schließlich zog Jake Lafferty diesmal nicht seine nächtliche Freiheitskämpfernummer ab. Also musste es ein Traum gewesen sein.

In diesem Moment klopfte jemand an seine Tür.

»Das klingt aber nicht wie ein Klopfen von Jake Lafferty«, sagte Billy zu sich. »Eher wie Rayleen Johnson, weniger wie Jake Lafferty.«

Er schaltete das Licht an und schaute auf die Uhr. Es war gerade erst kurz nach halb elf.

»Billy, ist bei dir alles in Ordnung?«, hörte er Grace durch die Tür rufen.

Er eilte zur Tür und riss sie auf.

Rayleen stand vor der Tür mit Grace in ihren Armen. Das Mädchen sah gleichermaßen müde und ängstlich aus. Na ja, beide sahen so aus. Wahrscheinlich sahen sie in Wirklichkeit sogar alle drei so aus, aber da er keinen Spiegel besaß, konnte Billy über sich selbst nur Vermutungen anstellen.

»Was war das?«, fragte Rayleen, »ist alles in Ordnung mit dir?«

»Eine Schießerei draußen?«

»Ich weiß nicht. Ich nehme an, dann wäre Lafferty schon mit seiner Schrotflinte hier.«

Unwillkürlich lächelte Billy ein wenig.

»Das ist nicht lustig«, sagte Grace, immer noch an Rayleen geklammert, »es ist unheimlich.«

»Sorry, du hast recht. Wollt ihr reinkommen?«

»Nein«, sagte Grace. »Wir müssen nachsehen, was mit meiner Mom ist und mit Felipe und Mr Lafferty und Mrs Hinman. Oh, wartet, da ist Felipe.«

Billy sah Felipe, der auf der untersten Treppenstufe stehengeblieben war und erleichtert aussah, sie alle unverletzt zusammen zu sehen.

»Felipe«, rief Grace viel lauter, als es notwendig gewesen wäre. »Kannst du hochgehen und nachsehen, ob mit Mr Lafferty und Mrs Hinman alles in Ordnung ist?«

Felipe drehte sich um und trottete die Treppe wieder hoch.

»Lass uns deinen Schlüssel holen«, sagte Rayleen zu Grace, »damit wir nach deiner Mom sehen können«.

»Ich gehe«, sagte Grace, »sie ist *meine* Mom, also sehe ich nach.«

»Bist du sicher, dass ich nicht mitkommen soll?«, fragte Rayleen.

»Ja.«

»Dann hol deinen Schlüssel.«

Grace machte sich sofort auf den Weg. Nach zwei Schritten drehte sie sich um und zog den Schlüssel, der immer noch an dem Band um ihren Hals baumelte, unter ihrem Pyjama hervor, damit Rayleen und Billy ihn sehen konnten.

Dann verschwand sie die Treppen hinunter zu ihrer Wohnung.

»Wer hätte gedacht, dass sie mit diesem Ding um den Hals schlafen würde?«, fragte Rayleen Billy, der als Antwort nur mit den Schultern zuckte und den Kopf schüttelte.

Er stand immer noch in seiner Wohnungstür und wollte natürlich nicht herauskommen, war aber jetzt, da Schlafenszeit war, noch nicht bereit, jemanden hereinzubitten. Genau genommen war er noch gar nicht richtig wach.

»Ich hätte mit ihr gehen sollen«, sagte Rayleen. »Was, wenn ihre Mutter …«

»Oh, großer Gott!«, unterbrach Billy. »Sag sowas nicht! Denk nicht mal an sowas!«

»Sorry.«

»Was ist das auf deinem Fußboden?«

Billy deutete auf einen Umschlag, der in Rayleens Türeingang lag und auf dem abgenutzten, dunklen Läufer in ihrer Wohnung besonders weiß aussah.

»Hmm«, sagte sie, »weiß nicht. Ich hatte das gar nicht gesehen.«

Sie ging zurück, hob den Umschlag auf und öffnete ihn im Gehen. Es war im Hausflur nicht hell genug, um den Text auf der kleinen, rechteckigen Karte zu lesen, die in dem Umschlag steckte. Sie sah aber sehr farbenfroh aus, eher wie Werbung und weniger wie eine geschriebene Nachricht.

»Ich glaube, du kommst besser rein«, sagte Billy.

In diesem Moment kamen sowohl Felipe als auch Grace zurück.

Grace hüpfte herein und rief: »Alles in Ordnung! Sie ist drauf, und ich konnte sie nicht ganz aufwecken, aber sie sie wurde nicht erschossen, denn sie hat gegrummelt. Das wäre also gut.«

Billy sah Felipe vor der Tür stehen. Außer durch eine Glasscheibe hatte er Felipe nie gesehen und wahrscheinlich hatte Felipe ihn überhaupt noch nicht gesehen. Sie beäugten sich zaghaft, wie Fremde es oft tun.

»Ist es okay, wenn ich hereinkomme?«, fragte Felipe.

»Oh. Ähm, sicher. Bitte.«

Felipe trat nur einen Schritt in Billys Wohnzimmer.

»Mit Mrs Hinman ist alles in Ordnung«, sagte Felipe. »Sie ist etwas verschreckt. Lafferty kam nicht an die Tür. Aber das wahrscheinlich auch nur, weil ich gesagt habe, dass ich's bin.«

»Und … hat er geantwortet?«, fragte Rayleen. »Ich meine, hast du ihn gehört?«

»Nein. Entweder ist er ausgegangen oder hat getan, als könnte er mich nicht hören.«

»Was ist das?«, fragte Grace und zeigte auf den Umschlag in Rayleens Hand. Die erschreckenden und verwirrenden Ereignisse der letzten Minuten hatten ihre Stimme noch schriller werden lassen.

»Ein Geschenkgutschein«, sagte Rayleen erstaunt. »Das ist ein Geschenkgutschein über fünfundsiebzig Dollar für ein Geschäft namens Dancer's World. Und er ist auf deinen Namen ausgestellt.«

»Für mich?«

»Grace Ferguson. Das bist du doch, oder?«

Grace schrie erst, dann sprang sie auf und ab. Zehn, dann fünfzehn, dann zwanzig Mal. Sie schrie: »Ich kann Stepschuhe kaufen, ich kann Steppschuhe kaufen!« Danach hielt sie inne und warf Billy einen besorgten Blick zu: »Kann ich für fünfundsiebzig Dollar Steppschuhe bekommen?«

»Ich bin sicher, dass du dafür etwas Anständiges bekommen kannst«, antwortete Billy.

Und natürlich sprang Grace daraufhin wieder auf und ab.

»Das ist das beste Geschenk, das mir jemals jemand gemacht hat! Sag mir, wer es mir gegeben hat, ja? Bitte! Sag mir, von wem es ist, damit ich ihm oder ihr um den Hals fallen kann! Bitte sag's mir!«

Billy schaute zu Rayleen hinüber, die den Kopf schüttelte. Dann schaute Rayleen zu Felipe, und auch er schüttelte den Kopf.

»Wir wissen es nicht«, sagte Billy. »Jemand hat ihn einfach unter Rayleens Tür durchgeschoben.«

»Vielleicht deine Mom«, sagte Rayleen. »Ja, es muss deine Mom gewesen sein.«

»Ich glaube nicht«, meinte Grace. Das Geheimnisvolle an diesem Geschenk musste in ihr Bewusstsein gedrungen sein, denn sie beendete das Springen, und ihr Gesicht nahm einen nachdenklichen Ausdruck an. »Sie weiß doch noch nicht mal, dass ich mit Stepptanzen angefangen habe.«

»Wer weiß es dann noch?«

»Niemand. Nur ihr. O ja, und ich habe es meiner Lehrerin erzählt. Aber wenn meine Lehrerin mir ein Geschenkdings für Steppschuhe geben wollte, würde sie es mir eher in der Schule geben, oder? Und außerdem habe ich ihr nur erzählt, dass ich Stepptanzen lerne, und nachdem, was sie weiß, könnte ich schon längst meine eigenen Schuhe haben, weil ich ihr nicht gesagt habe, dass ich Schuhe brauche. Nur ihr wisst das. Oh, ja, und Mr Lafferty. Ich hatte ihm davon erzählt, als ich ihn gefragt habe, ob er das Holzbrett besorgen kann.«

»Hmm«, sagte Rayleen.

»Na gut, wir sind alle gesund und munter«, sagte Felipe, »also gehe ich wieder hoch. Wenn es eine Schießerei draußen war, werden wir gleich Polizeisirenen hören.«

»Gute Nacht, Felipe«, rief Grace. Als er gegangen war, sagte Grace nur ein wenig leiser: »Ich werde Mr Lafferty fragen, ob er mir das gegeben hat. Und wenn er Ja sagt, dann kann ich mich bei ihm bedanken.«

»Es ist halb elf«, sagte Rayleen. »Das ist ein bisschen spät, um an seine Tür zu klopfen. Außerdem hat Felipe gesagt, dass er nicht zu Hause ist.«

»Oder dass er einfach nicht die Tür aufmachte, weil es Felipe war. Außerdem wissen wir, dass er wach sein muss, wenn er zu Hause ist, denn es hat gerade jemand mit einer Pistole geschossen.«

»Okay, du kannst es versuchen«, sagte Rayleen, »Aber dann komm gleich wieder zurück.«

»Okay«, sagte Grace und rannte los.

Als sie weg war, fragte Rayleen Billy: »Was hältst du von alldem?«

»Keine Ahnung«, antwortete er.

»Denkst du wirklich, Lafferty würde etwas so Nettes tun?«

»Vielleicht. Möglich wäre es. Als sie ihn wegen dem Tanzboden gefragt hat, war das Holzbrett in weniger als einer Stunde hier. Vielleicht hasst er andere Erwachsene und liebt trotzdem Kinder. Manche Leute können nur kleine Kinder oder Hunde tolerieren. Oder beides. Das kommt vor.«

»Du nimmst nicht an, dass diese zwei Dinge zusammenhängen?«, fragte sie und hielt den Geschenkgutschein hoch.

»Welche zwei Dinge?«

Aber in diesem Augenblick kam Grace wieder die Treppe heruntergehüpft.

»Er kann nicht zu Hause sein«, sagte sie, »weil ich durch die Tür gerufen habe, dass ich's bin.«

»Okay«, sagte Rayleen, »lasst uns zur Ruhe kommen, damit du auch wieder einschläfst.«

»Machst du Witze? Ich werde nie wieder einschlafen können, wenn ich an meine Steppschuhe denke!«

»Versuch's einfach.«

Grace seufzte und trottete in Rayleens Wohnung zurück.

Rayleen sah Billy an.

»Keine Polizeisirenen«, sagte sie.

»Ja. Aber in dieser Gegend können Minuten Stunden bedeuten. Oder vielleicht kommen sie erst am Morgen. Vielleicht möchte nicht einmal die Polizei nachts hier sein. Ich traue ihnen zu, dass sie eine sicherere Zeit für ihre Ermittlungen abwarten.«

Rayleen schnaubte. »Und wir sind so an diesen Mist gewöhnt, dass sich wahrscheinlich keiner die Mühe macht, die Polizei anzurufen, wenn niemand verletzt wurde. Ich gehe zurück ins Bett.«

»Was hattest du mich eben gerade fragen wollen? Irgendetwas über zwei Dinge, die zusammenhängen.«

»Oh. Vergiss es. Das war ein verrückter Gedanke.«

»Weißt du, was ich interessant finde?«, fragte er sie.

»Nein, was?«

»Ich dachte an die Schießerei vor ein paar Monaten. Lafferty war damals im Treppenhaus gewesen, rannte herum, sah nach, ob alle unverletzt geblieben waren, aber das war fast wie … als müsse er die Sache in die Hand nehmen.«

»Da gibt es kein ›fast‹«, sagte Rayleen, »es war schlicht und einfach ein Powertrip.«

»Aber abgesehen von ihm hat niemand nachgeschaut, wie es den anderen ging. Wir sind einfach in unseren Wohnungen geblieben.«

»Wir haben uns noch nicht gekannt. Das ist der Unterschied.«

Grace tauchte gegenüber an Rayleens geöffneter Tür auf und sah ungeduldig aus.

»Kommst du vielleicht mal bald?«, fragte sie, rollte mit den Augen und verschwand wieder.

»Ich glaube, *das* ist der Unterschied«, sagte Billy.

Rayleen lächelte ein wenig und ging, ohne etwas hinzuzufügen.

Nachdem Billy die Tür hinter ihr verschlossen hatte, setzte er sich in seinem Schlafzimmer auf den Bettrand.

»Jetzt werden wir überhaupt nicht mehr schlafen können«, sagte er.

Aber damit lag er nicht ganz richtig.

•••

Nachdem das erste Tageslicht angebrochen war, sank er für etwa zwanzig Minuten in Schlaf. Und wurde von den Luftströmungen der Flügelschläge fast umgeweht. Dann verschwanden sie plötzlich, verflüchtigten sich, von einem lauten Geräusch verjagt.

Er öffnete die Augen und blinzelte ins Licht.

»Sag's nicht. Lass mich raten«, murmelte er leise. »Jemand klopft an meine Tür.«

Ein zweites Klopfen.

»Ich will mein altes Leben zurück«, murmelte er.

Grace' Stimme drang durch die Tür.

»Billy, ich bin's, Grace. Steh nicht auf, falls du im Bett bist, ich will dir nur sagen, dass ich heute erst sehr spät kommen werde, weil Felipe mich zu Rayleens Salon mitnimmt, und dann warte ich dort, bis sie mit der Arbeit fertig ist. Und dann fahren wir mit dem Bus zu Dancer's World, und dort bekomme ich Steppschuhe.«

»Ja«, rief Billy, »das habe ich kommen sehen«.

»Ich wünschte, du könntest mit uns dort sein, damit ich wirklich weiß, dass ich die besten bekomme.«

»Ihr werdet das schon schaffen. Trau dem Verkäufer und sag ihm, wie viel Geld du ausgeben kannst, er wird dir schon helfen.«

»Und wenn es eine Verkäuferin ist?«

Billy seufzte. »Dann gilt das Gleiche.«

Nun kam Rayleens Stimme durch die Tür.

»Ich wollte dir nur sagen, dass ich hier bin, um darauf zu achten, dass du das gehört hast, Billy.«

»Danke«, rief er.

»Schlaf jetzt weiter.«

»Mach ich«, rief er.

Aber natürlich konnte er nicht weiterschlafen.

•••

»Warte, bis du siehst, was ich gekauft habe«, rief Grace, kaum war sie durch die Tür gesprungen. »Ich glaube, sie sind gut, und ich hoffe natürlich, dass du auch denkst, sie sind gut. Der Mann in dem Tanzgeschäft sagte, sie seien *sehr* gut. Na ja, er hat gesagt, sie seien sehr gut für *den Preis*. Sie waren im Angebot. Sie haben vorher über hundert Dollar gekostet, also müssen sie doch gut sein, oder? Weil ich nicht so viel hatte zum Ausgeben, aber ich konnte sie bekommen, weil sie im Angebot waren.« Bevor Billy auch nur antworten konnte, sagte sie: »Ich mache mir um Mr Lafferty Sorgen. Er war gestern Abend nicht da und auch nicht heute Morgen, bevor ich zur Schule gegangen bin. Und ich habe es gerade wieder versucht, und er ist immer noch nicht da. Warum sollte er so lange weg sein? Was glaubst du, wo er hingehen würde?«

»Oh«, sagte Billy.

Eine Stille hing in der Luft, während er versuchte, ein paar vage Gedanken zu fassen, die ihm alle schon vorher gekommen waren, die er sich aber noch nicht eingestanden hatte.

»Billy«, sagte sie. »Wach auf. Du hast keine meiner Fragen beantwortet.«

»Sorry«, sagte er, »ich habe gerade nachgedacht.«

»Über was hast du nachgedacht?«

»Nichts. Nichts wirklich.«

»Nein, Billy Schein! Ich hätte nie gedacht, dass du ein so großer Lügner bist.«

»Okay«, sagte er, »ich denke, ich war auch ein bisschen über Mr Lafferty besorgt.«

»Aber du magst ihn doch nicht einmal.«

»Sehr wahr. Ich bin sicher, dass mit ihm alles in Ordnung ist«, sagte Billy, obwohl er sich keinesfalls sicher war. »Zeig mir, was du gekauft hast.«

»Rate mal, wer mir den Geschenkgutschein gekauft hat.«

»Du hast es herausgefunden?«

»Ja. Rate!«

»Ich kann es nicht erraten. Sag's mir.«

»Mr Lafferty!«

»Aber du hast doch gesagt, du hättest ihn nicht gesehen.«

»Stimmt.«

»Woher weißt du es also?«

»Der Verkäufer im Tanzgeschäft hat es mir gesagt. Du hattest recht, es war ein Mann. Du sagtest, es wäre ein Verkäufer, dem ich in dem Tanzgeschäft trauen sollte, und du hattest recht. Jedenfalls war es derselbe Verkäufer, der Mr Lafferty den Geschenkgutschein verkauft hat. Er sagte, er hätte ihn erst gestern gekauft. Er sagte zwar nicht den Namen, Mr Lafferty, aber er sagte, es sei ein Mann gewesen, älter, aber nicht richtig alt. Und dann hat er gesagt, dass er sehr mürrisch und unfreundlich war.«

»Stimmt, dann war es Mr Lafferty«, sagte Billy.

»Mach die Augen zu, und ich zeig sie dir.«

Billy schloss die Augen. Während er sie geschlossen hielt, glitten seine Gedanken zur vorigen Nacht zurück. Er hörte Rayleens Frage: »Du nimmst nicht an, dass diese zwei Dinge zusammenhängen?« Jetzt wusste er, was sie gemeint hatte. Sie hatte von dem Geschenkzertifikat und dem Schuss gesprochen. Vielleicht hatte es ein Teil von ihm in diesem Moment sogar gewusst.

Er konnte das neue Leder der Schuhe riechen.

»Okay, öffne deine Augen!«

Er tat es und schmolz innerlich dahin.

»Sie sind schwarz«, sagte Grace, als könnte er es nicht sehen. »Denkst du, schwarz ist gut?«

»Es ist ausgezeichnet. Es passt zu allem.«

»Das hat auch der Verkäufer gesagt. Und er sagte noch, sie hätten einen starken Zehenraum.«

»Einen starken Zehenraum?«

»So etwas in der Art.«

»Verstärkten Zehenraum?«

»Vielleicht. Er sagte, es macht dich mehr … ich habe es vergessen, aber es ist etwas Gutes.«

»Standfest?«

»Ja, ich glaube. Und er sagte, du kannst sogar das Geräusch ändern – weißt du, größere Taps oder kleinere Taps – aber ich bin nicht sicher wie. Vielleicht kannst du es mir zeigen. Er hatte ein paar andere, mit einer Art Schleifen, wie weite Krawatten. Aber deine sind Schnürschuhe, also dachte ich, ich sollte auch Schnürschuhe kaufen. Und außerdem waren die anderen nicht im Angebot, also waren sie nicht viel mehr wert, als das, was ich zahlen konnte. Magst du sie?«

»Sehr sogar.«

Er nahm einen tiefen Atemzug und füllte seine Nasenhöhlen und Lungen mit dem Aroma der Schuhe. Es machte ihn ein klein wenig benommen, aber auf eine gute Art. Auf eine dahinschmelzende Art.

Wir haben heute etwas Neues dazugelernt, dachte er, sprach es aber nicht aus. Wir haben gelernt, dass das erste Paar Steppschuhe immer magisch ist, selbst wenn es nicht *unser* erstes Paar ist.

Er sah auf und sah Rayleen in der Tür stehen.

»Vielleicht sollten wir den Vermieter anrufen«, sagte Billy zu Rayleen. »Um ihn zu fragen, ob er ein paar … Dinge nachprüfen kann.«

»In Ordnung«, antwortete sie. »Dinge. Ich hatte mir auch Sorgen über ein paar Dinge gemacht.«

Grace

Als Grace das nächste Mal zu Mr Laffertys Wohnung ging, stand dort ein Mann, den sie nicht kannte, im Hausflur. Er war sehr groß und dick und trug einen Overall. Er hielt eine Zigarre zwischen den Zähnen, die nicht einmal brannte. Zum Glück, dachte Grace, denn sie hasste den Geruch von brennenden Zigarren mehr als alles andere.

Der Mann sprach mit Felipe, und Grace bekam einen Teil des Gesprächs mit.

»… und die Holzdielen müssen vielleicht sogar herausgenommen werden oder vielleicht könnten wir einfach einen Teil der Dielen rausschneiden und ein neues Stück einsetzen, denn wir müssen sowieso einen neuen Teppichboden darüber verlegen, also spielt es nicht wirklich eine Rolle, wie es aussieht. Und eine Wand muss professionell gereinigt und neu gestrichen werden.«

»Hi«, sagte Grace und stand nun direkt vor dem Mann.

»Na, hallo, junge Dame«, sagte er.

Hm, das ist komisch, dachte Grace. Wer redet so?

»Wer sind Sie?«, fragte sie.

»Ich bin der Hausverwalter«, sagte er, doch das klang nicht wie etwas, das Sinn ergab.

Felipe, der sie gut genug kannte, um zu wissen, dass sie eine Erklärung brauchte, sagte: »Casper ist der Mann, der Sachen in unserem Haus repariert. Der Vermieter schickt ihn hierher, wenn etwas repariert werden muss.«

Grace kniff die Augen zusammen und schaute zu Casper hoch.

»Wie kommt es dann, dass ich Sie noch nie hier gesehen habe?«

Casper lachte in einem großen, derben Schnauben und sagte: »Ich nehme an, dass bisher nichts repariert werden musste.«

»Machen Sie Witze? Alles hier in diesem Haus muss repariert werden.«

Casper hörte auf zu lächeln.

In diesem Moment bemerkte Grace, dass die Tür zu Mr Laffertys Wohnung einen kleinen Spalt weit offenstand.

»Er ist zu Hause! Mr Lafferty ist endlich zu Hause! Ich geh mal rein und bedanke mich bei ihm.«

Einen Sekundenbruchteil später war sie in Felipes Armen, und ihre Füße schwangen etwa einen halben Meter über dem Boden.

»Nein!«, sagte Felipe nur.

»Halten Sie sie fest«, sagte der Verwalter, obwohl Felipe das bereits tat. »Lassen Sie sie da nicht reingehen. Mein Gott, das würde ihr einen Monat lang Albträume geben. Außerdem ist es gesundheitsbedenklich. Eine biologische Gefährdung. Die Wohnung muss von einem dieser Hygieneteams professionell gereinigt werde, das wird ein Vermögen kosten. Der Besitzer wird stinksauer sein.«

Grace entspannte sich etwas in Felipes Armen.

»Warum kann ich nicht reingehen?«, flüsterte sie in sein Ohr.

»Weil Mr Lafferty verschieden ist.«

»Heißt das, er ist gestorben?«

»Ja.«

»Oh.«

Von unten hörten sie Rayleen, die nach Grace rief, denn Grace hatte ihr nicht Bescheid gesagt, als sie weggegangen war.

»Grace? Wo bist du, mein Schatz?«

»Ja, kommen Sie hoch und holen Sie das Kind ab«, rief Casper zurück, und Grace erschrak. »Sie hat hier oben nichts zu suchen. Bringen Sie sie runter.«

Rayleen kam herauf und sah aus, als fühle sie sich unbehaglich.

»Oh«, sagte Casper, »ich dachte, es sei ihre Mutter.«

Rayleen schien nicht zu mögen, was er sagte und gab keine Antwort. Sie ging einfach zu Grace und nahm sie mit, sie fest an der Hand haltend.

»Es war genau so, wie Sie gedacht hatten«, sagte Casper. »Die … Situation … wissen Sie, mit Lafferty. Also danke, dass Sie angerufen haben. Wenn es eine Woche lang oder so niemand bemerkt hätte, wäre es sogar noch eine größere Schweinerei geworden, als es jetzt ist. Obwohl, wenn man bedenkt, was für eine Schweinerei es jetzt ist, dann kann man sich das nur ziemlich schwer vorstellen.«

»Komm, Grace«, sagte Rayleen, »lass uns jetzt runtergehen.«

•••

»Du wusstest es also«, sagte Grace.

Sie saß an Rayleens Küchentisch, trank ein Glas Milch und schaute gelegentlich an die Decke.

»Nein«, sagte Rayleen, »ich wusste es nicht. Ich habe mir nur Gedanken gemacht. Das ist ein Unterschied.«

»Aber du hast es mir nicht gesagt.«

»Weil es vielleicht nicht wahr gewesen wäre. Und dann hätte ich dich wegen nichts traurig gemacht.«

»Na, jetzt bin ich ganz sicher traurig.«

»Ich weiß, Schatz, ich weiß. Wir sind alle traurig.«

»Aber du mochtest ihn noch nicht einmal.«

»Nein. Aber ich habe ihm so etwas nicht gewünscht.«

»Warum hat er es getan?«

»Ich weiß nicht. Ich kannte ihn wirklich nicht sehr gut.«

»Was glaubst du, warum?«

Rayleen seufzte. »Ich nehme an, er war unglücklich. Wenn Leute gemein sind, bedeutet das meistens, dass sie unglücklich sind.«

»Zu *mir* war er nicht gemein.«

Aber darauf erhielt Grace keine Antwort von Rayleen. Vielleicht war sogar keine Antwort notwendig. Es war einfach wahr, und jetzt war es zu spät, es Grace oder sich selbst zu erklären.

»Er ist drei Mal nett zu mir gewesen, und das nur in den letzten paar Tagen. Das ist also oft, oder?«

Rayleen schien in ihre Gedanken versunken zu sein, aber dann kam sie wieder zu sich – nur ein wenig, wie jemand, der gerade aus einem Nickerchen erwacht ist.

»Drei Mal?«, fragte sie.

Grace' Gedankengang war inzwischen schon weiter fortgeschritten. »Wir brauchen eine Versammlung.«

»Wer?«

»Wir alle. Du und ich und Billy und Felipe.«

»Was für eine Versammlung? Über was?«

»Na, deshalb macht man doch eine Versammlung. Um allen zu sagen, worum es in der Versammlung geht. Ich hole Felipe.«

Grace rannte zur Tür, aber Rayleen rief ihr nach: »Geh da nicht hoch, Grace. Ruf ihn von der Treppe aus.«

»Jaja, ich weiß«, sagte Grace. Es machte sie etwas ungehalten, so behandelt zu werden, als wüßte sie das nicht bereits.

»Warte«, sagte Rayleen, »geh noch nicht. Du sagtest, Mr Lafferty hätte drei nette Dinge für dich getan. Aber ich weiß nur von zwei Dingen.«

Grace seufzte tief auf und dachte, es sollte eigentlich ohne Weiteres verständlich sein.

»Der Tanzboden«, zählte sie auf und hielt einen Finger hoch, »die Steppschuhe«, sie hielt einen zweiten Finger hoch, »und dann hat er mir gesagt, was wir mit meiner Mom falsch machen. Das sind also drei Dinge. Kann ich jetzt Felipe holen?«

Grace wartete nicht auf eine Antwort und rannte hinaus. Vom unteren Ende der Treppe aus rief sie mit ihrer lautesten Stimme – die lauter war als die lauteste Stimme aller anderen Leute, die sie kannte. Die meiste Zeit musste Grace ihre laute Stimme unterdrücken und sich für sie entschuldigen, aber hier und da war eine laute Stimme angebracht. Und dies waren Anlässe, bei denen sie glänzen konnte.

»Felipe! Komm für eine Minute runter, okay? Wir haben eine Versammlung!«

Dann rannte sie zu Billys Tür, klopfte und rief gleichzeitig: »Ich bin's, Grace.«

Er öffnete sofort.

»Hast du von Mr Lafferty gehört?«, fragte sie.

»Nein, aber ich hatte mir deswegen Sorgen gemacht.«

»Du auch? Warum hat mir niemand davon erzählt?«

»Weil wir uns nicht sicher waren. Wir hatten uns nur Sorgen gemacht.«

»Ja, das hat auch Rayleen gesagt. Jedenfalls haben wir eine Versammlung.«

»Ich weiß.«

»Woher weißt du das?«

»Grace. So wie du es angekündigt hast, wissen es jetzt auch die Leute, die auf der Straße vorbeigegangen sind. Große Güte, sogar Leute, die auf der Straße vorbei*gefahren* sind, wissen es wahrscheinlich. Ist geplant, dass die Versammlung in meiner

Wohnung stattfindet? Ohne dass mich jemand vorher um meine Zustimmung fragt?«

»Ich weiß nicht. Wir können sie überall machen, wo du willst. Oh. Warte. Stimmt. Das habe ich vergessen«, schaltete sich Rayleen von der gegenüberliegenden Seite ein.

»Okay. Ihr habt es vergessen. Haltet die Versammlung ab, wo ihr wollt. Es sei denn, ihr möchtet meine Wenigkeit dabei haben, dann verringern sich eure Optionen.«

»Häh?«, sagte Grace.

Rayleen, die nun zu Grace gegangen war, sagte: »Es bedeutet, wenn du ihn dabeihaben willst, muss es in seiner Wohnung stattfinden.«

»Ja, natürlich, wir müssen dich dabeihaben.«

»Dann denke ich, dass meine Wohnung der Veranstaltungsort der Wahl ist«, sagte er. Grace rollte die Augen, also fügte Billy hinzu: »Das bedeutet, es ist meine Wohnung, oder nichts findet statt.«

»Ja. Ich wusste das schon, als *sie* es sagte.«

In der Zwischenzeit war Felipe dazugekommen, also ließ Billy alle herein. Na ja, fast alle. Gerade, als sie hineingehen wollte, sah Grace Mrs Hinman, die sie vom Flur aus beobachtete.

Grace sagte: »Hi, Mrs Hinman« und wollte die Tür schließen, aber Mrs Hinman hielt sie auf: »Einen Moment. Was hat es mit dieser Versammlung auf sich?«

»O nein. Keine Versammlung für Sie, Mrs Hinman. Das ist eine Versammlung für uns. Nur für uns. Wissen Sie, die Leute, die sich um mich kümmern.«

»All diese Leute kümmern sich um dich?«, fragte Mrs Hinman, kam einen Schritt näher und spähte durch die Tür.

»Ja. Alle bis auf Sie.«

Grace schloss die Tür und bemerkte, dass Mrs Hinman etwas verletzt ausgesehen hatte. Aber sie konnte jetzt nicht weiter darüber nachdenken, zumindest nicht in diesem Augenblick, denn dies war eine sehr wichtige Versammlung.

Billy saß so nahe am Rand der Couch, dass es aussah, als würde er gleich mit seinem Hinterteil auf den Teppich fallen. Und Felipe stand in der Nähe der Tür und hatte seine Arme über der Brust verschränkt. Nur Rayleen machte den Eindruck, als fühle sie sich ein kleines bisschen wohl. Sie saß mit übereinandergeschlagenen Beinen in Billys großem Sessel, und ihrem Gesicht konnte man eine Menge Neugier ablesen.

»Okay«, sagte Grace. Sie stand in der Mitte des Wohnzimmers und fühlte sich sehr erwachsen und bereit dazu, die Leitung zu übernehmen. »Ich sage euch, weshalb wir hier sind. Wir haben eine Versammlung, um darüber zu reden, wie wir ... o nein ... jetzt habe ich es vergessen. Was hat Mr Lafferty gesagt? Darüber, was wir mit meiner Mom tun?«

»Dass wir ihr es ermöglichen, so weiterzumachen wie bisher«, sagte Billy.

»Stimmt! Wir sind hier, um darüber zu reden, wie wir damit aufhören können, meiner Mom das zu ermöglichen, weil ... wisst ihr, so wird sie nicht gesund. Und ich will, dass sie gesund wird. Versteht mich nicht falsch, ihr seid toll und das alles, aber ... na ja, sie ist meine Mom.«

Billy, Rayleen und Felipe schauten sich gegenseitig an.

»Ich weiß nicht«, sagte Rayleen. »Ich meine, was können wir tun?«

»Also, wozu haben wir denn eine Versammlung?«, fragte Grace und gab sich keine Mühe, ihre Frustration zu verbergen.

»Ich glaube, Rayleen meint, dass es vielleicht nichts gibt, das wir tun können«, warf Billy ein.

Daraufhin hing eine unbehagliche Stille im ganzen Raum, und Grace entschied, dass sie einfach noch mehr nachdenken musste, denn schließlich ging es hier um ihre Mom.

»Aber Mr Lafferty sagte, wenn sie mich vielleicht verlieren würde, könnte sie sich bessern.«

Rayleens Gesichtsausdruck änderte sich auf eine unheimliche Art und Weise. Sie sah aus, als hätte sie gerade ein großes, haariges Monster mit Reißzähnen und scharfen Krallen hinter Grace entdeckt.

»O Gott, Grace«, sagte sie, »du kannst das nicht wirklich wollen. Du hast keine Vorstellung davon, wie es ist, wenn das Amt kommt und ein Kind mitnimmt.«

»Nein, natürlich will ich nicht *das*«, antwortete Grace, obwohl sie in Wirklichkeit nicht direkt gewusst hatte, was sie meinte. »Aber warum können *wir* mich nicht wegnehmen?«

Wieder war es still.

»Wir verstehen nicht ganz, was du meinst«, sagte schließlich Billy.

»Also, warum können wir ihr nicht einfach sagen, dass sie mich nicht mehr sehen wird, falls sie nicht mit den Drogen aufhört?«

Wieder war es still, und diesmal wurde die Stille nur von einem Räuspern und ein paar unbehaglichen Seufzern unterbrochen.

»In diesem Plan könnte es ein paar Schwachstellen geben«, warf Rayleen ein.

»Welche?«

»Sie sieht dich zur Zeit ohnehin nur … vielleicht eine Stunde am Tag, und das scheint nicht auszureichen, um sie zu motivieren, sich zu ändern. Und was noch wichtiger ist, die Polizei könnte es als Kidnapping bezeichnen.«

»Ich kann nicht ins Gefängnis gehen«, sagte Billy, »Punkt. Das ist ausgeschlossen.«

»Es ist wahrscheinlicher, dass ich für so eine Sache ins Gefängnis gehe als ihr zwei zusammen«, fügte Felipe hinzu.

»Ja, und die Cops lieben *meine* Hautfarbe«, feuerte Rayleen zurück.

»Leute! Wollt ihr bitte zuhören? Es ist meine Idee, nicht eure. Ihr habt mich nicht weggenommen. Ihr habt euch nur um mich gekümmert, weil meine Mom es nicht tun konnte. Sie wird nicht die Polizei anrufen, weil sie dann wissen würden, dass sie Drogen nimmt. Bevor sie die Polizei anrufen kann, muss sie clean sein und alle ihre Drogen loswerden, weil sie weiß, dass wir ihnen von den Drogen erzählen würden. Und wenn sie clean wird, muss sie die Polizei überhaupt nicht anrufen, denn dann kann ich einfach heimgehen.«

»Hmm«, sagte Rayleen.

»Aber was ist, wenn sie es trotzdem tut«, fragte Billy, »weil sie irrational handelt?«

»Nun, die Polizei wird doch mich fragen, oder? Sie werden fragen: Haben diese Leute dich von deiner Mom weggenommen? Und ich werde sagen: Nein, nein überhaupt nicht, ich kann es nur nicht aushalten, bei meiner Mom zu bleiben, wenn sie *zu* ist, und das ist sie zurzeit immer, weil ... wirklich, das ist wahr, wisst ihr. Und ich werde einfach sagen, dass ich euch gefragt habe, ob ich bei euch bleiben kann und dass ihr gesagt habt, nur für eine kurze Zeit, bis es mit meiner Mom zu Hause wieder besser wird. Das ist doch nicht gegen das Gesetz, oder?«

»Davon habe ich keine Ahnung«, sagte Billy und kaute am Nagel seines Mittelfingers.

»Ich auch nicht«, meinte Felipe.

Doch Rayleen sagte: »Ich finde, es ist eine tolle Idee. Ich bin bereit, es zu riskieren. Was das Amt betrifft, bin ich ja schon als ihre Babysitterin eingetragen. Ich werde euch beide da komplett heraushalten. Ich bin bereit, einfach da runterzugehen und Grace' Mutter zu sagen, dass sie drei Alternativen hat. Grace an das Jugendamt verlieren. Grace an uns verlieren. Oder sich zusammennehmen und clean werden. Wenn sie zu den Cops geht – und dazu ist sie nicht in der Lage –, dann werde ich sagen, dass sich Grace geweigert hätte, nach Hause zu gehen und ich ihr erlaubt hätte, bei mir zu bleiben. Und Grace wird das bestätigen.«

»Wow!«, sagte Billy. »Ich bin noch nie an einem Entführungskomplott beteiligt gewesen.«

»Es ist keine Entführung«, sagte Grace, aber viel zu laut. »Es war meine Idee.«

»Okay, genug!«, rief Rayleen. »Wir haben jetzt genug darüber geredet. Ich gehe mal runter.«

Rayleen marschierte hinaus.

Grace setzte sich auf die Couch neben Billy, der an seinem Daumennagel kaute, und sie gab ihm einen Klaps auf das Handgelenk.

»Au!«

»Hör auf, deine Nägel zu kauen!«

»Das tat weh.«

»Ich hab dir nicht mehr wehgetan, als du dir selbst wehtust.«

Sie konnten das Klopfen an der Tür von Grace' Wohnung hören und schwiegen.

Nichts passierte.

Ein weiteres Klopfen, diesmal lauter.

Immer noch nichts.

»Toll«, sagte Billy. »Ihre einzige Tochter wird entführt, und sie würde noch nicht mal was davon erfahren.«

Grace boxte gegen seinen Arm, aber nicht fest. »Sie wird es herausfinden, Billy. Sie wacht jeden Tag ein kleines bisschen auf. Na gut, an den meisten Tagen jedenfalls.«

Dann tauchte Rayleen wieder auf. Sie sah irgendwie abgekämpft aus und sagte: »Ich nehme an, ich muss es einfach immer weiter versuchen, bis ich sie erreiche.«

•••

Nach der Versammlung ging Grace zu Mrs Hinman hoch, um mit ihr zu sprechen, denn an Grace nagte immer noch das Gefühl, dass Mrs Hinman verletzt war oder sich ausgeschlossen fühlte. Oder beides.

Sie klopfte an die Tür und rief gleichzeitig: »Ich bin's nur, Mrs Hinman, Grace.«

Sie hatte gelernt, dass man so mit den Erwachsenen in diesem Haus umgehen musste, denn sie fürchteten sich ständig vor allem und jedem. Grace fragte sich, ob das nur in diesem Haus so war oder ob es bei allen Erwachsenen in allen Häusern auf der Welt genauso sein mochte. Da sie nur in diesem Haus lebte, konnte sie es nicht wissen.

»In Ordnung, Liebes. Nur eine Minute.«

Es dauerte immer sehr lange, bis Mrs Hinman alle Türschlösser geöffnet hatte.

Als sie es endlich geschafft hatte und die Tür öffnete, schien sie immer noch etwas besorgt, so als ob Grace eine Bande von Schlägern und Gangstern für ihren Besuch mitgebracht hätte.

»Kann ich hereinkommen?«

»Ja, natürlich, Liebes.«

Grace ging in Mrs Hinmans Wohnzimmer und beobachtete, wie die alte Frau alle Türschlösser wieder anbrachte.

»Haben Sie von Mr Lafferty gehört?«

Mrs Hinman schüttelte den Kopf und machte mit ihrer Zunge ein missbilligendes Geräusch, das wie »Tss« klang.

»Was für eine Tragödie. Wie schade. Nur sechsundfünfzig Jahre alt. Und er hatte niemanden. Niemanden. Nicht einmal seine erwachsenen Kinder wollten mit ihm reden. Natürlich hat jeder Mitleid mit Leuten, die niemanden haben, aber normalerweise hat das einen Grund. Es gab einen Grund dafür, dass niemand mit Mr Lafferty sprach.«

»Ich habe mit ihm gesprochen.«

»Gut. Ich bin froh darüber. Ich bin froh, dass er das erlebt hat, bevor er gestorben ist. Schau, ich habe auch niemanden, aber das ist wirklich nicht meine Schuld. Es ist nur, weil ich neunundachtzig bin und meinen Ehemann und alle meine Freunde überlebt habe.«

Mrs Hinman war mit den Schlössern fertig, kam in die Küche und fragte: »Kann ich dir etwas zu trinken anbieten, ein Glas Saft oder so etwas? Limo habe ich keine da.«

»Das ist okay, ich soll eigentlich sowieso keine Limo trinken.«

Sie hatte eigentlich sagen wollen: »Das ist okay, ich kann eigentlich sowieso nicht bleiben«, aber dann konnte sie es nicht über sich bringen. Denn Mrs Hinman hatte niemanden, genau wie Mr Lafferty, und es war nicht einmal ihre Schuld, denn sie war nicht gemein. Na ja, *nicht gemein* im Vergleich zu Mr Lafferty. Andererseits war niemand gemein im Vergleich zu Mr Lafferty.

»Hier, wie wäre es dann mit einem Glas Apfelsaft?«

Also sagte Grace: »Ja, okay« und setzte sich an den Küchentisch. »Ich bin gekommen, um mich zu entschuldigen, falls Sie sich ausgeschlossen gefühlt haben, als wir vorhin unsere Versammlung hatten. Ich hatte nur nicht daran gedacht, dass Sie teilnehmen wollten, weil Sie doch nicht zu den Leuten gehören, die sich um mich kümmern. Ich meinte nicht, dass Sie nicht zu den Leuten gehören könnten, die sich um mich kümmern … ich meine, wenn Sie es wollten. Es ist nur, weil Sie sagten, Sie wollten nicht und so.«

»Es ist nicht so, dass ich nicht gewollt hätte«, sagte Mrs Hinman und stellte ein Glas mit Saft vor Grace auf den Tisch. »Eher ist es so, dass ich dachte, ich wäre der Aufgabe nicht gewachsen. Aber ich habe mir überlegt … oh, wo habe ich das hingelegt? Warte, lass mich diesen kleinen Katalog suchen, und dann kann ich dir zeigen, was ich mir überlegt habe.«

Grace nahm einen Schluck von dem Apfelsaft und war überrascht, wie gut er war.

»Wow«, sagte sie, »ich bekomme nie Apfelsaft. Das sollte ich öfter trinken.«

»Du kannst immer herkommen und Saft trinken«, sagte Mrs Hinman. »Oh. Hier ist er. Ich zeig es dir. Ich habe eine alte Singer-Nähmaschine, die ich seit Jahren nicht mehr benutzt habe. Nicht, nachdem mein Mann gestorben ist. Aber ich konnte immer gut damit umgehen.«

Sie setzte sich Grace gegebüber an den Tisch.

»Was haben Sie früher genäht?«, fragte Grace.

»Kleidung. Ich habe meine eigene Kleidung gemacht. Und die von Marv. Hier, schau dir ein paar dieser Muster an.«

»Was ist ein Muster?«, fragte Grace und schaute, aber sie wusste nicht, wie sie den Katalog vor sich verstehen sollte. Es sah einfach aus wie Zeichnungen von Frauenkleidern.

»Ein Muster ist etwas, was du kaufst, um damit ein Kleid zu machen. Du schneidest das Muster aus, heftest es an den Stoff, und dann weißt du, wo du schneiden und nähen musst und wohin die Abnäher und Reißverschlüsse kommen.«

»Oh. Okay. Warum schaue ich mir das nochmal an?«

»Ich dachte nur, dass du dir den Katalog vielleicht durchsehen und ein paar Kleider aussuchen möchtest, und dann könnte ich meine alte Nähmaschine aus der Versenkung holen und die Kleider für dich machen.«

»Oh, ich verstehe«, sagte Grace. »Dann fühlen Sie sich nicht mehr ausgeschlossen.«

Mrs Hinman wurde rot und schien etwas verlegen zu sein.

»Ich dachte nur, dass du vielleicht nicht viele schöne Kleider hast, und du wächst doch schnell. In deiner Situation könnte es eine gute Sache sein, ein paar schöne Kleider zu haben, das ist alles. Ich wollte dir etwas Gutes tun, nicht mir selbst.«

»Ich kann meine eigenen Kleider aussuchen?«

»Natürlich.«

»Was ist mit Hosen?«

»Ich kann auch Hosen nähen.«

»Und Oberteile, die ich zu meinen Jeans anziehen kann? Ich trage meistens Jeans.«

»Im Katalog sind alle Arten von Kleidung«, sagte Mrs Hinman, »schau es dir einfach an.«

Also blieb Grace, bis sie das Glas Apfelsaft und anderthalb weitere Gläser ausgetrunken hatte. Und sie suchte ein paar neue Kleidungsstücke aus.

•••

»Rate mal, was passiert ist«, schrie Grace Rayleen zu, die im Hausflur stand.

Dann sah sie die Frau.

Die Frau trug ein Kostüm mit einem Rock in einer dunklen Farbe, und sie sah wie eine Businessfrau und mit Sicherheit nicht wie jemand aus, der in dieses Haus gehörte.

Grace blieb wie angewurzelt stehen.

Rayleen sagte: »Grace, dies ist Ms Katz. Sie ist eine Sozialarbeiterin und kam vorbei, um zu sehen, ob mit dir alles in Ordnung ist.«

»An einem Samstag?«, fragte Grace, denn ihr fiel nichts anderes ein, was sie hätte sagen können.

»Sicher, wir machen auch Besuche an Samstagen«, sagte Ms Katz und lächelte. Trotzdem sah es unnatürlich aus. »Deine Babysitterin hat mir gesagt, dass du im oberen Stock warst und mit der alten Frau gesprochen hast, die in der Dachgeschosswohnung lebt.«

Grace trat zwei Schritte näher, denn es erschien sicher genug und sie vermutete, dass sie näher kommen sollte.

»Ja, Mrs Hinman. Ich habe sie besucht, weil ich mir Sorgen machte, dass sie sich ausgeschlossen fühlte. Sie hat niemanden, und es ist nicht einmal ihre Schuld. Es ist nur so, dass sie neunundachtzig ist und schon länger lebt als alle anderen Leute, die sie kannte.«

»Das war sehr lieb von dir«, sagte Ms Katz.

»Und wissen Sie was? Sie näht! Sie hat mir das Musterbuch gezeigt, mit all den verschiedenen Kleidungsstücken, die ich haben kann. Und ich habe ein paar ausgesucht, und sie wird sie für mich machen. Ist das nicht nett von ihr?«

»Sehr nett«, sagte Ms Katz. »Du hast Glück, solche netten Nachbarn zu haben.«

»Oh, ich habe die besten Nachbarn! Billy bringt mir Stepptanzen bei, und Felipe bringt mir Spanisch bei, und Mr Lafferty hat mir Holz für einen Tanzboden gekauft und auch neue Steppschuhe – aber dann ist er gestorben. Und durch Rayleen habe ich diesen schönen Haarschnitt bekommen, und sehen Sie sich meine Nägel an.« Sie hielt der Sozialarbeiterin ihre Hände hin. »O nein, ich habe schon einen Nagel verloren.«

»Ich kann das beheben«, sagte Rayleen.

»Es ist eine sehr schicke Frisur«, lobte Ms Katz. »Mit dir ist also alles in Ordnung?«

»Mir geht es gut«, sagte Grace, ein wenig beunruhigt darüber, was passieren könnte, wenn sie nicht die genau richtige Antwort gab.

»Das ist gut«, sagte Ms Katz. »Ich komme zwischendurch immer mal vorbei, um nachzusehen, dass mit dir noch alles in Ordnung ist.«

»Wann zum Beispiel?«

»Einfach hin und wieder.«

»Oh«, sagte Grace.

Sie wollte zwar »Nein, tun Sie es nicht« sagen, aber sie war sich ziemlich sicher, dass es eine falsche Bemerkung gewesen wäre.

Dann ging Ms Katz, und keine Sekunde zu früh atmete Rayleen tief aus, als hätte sie eine ganze Stunde lang nicht geatmet. Also musste sie sich genauso wie Grace gefühlt haben.

Billys Tür öffnete sich ein wenig, und Billy warf einen verstohlenen Blick durch den Türspalt.

»Alles in Ordnung«, sagte Rayleen, »sie ist weg.«

»Gut, dass Grace nicht wirklich in Schwierigkeiten war«, sagte Billy. »Bis die Frau aufgetaucht ist, hätte sie gestorben sein können.«

»So sind diese Ämter. Sie machen entweder zu wenig oder zu viel.«

Grace bemerkte, dass Rayleens Hände zitterten. Sie war sich ziemlich sicher, dass sie sonst nicht zitterten, außer bei diesem einen Mal, als Rayleen in Grace' Wohnung am Telefon gewesen war. Es gab also nicht viele Dinge, die Rayleen so zum Zittern bringen konnten, aber wenn sie zitterte, dann hatte das immer mit dem Jugendamt zu tun.

Sie gingen in Rayleens Wohnung zurück, wo Rayleen für Grace den Fernseher einschaltete. Etwas später sah sich Grace nach Rayleen um. Sie fand sie zusammengesackt auf dem Boden in einer Küchenecke sitzen. Und Rayleen weinte.

Billy

Am Montag kam Grace zur gewohnten Zeit in Billys Wohnung geschlendert. Sie trug ihre Steppschuhe, und Billy konnte das Klacken auf dem abgenutzten Holzfußboden seines Hausflurs hören. Als Grace über den Teppich ging und das Geräusch gedämpft wurde, vermisste Billy den Klang der Schuhe sofort.

Er nahm an, dass sie direkt zu ihrem Sperrholz-Tanzboden gehen würde, aber stattdessen setzte sie sich auf die Couch und seufzte.

»Ich glaube nicht, dass ich heute tanzen sollte«, sagte sie.

»Warum das?«

»Och, Billy. Muss ich das wirklich erklären? Jemand ist gestorben!«

»Okay«, sagte er, »verstanden. Wie kommt es dann, dass du deine Steppschuhe anhast?«

»Weil ich sie so mag.«

»Ah.«

»Billy? Meinst du, ich könnte eine Tänzerin sein?«

»Ich finde, das bist du schon.«

»Warum findest du das?«

»Na, du tanzt doch, oder?«

»Ich meinte, eine richtige Tänzerin.«

»Also glaubst du, dass du jetzt nur eine falsche Tänzerin bist.«

»Hör auf damit, Billy! Du weißt doch, was ich meine!«

Sie sagte es nicht in einem neckenden Ton, es war ein echter Anflug von Wut. Billy versuchte, innerlich darüber zu lachen und Grace' Wut abzuschütteln, aber sie hatte ihm einen Stich versetzt, und er konnte das Gefühl nicht so leicht loswerden.

»Ja, ich weiß, was du meinst. Also gebe ich dir eine ehrliche Antwort. Vielleicht. Wenn du bereit bist, unglaublich hart daran zu arbeiten. Du müsstest sehr viel Arbeit leisten, und im Moment kannst du dir wahrscheinlich noch gar nicht vorstellen, dass es auf der Welt überhaupt so viel Arbeit gibt. Du bist kein Naturtalent. Aber du könntest es dennoch schaffen.«

»Was ist ein Naturtalent?«

»Jemand, für den das Tanzen so natürlich ist wie das Atmen, als wäre der Körper einfach dafür geschaffen. Bei Naturtalenten ist es fast so, als würden sie etwas nicht lernen, sondern nur ihr Können auffrischen. Aber dann gibt es da noch eine ganz andere Gruppe: diejenigen, die sich abrackern. Sie müssen zwar viel härter arbeiten, aber sie können es am Ende auch schaffen.«

»Warst du ein Naturtalent oder hast du dich abgerackert?«

»Ich war ein Naturtalent.«

»Hmm«, sagte Grace. »Also es reicht trotzdem nicht aus, ein Naturtalent zu sein, um es zu schaffen.«

»Autsch.«

»Sorry.«

»Es ist aber wahr. Schmerzhaft, aber wahr. Die harte Arbeit ist der Löwenanteil des Kampfs. Harte Arbeit kann manchmal natürliche Begabung ersetzen, aber natürliche Begabung kann es fast nie wettmachen, wenn man sich nicht bemüht zu arbeiten.«

»Ich habe das mit dem Löwen nicht verstanden, aber macht nichts. Ich weiß, wie ulkig du redest. Aber du warst doch nicht faul, oder?«

»Nein.«

»Du hattest Angst.«

»Lass uns über etwas anderes sprechen. Ist dir schon mal der Gedanke gekommen, dass Mr Lafferty gewollt hätte, dass du tanzt, selbst zu einer Zeit wie dieser? Oder gerade zu einer Zeit wie dieser?«

»Meinst du?«

»Er hat dir den Tanzboden und die Schuhe geschenkt.«

»Das ist wahr. Ich weiß nur nicht, ob mir überhaupt nach Tanzen zumute ist, wenn gerade erst jemand auf diese Art gestorben ist. Uups … Weißt du was? Egal. Vergiss, dass ich das überhaupt gesagt habe. Ich gehöre zu denen, die sich abrackern, also mache ich mich besser an die Arbeit.«

Vorsichtig schlurfte sie über den Teppich zu ihrer Tanzfläche und nahm ihre Position ein. Dann hob sie einen Fuß hoch. Aber bevor sie ihn absetzen konnte, hörten sie ihre Mutter im Treppenhaus nach ihr rufen.

»Grace? Wo bist du, Grace?«

Sie standen starr da und schauten sich ein wenig ängstlich an. Sie hatten diesen Augenblick schon kommen sehen und wussten, was er bedeutete. Grace' Mutter hatte zum ersten Mal das Bett verlassen und würde nun die Nachricht erfahren. Worauf sie gewartet hatten, war eingetreten.

Mit einem deutlichen Bühnenflüstern sagte Grace: »Ich hab's dir ja gesagt, es ist kein guter Tag zum Tanzen.«

•••

»Okay, ich habe Rayleen auf der Arbeit angerufen«, sagte Grace, als sie hereinkam und sich den Schlüssel zu Rayleens Wohnung wieder um den Hals hängte.

»Kommt sie nach Hause?«

»Bald. Sobald sie kann. Sie beendet gerade ihre vorletzte Maniküre, und sie hat gesagt, ihre letzte Kundin für heute ist eine Freundin, also kann sie sie anrufen und mit ihr einen anderen Termin ausmachen. Und dann kommt sie sofort nach Hause.«

Die Stimme von Grace' Mutter unterbrach ihre Unterhaltung, diesmal kam sie von dem Fußweg draußen vor dem Gebäude.

»Grace! Das ist nicht mehr lustig! Komm nach Hause!«

Billy versuchte, es so gut er konnte zu ignorieren, aber es war nicht einfach. Genau genommen gab er nur vor, es zu ignorieren, aber er war nicht mehr der Schauspieler, der er einmal gewesen war. Er warf einen Blick zu Grace, um zu sehen, ob sie auch so unglücklich erschien, wie er sich fühlte. Sie sah aus, als würde sie gleich anfangen zu weinen.

Ein weiterer lauter Ruf von Grace' Mutter.

»Grace!«

Billy spürte den Druck dieser Situation in seiner Magengegend. Es war, als würde Grace' Mutter alles Leben aus seinem Bauch ziehen und nur eine statische Anspannung zurücklassen. Plötzlich fühlte es sich so an, als wäre nie etwas anderes als statische Anspannung in ihm gewesen. Diese Stimme schien jede Freude der Gegenwart und seiner Vergangenheit vollständig auszulöschen.

Jetzt ist es offiziell, dachte er. Wir sind Kidnapper.

Er dachte an die Flügel. Weite, weiß gefederte, flatternde Flügel. Er rechnete schon mit ihnen. Ich kann mich genauso gut schon jetzt daran gewöhnen, dachte er. Wenn die Nacht hereinbricht, werden sie unsere einzigen Gefährten sein.

»So ... was hast du zu Rayleen gesagt?«, fragte Billy im Flüsterton, obwohl Grace' Mutter viel zu weit entfernt war, um sie hören zu können.

»Nur, dass meine Mom ... wach ist ... sehr wach ... und dass es ein guter Moment sein könnte, dieses Gespräch mit ihr zu führen.«

»Grace!«

Dieses Mal klang die Stimme ihrer Mutter noch schriller und schockierender, obwohl sie zu dem Zeitpunkt schon am anderen Ende des Gebäudes war. Beide schraken zusammen.

»Jetzt macht sie sich Sorgen«, sagte Billy.

»Es ist wirklich seltsam, sie zu hören und nicht zu antworten. Es fühlt sich seltsam an. Es fühlt sich …«

Billy wartete geduldig, wie es in seiner Natur lag. Dann fragte er: »Kannst du das Wort nicht finden?«

»Falsch«, sagte sie. »Es fühlt sich falsch an. Aber ich wollte es nicht sagen, weil wir eine Versammlung hatten und entschieden haben, dass es das Richtige ist. Trotzdem … sind wir sicher, dass es richtig ist? Was, wenn wir doch nicht das Richtige tun?«

»Ich sage dir, was wir sicher wissen«, sagte Billy. »Was wir bisher gemacht haben, war falsch. Wir stimmen da alle ziemlich überein, sogar Mr Lafferty, der nie mit jemandem von uns in irgendetwas übereingestimmt hat. Wenn wir also etwas ändern, haben wir wenigstens die Chance, dass sich etwas bessert. Wir sind uns nur ziemlich sicher, dass wir es ohne eine große Veränderung nicht erreichen werden.«

»Stimmt«, sagte Grace. »Danke für die Erinnerung.«

Aber sie klang immer noch nicht so, als sei sie sich sicher. Und sie sah sehr angespannt aus.

»Alles in Ordnung, Kleines?«

»Es fühlt sich nur anders an, weißt du. Jetzt, wo wir es tatsächlich tun.«

»So ist das immer«, sagte Billy.

•••

Etwa zwanzig Minuten später kam Rayleen mit großen Schritten den Gehweg entlang.

»Rekordzeit«, sagte Billy zu Grace.

»Machst du Witze? Es hat ein Jahrhundert gedauert.«

Sie lagen Seite an Seite auf dem Bauch auf dem Wohnzimmerteppich und sahen durch das untere Ende der Glasschiebetür hinaus.

»Es sind etwa fünfzehn Minuten Fußweg. Du kannst dir nicht vorstellen, wie schnell sie hierhergekommen ist.«

»Fühlte sich wie ein Jahr an.«

»Es waren zwanzig Minuten«, sagte Billy.

»Wirklich? Zwanzig Minuten? Woher weißt du das?«

»Ich kann von hier aus die Küchenuhr sehen.«

»Wie kommt es, dass zwanzig Minuten manchmal so viel länger sind als ein anderes Mal?«

»Das ist eine klassische Frage.«

»Heißt das, du weißt es nicht?«

»So ungefähr.«

»Jetzt weiß ich noch nicht einmal, wo meine Mom hingegangen ist. Nun ist Rayleen den ganzen Weg nach Hause gerannt, um mit ihr zu sprechen, und meine Mom geht weg, um irgendwo um die Ecke oder wo auch immer nach mir zu suchen – und wer weiß, wann sie zurück sein wird.«

Sie sagte es, als wollte sie sich beschweren, aber in ihrer Stimme klang ein erleichterter Ton mit.

Billy sagte: »Schau noch mal, Kleines.«

Er hasste es, es auf diese Art einfließen zu lassen, aber es musste gesagt werden. Sie hätte es außerdem schon bald selbst gesehen.

Grace' Mutter ging auf dem Fußweg in Richtung ihres Hauses. Rayleen kam ihr aus der entgegengesetzten Richtung entgegen, und es sah aus, als sei das Zusammentreffen der beiden genau vor dem Eingang ihres Gebäudes so bestimmt gewesen.

»Oh, Scheiße«, sagte Grace und schlug sich die Hand vor den Mund.

»Heute Sonderpreise fürs Fluchen. Stark heruntergesetzte Preise.«

»Du bist so ulkig, Billy.«

Dann schwiegen sie beide und beobachteten, was geschah.

Von außen betrachtet sah die Situation nicht sehr dramatisch aus. Rayleen hatte ihre Hände auf die Hüften gestützt und wirkte entspannt, obwohl Billy wusste, dass sie es nicht war. Grace' Mutter war einen guten Kopf kleiner, sie plusterte sich auf und tat all das, was eine Person mittels Körpersprache anstellen kann, um groß zu erscheinen. Grace' Mutter hatte langes Haar, durch das sie sich während des Gesprächs oft mit den Händen fuhr. Vielleicht war es ein nervöser Tick.

Die zwei Frauen standen gerade so weit von Billys und Grace' Beobachtungsposten entfernt, dass es unmöglich war, ihren Gesichtsausdruck zu erkennen.

»Sie ist wütend«, flüsterte Grace ehrfurchtsvoll.

»Deine Mom?«

»Wer sonst?«

»Da draußen sind zwei Leute.«

»Stimmt, aber wer bekommt schließlich etwas erzählt, das wütend macht?«

»Kannst du wirklich sehen, dass sie wütend ist? Oder nimmst du einfach an, dass sie wütend sein muss?«

»Ich merke es an der Art, wie sie steht. Sie hat viele Arten zu stehen, ich kenne sie alle auswendig, und diese bedeutet, dass sie wütend ist.«

Grace' Mutter trennte sich von Rayleen und stampfte den Gehweg entlang auf die Haustür zu.

»Ooh, du hast recht«, flüsterte Billy, »wütend.«

»Vielleicht sollten wir das doch nicht machen.«

»Ich glaube, jetzt sind die Würfel gefallen.«

»Rede normal, Billy.«

»Das bedeutet, es ist zu spät.«

Sie hörten, wie die Haustür mit einem Schwung aufgerissen wurde und gegen die Wand des Hausflurs schlug. Das laute Krachen ließ sie beide zusammenzucken.

»Grace!«, schrie Grace' Mutter.

Und sie schrie wirklich.

Grace weinte. »Ich mag das nicht«, sagte sie.

Billy legte einen Arm um sie und zog sie gerade in dem Augenblick zu sich heran, als ihre Mutter wieder schrie.

»Grace! Tu das nicht, mein Baby! Du liebst deine Mommy doch immer noch, oder? Du weißt, dass deine Mommy dich noch liebt. Oder, Grace?«

Geräuschlos weinte Grace heftiger.

»Grace! Du willst bei mir sein, Baby, oder?«

»Sag es mir noch einmal«, flüsterte Grace. »Sag mir noch einmal, warum das eine gute Idee ist.«

»Grace! Ich kann mich bessern, Baby! Ich werde mich jetzt sofort bessern!«

»Sie wird sich jetzt sofort bessern!«, flüsterte Grace verzweifelt und klang, als wüsste sie, dass sie sich an einen Strohhalm klammerte.

»Gut. Wenn sie es schafft, dann wird alles okay sein. Aber sie muss es erst machen. Sie kann nicht einfach versprechen, sich später zu bessern.«

»Warum nicht?«

»Weil das nie funktioniert.«

»Oh. Du wolltest mir noch mal sagen, warum wir das machen.«

»Weil es vermutlich die einzige Sache ist, die wir tun können, die sie vielleicht – nur vielleicht – so erschreckt, dass sie wieder nüchtern wird.«

»Du solltest es eigentlich ›clean‹ nennen, nicht ›nüchtern‹«, sagte Grace nach einem Schniefen.

»Es macht doch wirklich keinen Unterschied, wie wir es nennen. Wir wollen, dass es ihr wieder besser geht. Deshalb machen wir das.«

»In Ordnung«, sagte Grace. »Aber das ist ätzend. Ich wusste nicht, dass es so ätzend sein würde.«

»Grace!«

Das war ein heftiger Schrei. Das Brüllen einer Person, der alle anderen Möglichkeiten ausgegangen sind. Es erinnerte Billy an Stanley Kowalski im zerrissenen T-Shirt, der in *Endstation Sehnsucht* zu Stella hinaufbrüllt. Denn er selbst hatte in dieser Rolle zwei Monate lang jeden Abend auf der Bühne gebrüllt, als er erst zweiundzwanzig Jahre alt gewesen war.

Das Brüllen ging wie Schockwellen durch sie beide. Billy konnte die Wellen spüren, sie fuhren wie emotionale Blitze durch ihn und Grace.

Dann hörten sie, wie die Tür der Souterrainwohnung laut zugeschlagen wurde.

Grace weinte immer weiter.

Rayleen kam um fünf Uhr dreißig vorbei, genau zu demselben Zeitpunkt wie sonst, wenn sie den ganzen Tag bei der Arbeit gewesen war. Billy erkannte ihr Klopfen – eins … zwei … drei … Pause … vier – obwohl er es nie zuvor so leise gehört hatte.

Er ließ sie herein und zeigte auf die Couch, auf der die schlafende Grace ausgestreckt lag und leise schnarchte.

»Na, das ist ja etwas ganz Neues«, sagte Rayleen leise.

»Sie hat sich in den Schlaf geweint«, sagte Billy, »wörtlich. Sie lag einfach da und weinte über eine Stunde lang. Sie hat eine ganze Packung Taschentücher verbraucht. Und dann … na ja … ich glaube, es hat sie einfach zu sehr mitgenommen.«

Rayleen setzte sich auf die Couch neben Grace und strich dem schlafenden Mädchen über die Haare.

»Armes Baby«, sagte sie. »Da sie jetzt schläft … und alles, habe ich mich gefragt … na, ich wusste nicht, dass sie schlafen würde, bevor ich hierhergekommen bin, aber ich hatte mich sowieso gefragt … kann sie heute länger hier bleiben? Ich will dich nicht erschrecken, aber … du weißt ja.«

»Hmm. Nein, nicht so richtig. Ich kenne das Ende des Satzes nicht, wenn du das meinst.«

»Nur für den Fall, dass ihre Mutter die Polizei ruft.«

Billy setzte sich neben Rayleen auf die Couch und streifte Grace dabei versehentlich, aber das Mädchen wachte nicht auf. Er hatte nicht vorgehabt, sich zu setzen, er hatte einfach die Gewalt über seine Knie verloren.

»Willst du mir sagen, du würdest behaupten, nicht zu wissen, wo sie ist, wenn die Polizei jetzt sofort auftauchte?«

»Wenn du es so sagst, klingt es schlecht.«

»Es klingt wie eine strafbare Tat. Ich meine, anstatt einfach zu sagen: ›Ja, hier ist sie. Ich bin ihr Babysitter, und sie hat sich geweigert heimzugehen.‹«

»O Scheiße, Billy, sag nicht ›strafbare Tat‹. Du hast natürlich recht«, sagte Rayleen. »Du hast völlig recht. Ich weiß nicht, was ich gedacht habe. Ich glaube, der Tag heute hat mich auch ziemlich mitgenommen.«

»Das geht heute rum«, sagte Billy.

Rayleen stand auf, beugte sich runter und hob Grace von der Couch hoch. Wie ein Feuerwehrmann legte sie sich das schlafende Mädchen über die Schulter.

»Was hast du zu ihrer Mutter gesagt?«, fragte Billy und wollte es teils wissen, teils lieber nicht.

»So ziemlich das, worauf wir uns geeinigt haben.«

»Was hat sie zu dir gesagt?«

»Oh, sie hatte eine ganze Reihe von Bezeichnungen für mich. Und sie hat immer wieder gesagt, dass sie nicht glaubt, dass es wirklich Grace' Idee gewesen sei. Aber ich vermute, sie glaubt es mittlerweile etwas mehr.«

»Tun wir das Richtige?«, fragte Billy, als sie zur Tür gingen.

»Ich weiß es nicht, Billy. Ich hoffe bei Gott, dass es so ist.«

Sie schaute in beide Richtungen, bevor sie Grace in den Hausflur hinaustrug und in ihre eigene Wohnung ging.

Billy sah ihr nach, bevor er die Tür wieder verschloss.

»Gott«, sagte er laut zu sich, »ein Konzept wie der Glanz. Wir erinnern uns zwar daran, aber jetzt scheint es so weit weg zu sein.«

•••

Er saß die ganze Nacht vor dem Fernseher und schaute sich alte Filme an, um dem Schlagen der Flügel zu entkommen. Aber um etwa halb fünf am Morgen dämmerte er während *Frühstück bei Tiffany* ein und die Flügel erwischten ihn.

Grace

Am folgenden Sonntag war Grace auf dem Weg zu Felipe, um ihm eine Nachricht von Rayleen zu bringen. Im oberen Stockwerk sah sie, dass die Tür zu Mr Laffertys ehemaliger Wohnung weit offen stand.

Sie dachte, sie sollte es wahrscheinlich einfach ignorieren, nachdem es letztes Mal, als sie versucht hatte hineinzugehen, einen solchen Tumult gegeben hatte. Aber sie hatte die Nachricht für Felipe sowieso bereits vergessen, also blieb ihr nichts anderes übrig.

Sie blieb lange Zeit still stehen und versuchte zu hören, ob jemand in Mr Laffertys Wohnung war. Dann hörte sie ein lautes Niesen und erschrak.

Mit leisem Klacken trat sie vorsichtig in die Wohnung (sie trug ihre Steppschuhe, weil sie sie so liebte) und war zu allem bereit. Ein Mann in Jeans und einem roten Pulli saß auf einem Küchenstuhl und durchsuchte Papiere in einem kleinen Aktenschrank.

Obwohl sie versucht hatte, lautlos zu sein, sah er sofort auf.

»Hallo«, sagte er.

»Hi«, sagte Grace leise, wahrscheinlich weil sie ein wenig ängstlich war.

»Wohnst du hier?«

»Ja«, sagte Grace. »Ich habe in der Souterrainwohnung mit meiner Mom gewohnt, aber ich kann zur Zeit nicht mit ihr zusammenwohnen, weil sie … sich nicht wohlfühlt, also wohne ich meistens bei Rayleen unten im Appartement D. Wer sind Sie?«

»Peter Lafferty«, sagte er. »Ich bin heute Morgen erst hergeflogen, um die Sachen meines Vaters durchzugehen. Nicht, dass es hier viel gäbe. Aber trotzdem, ich muss sowieso ein paar Dinge regeln.«

»Welche Dinge?«

Er schaute Grace direkt an, als versuche er etwas zu entscheiden, aber Grace war sich nicht sicher, was er zu entscheiden versuchte. Seine Augen hatten eine schöne grüne Farbe.

»Ich muss herausfinden, ob er irgendwelche Anweisungen hinterlassen hat. Für … na, wegen seiner Beerdigung, ob er beerdigt oder eingeäschert werden wollte. Solche Sachen.«

»Oh«, sagte Grace.

»Kanntest du meinen Vater?«

»Ja. Er war nett zu mir. Er hat drei nette Sachen für mich gemacht, in nur zwei Tagen.«

Als sie das sagte, schaute er wieder zu ihr auf, und Grace konnte sehen, dass er plötzlich sehr interessiert war.

»Du kanntest ihn also gut?«

»Nicht sehr gut, nein. Aber er war nett zu mir.«

»Du hast nicht …«

Aber dann schien es so, als werde er seinen Gedanken nie zu Ende führen.

»Was?«, fragte Grace, als ihr die Geduld ausging.

»Du hast aber nicht Zeit mit ihm allein verbracht oder so etwas, oder?«

»Nein, warum?«

»Ich hatte mich das nur gefragt.«

Dann schaute er wieder durch die Ordner in dem Aktenschrank.

»Alle anderen dachten, dass er gemein war, aber er war nett zu mir, deshalb glaube ich, dass er vielleicht erwachsene Leute nicht sehr mochte, dafür aber Kinder.«

»Das kannst du laut sagen«, meinte Peter, als hätte Grace etwas gesagt, das witzig war. Aber sie verstand den Witz nicht.

Dann fiel ihr nichts mehr ein, was sie sagen konnte, und Peter sagte auch nichts mehr.

Grace sah sich in der Wohnung um. Sie hatte Mr Laffertys Wohnung nie von innen gesehen. Es sah sehr sauber und ordentlich aus, und der Teppich war brandneu. All die anderen Teppiche in diesem Gebäude waren alt und an den Stellen abgetreten, auf denen viel gelaufen wurde.

»Das ist ein sehr schöner neuer Teppich«, sagte Grace und dachte sich einfach, dass es nett sei, so etwas zu sagen, aber sobald es aus ihrem Mund kam, erinnerte sie sich daran. Sie erinnerte sich an das, was dieser furchtbare Gebäudeverwalter Casper über die Dielen gesagt hatte, die herausgeschnitten werden müssten – und über einen neuen Teppich. Und sie wünschte sich, sie hätte überhaupt nichts über den Teppich gesagt. »Entschuldigung«, sagte sie. »Schon gut, bitte vergessen Sie, was ich gerade gesagt habe. Mir ist eben wieder eingefallen, warum der Teppich neu ist.«

Peter blickte während all dem nicht einmal auf, also wusste sie nicht, ob er wegen ihr bestürzt war oder nicht. Sie lehnte sich gegen den Türrahmen und sah ihm eine Weile zu, obwohl nicht sehr interessant schien, was er machte.

Nach ein paar Minuten ließ sich ein weiteres lautes, explosives Niesen vernehmen.

»Gesundheit«, sagte Grace.

Er sah zu ihr hin, als sei er ein wenig überrascht darüber, dass sie »Gesundheit« gesagt hatte, obwohl es für Grace eine normale Sache war.

»Danke«, sagte er, zog ein großes, weißes Stofftaschentuch aus seiner Jeanstasche und putzte sich damit die Nase.

»Tut mir leid, dass Sie eine Erkältung haben«, sagte sie. Sie hatte das Gefühl, dass sie mehr mit ihm reden wollte, aber sie wusste nicht mal, was sie als Nächstes sagen sollte.

»Allergie«, erwiderte er.

»Gegen was sind Sie allergisch?«

»Verschiedene Kräuter und Pollen, aber es ist Winter. Schimmel. Katzen, aber ich kann mir nicht vorstellen, dass mein Vater eine Katze hatte, also nehme ich an, es muss hier Schimmel geben.«

»Was glauben Sie, warum er es getan hat?«, fragte Grace plötzlich.

Sie hatte selbst nicht geahnt, dass sie das fragen würde. Und sie spürte, wie die Frage sie beide überraschte.

Peter schaute sie einen Moment lang direkt an, dann fragte er: »Willst du hereinkommen?«

»Okay.«

Sie betrat das Wohnzimmer so vorsichtig, als sei dort eine besondere Stelle, auf die man nicht treten dürfe und als müsste sie irgendwie auf magische Weise wissen, wo das sei. Sie setzte sich auf Mr Laffertys Couch.

»Tut mir leid, falls ich das nicht fragen sollte. Mrs Hinman hat gesagt, dass Mr Lafferty erwachsene Kinder hatte, aber keins von ihnen soll jemals mit ihm gesprochen haben.«

Peter Lafferty seufzte, so wie Erwachsene seufzen, wenn sie versuchen zu entscheiden, was sie für sich behalten wollen und was sie sagen sollen.

»Scheint ein wenig eigenartig, darüber zu reden«, sagte er.

»Tschuldigung.«

»Nicht deine Schuld. Also … ich nehme an … da du ohnehin schon so viel weißt … ich habe drei Brüder und zwei Schwestern. Also sind wir insgesamt sechs. Und keiner von ihnen hat noch mit unserem Vater gesprochen. Genau, wie du gehört hast. Seit zehn Jahren nicht mehr. Ich war der Einzige, der ihn ab und zu anrief, aber vor zwei Wochen ging er mir einfach zu weit, also habe ich den Kontakt abgebrochen. So, jetzt weißt du es.«

Er nieste wieder laut.

»Schimmel«, sagte Grace.

»Ich weiß nicht. Fühlt sich eher wie meine Katzenallergie an.«

»Ich glaube nicht, dass Mr Lafferty eine Katze hatte.«

»Nein, ich glaube das auch nicht. Was ist mit den Leuten in der Wohnung gegenüber? Haben die eine Katze?«

»Da wohnen nicht mehrere Leute, es ist nur Felipe, aber er hat keine Katze. Niemand hat eine. Ich glaube, Katzen sind hier im Haus nicht mal erlaubt. Also glauben Sie, er hat getan, was er getan hat, weil Sie gesagt haben, Sie würden nicht mehr mit ihm sprechen?«

Peter seufzte und schob die Tür des Aktenschranks zu.

»Ich nehme an, es hat nicht gerade geholfen«, sagte er. »So war er ganz allein.«

Daraufhin gab es eine Stille, und Grace spürte plötzlich, dass sie die Antwort zu etwas sehr Wichtigem gefunden hatte, das sich ihr lange Zeit entzogen hatte. Es war die Antwort auf das, was falsch war mit allem und jedem – und es bedeutet viel, dies plötzlich zu wissen.

»Das ist es!«, rief sie.

»Das ist was?«

»Nichts. Ich habe nur gerade etwas herausbekommen. Etwas wirklich Wichtiges. Sie haben mir gerade geholfen, etwas herauszubekommen.«

»Ich würde gern mit dir noch etwas weitersprechen«, sagte er, »besonders darüber, wie du ihn gekannt hast. Aber … wenn du gerade kurz warten könntest, ich muss ins Badezimmer. Einen Augenblick.«

Grace wartete, während er durch das Schlafzimmer ging und verschwand.

»O mein Gott!«, hörte sie ihn sagen.

»Was?«

»Rate mal, was ich gerade gefunden habe?«

»Ich geb's auf. Was?«

Er antwortete nicht und kam stattdessen aus dem Schlafzimmer – mit etwas, das wie eine große, rechteckige Plastikschale aussah. Wie eine Aufbewahrungsbox, aber nicht so hoch, und ohne einen Deckel. Es roch komisch. Schlecht komisch, wie der scharfe Geruch, der die Nase belästigte, wenn man an einem Hauseingang vorbeiging, in den Obdachlose gepinkelt hatten.

»Er hatte eine Katze.«

•••

»Miez, miez, miez«, gurrte Grace mit ihrer leisesten Stimme.

Sie konnte die Katze unter dem Bett sehen. Sie hatte wunderschöne goldfarbene Augen und schaute Grace an. Aber sie wollte nicht herauskommen.

»Du bist so hübsch«, sagte sie. »Mir gefällt es, wie sich deine Fellfarbe genau in der Mitte deines Gesichts verändert. Das ist cool.«

Die Katze hatte schwarze und weiße Flecken und eine Farbe dazwischen, eine Art Rotblond. Beinahe konnte sich Grace daran erinnern, wie die Katzen mit diesem Aussehen hießen, aber der Name kam ihr einfach nicht in den Sinn.

»Hast du Angst?«, fragte sie die Katze. »Ich wette, du hast Angst, weil du mir noch nie vorher begegnet bist, aber du musst auch sehr hungrig sein, weil du tagelang kein Futter bekommen hast. Also versuch mir nicht zu sagen, dass du keinen Hunger hast, denn ich weiß, dass du tagelang nicht gefüttert wurdest. Du kannst mich also nicht reinlegen.« Grace rief Mr Laffertys Sohn zu: »Sie muss wirklich hungrig sein. Können Sie nachsehen, ob es hier irgendwo Futter für sie gibt?«

»Dann muss ich wieder reinkommen«, sagte Peter vom Hausflur aus.

»Bitte, es ist wichtig.«

Während Grace wartete, flüsterte sie etwas mehr mit der Katze, um sie mit ihrer lauten Stimme nicht zu erschrecken.

Schließlich kam Peter wieder in das Schlafzimmer zurück. Mit der einen Hand hielt er sich ein Stofftaschentuch über die Nase und den Mund, wie eine Maske, und in der anderen Hand hielt er eine offene Dose mit Lachs.

»Ooh, das ist gut«, sagte Grace. »Damit wird es sicher klappen, sie unter dem Bett hervorzuholen.«

•••

Etwa eine Stunde später stand Grace mit der schnurrenden Katze in ihren Armen vor Rayleens Tür. Hin und wieder rieb die Katze eine Seite ihres Gesichts gegen Grace' Kinn.

Sie klopfte leise, um die Katze nicht zu erschrecken, und hörte Rayleen durch die Tür fragen, wer da sei. Grace wollte nicht zurückrufen, weil sie das Vertrauen der Katze erst vor Kurzem gewonnen hatte. Und man musste sehr vorsichtig mit dem Vertrauen eines verängstigten Tiers umgehen.

Nach einer Minute öffnete Rayleen trotzdem die Tür, vorsichtig.

»Oh, du bist's … oh, mein Gott, Grace. Was hast du da?«

»Meine neue Katze.«

»Deine Katze?«

»Ja, meine. Seit heute.«

»Na, ich weiß nicht, wo du sie halten willst. Jedenfalls nicht hier, so viel weiß ich. Nicht in dieser Wohnung.«

»Aber ...«

»Grace. Ich habe eine Katzenallergie.«

»O nein! Nicht du auch noch!«

»Was meinst du damit, ›Nicht du auch noch‹? Wer hat denn noch eine Katzenallergie?«

»Peter, Mr Laffertys Sohn. Deshalb muss ich die Katze doch nehmen, weil Peter allergisch ist und außerdem mit dem Flugzeug zurück nach Hause muss. Bist du sicher, dass sie nicht hierbleiben kann?«

»Meine Kehle schnürt sich zu und ich kann nicht mehr atmen.«

»Oh. Dann muss ich wohl Billy fragen.«

»Was ist mit Felipe?«

»Was ist verkehrt daran, Billy zu fragen?«

»Du weißt doch, dass Billy nicht gut mit Veränderungen umgehen kann.«

»Ich habe das gehört«, sagte in diesem Moment Billy.

Grace drehte sich um und sah, wie er durch den geöffneten Türspalt schaute, die Sicherheitskette verdeckte einen Teil seiner Nase.

»Sorry«, sagte Rayleen, »aber ... ich meine ... ich hab doch nicht falsch gelegen, oder?«

»Kommt drauf an. Was ist die fragliche Frage?«

»Kann meine neue Katze vorübergehend bei dir bleiben?«

»Hmm«, sagte Billy, »vielleicht solltest du Felipe fragen.«

»Ich hab's dir gesagt«, meinte Rayleen.

»Aber du bist zu Hause«, sagte Grace mit ihrer weinerlichsten Stimme. »Du bist zu Hause und kannst auf die Katze aufpassen. Felipe muss arbeiten. Und Mr Lafferty wird einsam sein und Angst haben.«

Grace bemerkte, dass Billy über ihren Kopf hinwegschaute. Sie drehte sich um und sah, wie Rayleen seinem Blick begegnete. Sie taten also, was Erwachsene tun, wenn mit Kindern ein ernstes Wort gesprochen werden muss, und sie versuchen zu entscheiden, in wessen Zuständigkeit das Gespräch fallen soll.

»Liebling«, sagte Rayleen. »Grace. Mr Lafferty ist tot.«

»Nicht Mr Lafferty, der Mann. Mr Lafferty, die Katze.«

»Du hast die Katze ›Mr Lafferty‹ genannt?«, fragte Billy.

»Ja«, sagte Grace stolz.

»Ist das nicht ein bisschen seltsam?«

»Was ist daran seltsam?«

»Weil es derselbe Name ist wie ... Mr Lafferty.«

»Aber er ist tot«, sagte Grace entnervt. »Wie ihr mir gerade vor etwa einer halben Sekunde gesagt habt, als ob ich das nicht schon wüsste. Also bleibt nur noch *ein* Mr Lafferty übrig.«

»Ich gehe wieder rein«, sagte Rayleen, »bevor ich noch Atemprobleme kriege.«

Grace drehte sich zu Billy um: »Kann ich zu dir reinkommen? Bitte. Ich meine, wir. Können wir bitte reinkommen?«

Billy seufzte sehr laut, viel lauter als nötig. Es war die Art von Seufzen, das etwas ausdrücken sollte. Aber dann ließ er sie herein – Grace war sich dessen ziemlich sicher gewesen. Sie hatte schon von vornherein gewusst, dass er diesen lauten Seufzer ausstoßen, sie aber dann doch hereinlassen würde.

Sie setzte sich auf Billys Couch und legte ihr Ohr an Mr Laffertys Seite, um dem Schnurren zuzuhören.

»Irgendwie schnurrt er die ganze Zeit. Seit ich ihn aus seinem Versteck unter Mr Laffertys Bett geholt habe, hat er nicht einmal aufgehört zu schnurren, und es ist echt cool, wenn man das Ohr direkt an ihn dran hält. Es klingt, als hätte er einen

Motor oder sowas und man fühlt sich dadurch innerlich so gut, den ganzen Weg runter bis zum Bauch. Du solltest es auch mal versuchen, wirklich. Ich kenne dich, und ich weiß einfach, dass du es mögen würdest.«

Billy saß ganz am Ende der Couch, als würde ihn seine eigene Couch plötzlich nervös machen. Aber Grace verstand, dass der Grund für seine Nervosität die Katze war, auch wenn er die Katze nicht anschaute.

»Es ist eine hübsche Katze«, sagte Billy, als sei das die einzige gute Sache, die er über Mr Lafferty sagen konnte. »Ich bin zwar kein großer Katzenfreund – oder Hundefreund –, aber Calico-Katzen fand ich schon immer sehr schön.«

»Calico! So heißt die Katzenart!«

»Ich glaube aber immer noch, dass sie einen besseren Namen braucht«, sagte Billy.

»Ich finde, Mr Lafferty ist ein ausgezeichneter Name.«

»Aber es ist verwirrend.«

»Ich glaube nicht, dass es verwirrend ist.«

»Schau. Denk an das, was du eben gerade gesagt hattest. Mr Lafferty hat geschnurrt, seit du ihn aus seinem Versteck unter Mr Laffertys Bett geholt hast. Verwirrend.«

»Aber er wird nicht mehr unter dem Bett sein, und Peter muss alle Sachen von Mr Lafferty mit nach Hause nehmen oder sie loswerden, also wird Mr Lafferty dann kein Bett mehr haben.«

»Wer, die Katze?«

»Nein, Mr Lafferty. Hör doch zu.«

»Aber du sagtest, die Katze sei Mr Lafferty.«

»Ich weiß, dass du das nur mit Absicht tust, Billy. Ich weiß, dass du in Wirklichkeit kein bisschen verwirrt bist.«

»Stell dir mal vor: Du hörst, wie jemand darüber redet, dass Mr Lafferty gestorben ist. Und nur einen Augenblick lang denkst du: O nein, meine Katze!«

»Hmm«, sagte Grace. Sie drückte ihr Ohr an die Seite der Katze, weil sie wieder dieses schöne Gefühl im Bauch spüren wollte. »Vielleicht hast du recht. Aber ich habe ihm bereits gesagt, dass er Mr Lafferty heißt, und ich will nicht gleich ein Versprechen brechen, also nehme ich an, dass er ›Mr Lafferty, die Katze‹ heißt. Warum schaust du mich so an?«

»Das ist ziemlich lang.«

»Lass mich fragen, ob er etwas dagegen hat.« Wieder drückte sie ihr Ohr an die Katze. »Er sagt, er hat nichts dagegen. Also, kann er hierbleiben?«

»Ich weiß nicht, Kleine. Ich habe Angst vor Tieren.«

»Du hast Angst vor allem!«, stieß Grace entnervt aus.

Sobald sie es gesagt hatte, wusste sie, dass sie Billy verletzt hatte, und fühlte sich schlecht.

»Das war kalt«, sagte er.

»Tut mir leid.«

Sie wollte sagen ›Es war nicht ernst gemeint‹, aber es war doch irgendwie ernst gemeint gewesen. Sie meinte es wirklich, aber sie wusste jetzt, dass sie es nicht laut hätte sagen dürfen.

»Wirklich, es tut mir leid, Billy. Ich wollte dir nicht wehtun. Kann ich ihn einfach hierlassen, während ich in die Wohnung von Mr Lafferty, dem Mann gehe, um das Katzenklo für Mr Lafferty, die Katze, zu holen und nach Katzenfutter zu schauen?«

Billy sah immer noch verletzt aus.

»Ich nehme an … ja«, sagte er.

Grace setzte die Katze auf die Couch, und Billy sprang auf und wich bis zum Fenster zurück, was selbst für Billys Verhältnisse übertrieben schien. Schließlich handelte es sich bei Mr Lafferty noch nicht einmal um eine sehr große Katze.

Grace rannte zur Tür.

»Mir ist etwas sehr Wichtiges klargeworden«, sagte sie, mit ihrer Hand bereits auf dem Türgriff. »Ich kann dir jetzt nicht alles darüber erzählen, weil ich es eilig habe, aber es geht darum, dass alle Leute jemanden haben sollten und es niemanden geben sollte, der niemanden hat – und dass jetzt, wo mir das klargeworden ist, die Dinge hier ganz anders sein werden. Wir brauchen noch eine Versammlung.«

Sie riss die Tür auf und rannte in das Treppenhaus.

Keine drei Schritte später war es eine Hand, die sie aufhielt. Die Hand schien aus dem Nichts zu kommen und hielt ihr den Mund zu, sodass sie nicht schreien konnte. Eine andere Hand griff um ihre Taille, und dann war sie auf dem Weg hinunter zur Souterrainwohnung, ob sie wollte oder nicht.

Natürlich wollte sie nicht.

Sie wandte sich und trat sogar nach hinten aus, aber sie traf nicht.

Sie wollte brüllen und ›Hilfe! Ich werde gekidnappt‹ rufen, aber die Hand lag zu fest auf ihrem Mund.

Erst als sie in ihrer Souterrainwohnung angekommen war, fand sie heraus, dass ihre eigene Mutter sie gekidnappt hatte.

Billy

»Wir werden ungeduldig«, verkündete Billy.

Es klang nicht merklich anders als Billys tägliche Kommentare zu sich selbst, aber diesmal sprach er mit Mr Lafferty, der Katze, die direkt in Billys Augen sah, wenn er sprach – was ihn verunsicherte.

Mr Lafferty, die Katze, lag zusammengerollt auf Billys Couch. Sie hatte sich niedergelassen, schlief aber nicht. Sie starrte Billy an. Nur einen Moment lang traute sich Billy zurückzustarren. Sie hatte eine interessante Musterung, diese Katze. Über die Mitte ihres Gesichts verlief eine Linie, die ihr Gesicht in zwei Farben teilte. Wie ein Pantomime, entschied Billy. Wie ein Entertainer mit Make-up.

Vielleicht haben wir letztlich doch etwas gemeinsam, dachte Billy, aber er sagte es nicht laut, weil er fürchtete, die Katze könnte es als eine Art Einladung verstehen.

Billy hatte bereits einmal versucht, sich in seinen großen Polstersessel zu setzen, da die Couch besorgniserregend … besetzt war. Aber Mr Lafferty hatte sich von dieser Bewegung unerklärlicherweise angezogen gezeigt und Billy erschreckt, indem er auf die Sessellehne gesprungen war und versucht hatte, sich auf seinen Schoß zu setzen. Also blieb Billy jetzt einfach stehen, seinen Rücken gegen die gläserne Schiebetür gelehnt, die sich furchtbar kühl anfühlte. Aus seinem Blickwinkel konnte er die Küchenuhr sehen, die er mit noch größerer Zwanghaftigkeit als üblich beobachtete.

»Wie kann es eine Stunde dauern, das Katzenklo und Futter zu holen? Es sei denn, sie muss in allen Schränken herumstöbern, um das Futter zu finden. Aber trotzdem. Eine Stunde. Meinst du, sie wurde von etwas abgelenkt?«

Kein Wunder, dass Mr Lafferty, die Katze, darauf keine Antwort hatte.

•••

Genau zwei Stunden und sechsundzwanzig Minuten, nachdem Grace gegangen war, klopfte jemand an Billys Tür.

»Grace?«, fragte er und rannte an die Tür.

Mr Lafferty, die Katze, sprang von der Couch und saß geduckt auf dem Teppich, bereit, unter den Möbeln in Deckung zu gehen, falls sie noch einmal erschreckt würde.

Billy hatte Rayleens Signalklopfen erkannt, aber er rief trotzdem Grace' Namen, denn er wollte, dass es Grace war. Es hätte sein können, dass sie das Klopfen nachahmte. Kinder ahmten oft Dinge nach.

Er öffnete, und es war nur Rayleen.

»Oh. Du bist's nur«, sagte er.

»Ich finde es auch schön, dich zu sehen. Ich glaube, jetzt sollte Grace zu mir zurückkommen.«

»Hier ist sie nicht.«

»Mach keine Witze.«

»Ich mache keine Witze. Sie ist nicht hier. Als ich sie das letzte Mal gesehen habe, rannte sie zu Mr Laffertys Wohnung – ich meine den Mann, nicht die Katze – um das Katzenklo und Futter für Mr Lafferty – die Katze, nicht den Mann – zu holen.«

»Vielleicht ist sie bei Felipe.«

»Ich hoffe es«, sagte er und hatte das dunkle Gefühl, dass Panik und nicht Verärgerung angebracht wäre.

»Ich sehe nach.«

Billy blieb in seiner Türöffnung stehen, was untypisch für ihn war, und wartete, brutal an seinen Nägeln kauend, bis Rayleen zurückkam.

Rayleen schüttelte den Kopf. »Du nimmst nicht an, dass sie zu ihrer Mutter zurückgekehrt ist? Sie war ziemlich aufgebracht, als ihre Mutter nach ihr rief und sie nicht zu ihr konnte.«

»Nein«, sagte Billy. »Oh, es liegt gewiss nicht außerhalb des Bereichs des Möglichen. Aber *jetzt* scheint es mir einfach nicht wahrscheinlich zu sein. Vielleicht, als es gerade passierte. Oder am Tag danach. Aber sie hat doch gerade erst diese Katze bekommen und wollte besonders schnell nach oben rennen, um Futter für sie zu holen. Sie ist von der Katze begeistert und konnte kaum erwarten, zu ihr zurückzukommen. Und sie wusste, dass sie meine Erlaubnis nur dafür hatte, die Katze ein paar Minuten hierzulassen. Vom Timing her haut es einfach nicht hin. Die ganze Sache ergibt keinen Sinn.«

»Okay, ich suche weiter nach ihr«, sagte Rayleen.

»Warte! Ähm, tut mir leid, wenn ich wie ein Feigling klinge, aber …« Zu spät, dachte Billy. Du hast dein ganzes Leben lang wie ein Feigling geklungen. Aber er stieß die Stimmen wieder von sich, diese fiesen Mistkerle, wie immer. »Vielleicht kann die Katze bei Felipe bleiben, bis wir alles rausgefunden haben.«

»Tut mir leid, Felipe ist nicht zu Hause.«

»Oh. Na, dann ist Grace vielleicht bei ihm. Vielleicht sind sie zusammen irgendwo hingegangen.«

Rayleen schüttelte den Kopf. »Er war zu Hause, ich habe mit ihm geredet. Aber jetzt ist er weg. Ich will dich nicht zu sehr erschrecken …«

»Dann tu es nicht«, sagte Billy.

»Du willst das wirklich nicht hören?«

»Na ja, ich nehme an, ich muss.«

»Okay. Es war so. Heute war ein Fremder hier im Haus. Mr Laffertys Sohn. Er war hier, um die Sachen seines Vaters durchzugehen.«

»Ja, ich habe davon gehört. Warte. Scheiße. Du glaubst aber nicht …«

»Wir dürfen nur kein Risiko eingehen, das ist alles. Felipe hat heute eine Weile mit ihm geredet, und der Typ hat erwähnt, wo er übernachtet, was er sicher nicht getan hätte, wenn er etwas Schlechtes im Schilde führen würde. Aber, nur um sicherzugehen, fährt Felipe zu diesem Motel und prüft es nach.«

»Mir ist schlecht«, sagte Billy.

Und er meinte es wörtlich. Plötzlich fühlte er sich erhitzt, als hätte er Fieber. Alles tat ihm weh. Das war der schnellstmögliche Ausbruch einer Erkältung.

»Atme einfach weiter«, sagte Rayleen.

»Hast du bei der alten Mrs Hinman nachgeschaut?«

»Habe ich. Es gibt eine Möglichkeit, über die wir noch nicht gesprochen haben. Vielleicht hat ihre Mutter sie wieder an sich gerissen, gegen ihren Willen.«

»O Gott. Ich hoffe, dass es nur so was ist. Nicht, dass das nicht schlimm genug wäre. Sollen wir die Polizei rufen?«

»Ich glaube nicht, dass wir dazu in der Lage sind«, sagte Rayleen. »Wir sind nicht ihre gesetzlichen Betreuer. Stell dir vor, wir rufen sie an und sie kommen vorbei und es stellt sich heraus, dass sie zu Hause bei ihrer Mutter ist. Was können wir dann sagen? Dass wir angerufen haben, weil wir das Kind gestohlen haben und ihre Mutter es zurückgestohlen hat?«

»Aber wenn …«

»Denk nicht, dass ich nicht gründlich darüber nachgedacht habe, Billy. Denk nicht, dass ich nicht jede Möglichkeit in meinem Kopf durchgespielt habe, einschließlich derer, die sehr schlecht für sie – und uns – sind. Ich glaube, ich muss einfach bei Grace' Mutter an die Tür klopfen und ihr sagen, dass Grace vermisst wird und sie besser die Polizei rufen soll, wenn sie nicht weiß, wo ihr Kind ist.«

»Was für uns in den Augen ihrer Mutter – und in Bezug auf unsere Babysitting-Fähigkeiten – ziemlich schlecht aussehen wird.«

»Wenn sie Grace nicht hat. Wenn sie bei ihr ist, sieht es schlecht für uns aus, wenn wir *nicht* fragen. Grace verschwindet, und wir machen uns nicht einmal die Mühe nachzusehen, ob sie zu Hause ist. Außerdem lässt sich daran nichts ändern. Das ist in jedem Fall einfach eine schlechte Lage. Ich gehe jetzt.«

Billys Knie fühlten sich so wacklig an, dass er im Hausflur sanft auf den Teppich glitt. Er blickte zu Mr Lafferty, der Katze, hinüber, um sicherzustellen, dass Mr Lafferty nicht versuchen würde hinauszurennen. Aber die Katze hatte sich wieder auf der Couch zusammengerollt und beobachtete Billy mit leichter Neugier.

Billy hörte das Hämmern an der Tür der Souterrainwohnung, und jedes Klopfen ging wie ein Schuss durch seinen Körper.

»Ms Ferguson?«, hörte er Rayleen rufen. »Ist Grace bei Ihnen? Wenn sie nämlich nicht bei Ihnen ist, müssen wir das wissen. Dann müssen wir unsere Meinungsverschiedenheit zurückstellen, um sie zu finden. Ich meine es so, wie ich es sage. Das könnte wirklich ernst sein.«

Eine weitere Folge von lautem Türklopfen.

Dann kam Rayleen wieder die Treppe herauf. Ihr Gesicht verzog sich vor Neugierde, als sie Billy in der Nähe seiner Tür knien sah, mit den Zähnen an den Fingernägeln kauend, obwohl kaum noch etwas von seinen Fingernägeln übrig war.

»Warum hockst du auf den Knien?«, fragte sie, als sie jetzt über ihm stand.

»Lange Geschichte. Kann ich sie ein anderes Mal erzählen?«

»Also, es ist nicht überraschend, das Klopfen hat zu nichts geführt«, sagte Rayleen. »Ich bekomme wieder Atemprobleme.« Abwehrend trat sie ein paar Schritte von seiner Tür weg. »Ich sage es dir, wenn ich etwas von Felipe höre.«

»Warte!«, rief er und kam trotz aller Schwierigkeiten auf seine Beine. »Vielleicht würde Mrs Hinman die Katze nehmen. Ich meine, nur für heute Nacht.«

Rayleen stand einen Augenblick lang still im Hausflur und machte einen verwirrten Eindruck, als könnte sie solche trivialen Überlegungen nicht in ihre Gedanken einordnen.

»Ich glaube, ich könnte sie fragen«, sagte sie schließlich.

Billy seufzte erleichtert auf.

Während Rayleen fort war, machte sich Billy wieder an seinen Fingernägeln zu schaffen, die kaum über die empfindliche Nagelhaut nachgewachsen waren.

Rayleen kam keine zwei Minuten später zurück, aber die Zeit war Billy trotzdem sehr lang erschienen.

»Tut mir leid, nein«, sagte sie. »Mrs Hinman hasst Katzen.«

»Ich auch!«, jammerte er und klang erbärmlicher, als er vorgehabt hatte.

»Also, wenn Mrs Hinman die Katze jetzt hätte und wollte, dass du sie nimmst, könntest du mit diesem Einwand gewinnen. Aber du hast die Katze. Also gilt: Eigentum verpflichtet.«

»Lass mich wissen, sobald du etwas von Felipe gehört hast«, sagte Billy kläglich.

»Mach ich.«

»Ich brauche immer noch dieses Katzenklo. Und Futter.«

»Oh, ja«, sagte Rayleen. »Ich glaube, das ist bei Felipe. Ich seh mal nach.«

Billy schloss die Tür und warf einen Blick auf Mr Lafferty, die Katze, die ihn immer noch anstarrte.

»Hör auf, mich anzustarren«, sagte er. »Ich bin nicht so faszinierend.«

Wie vorherzusehen war, starrte ihn die Katze weiter an.

»Dies ist alles deine Schuld«, sagte Billy.

Mr Lafferty, die Katze, stellte kurz ihre Ohren nach hinten, aber das war alles.

•••

Felipe gab ihm etwa eine halbe Stunde später durch die Tür einen Zwischenbericht.

»Sie ist nicht bei dem Lafferty-Typen«, sagte Felipe. »Ich nehme wirklich an, dass mit ihr alles in Ordnung ist. Sie muss bei ihrer Mutter sein … hoffe ich.«

»Danke«, rief Billy durch die Tür. »Ich brauche immer noch das Katzenklo und Futter.«

»Oh, ja. Ich habe das Rayleen gegeben. Ich sag's ihr.«

»Danke«, rief Billy wieder.

Dann begann er hemmungslos zu weinen.

Mr Lafferty, die Katze, kam näher, um zu untersuchen, was es mit seinen Tränen auf sich hatte, aber Billy verscheuchte sie mit einem Geräusch. Die Katze rannte weg und versteckte sich unter der Couch.

•••

Er hatte den Film *Mondsüchtig* im Spätprogramm etwa zur Hälfte angesehen, als Billy eine Reihe von Klopfern hörte. Er nahm die Fernbedienung, spürte den stechenden Schmerz in seinen blutenden, geschwollenen Fingerspitzen und schaltete den Ton ab. Dann lehnte er sich über die Couch und hörte genau hin.

Eins, zwei, drei … Pause … vier.

Aber es war nicht Rayleen, die an seine Tür klopfte. Niemand klopfte an Billys Tür. Jemand klopfte an Billys Fußboden. Von unten. Aus der Souterrainwohnung.

Er stieß einen lauten Ton aus, der irgendwo zwischen einem Einatmen und einem Brüllen lag, und Mr Lafferty, die Katze, die auf Billys Polstersessel geschlafen hatte, rannte los und versteckte sich wieder unter der Couch.

Billy hielt still und horchte. Und er hörte es wieder. Eins, zwei, drei … Pause … vier.

Er rannte zu seiner Vordertür und öffnete mit seinen wunden, zitternden Fingern die Schlösser. Dann riss er die Tür weit auf und stürzte aus der Wohnung, um zu Rayleen zu kommen. Aber mitten im Flur stieß er mit ihr zusammen.

»Hast du das gehört?«, rief er, vor Freude und Erleichterung strahlend.

»Ja!«

»Sie ist unten.«

»Sie muss gewartet haben, bis ihre Mutter eingeschlafen ist, um uns ein Signal zu geben.«

»Cleveres Mädchen«, sagte Billy.

»So ein cleveres Mädchen«, stimmte Rayleen zu. »Ich sage es Felipe.«

»Vielleicht kann ich jetzt sogar etwas Schlaf bekommen.«

Sehr zu Billys Überraschung warf Rayleen plötzlich die Arme um ihn. Eine bemerkenswert lange Zeit hielten sie sich in den Armen.

»Vorsicht, lass die Katze nicht raus«, sagte Rayleen, als sie ihn losließ.

»Oh. Stimmt.«

»Übrigens … Billy … du weißt schon, dass du im Hausflur bist, oder?«

»Ups«, sagte er und drängte sich schnell wieder hinein.

•••

In der Nacht fühlte Billy die Anwesenheit von jemandem oder etwas in seinem Schlafzimmer. Er öffnete die Augen und starrte direkt in das Gesicht von Mr Lafferty, der Katze, deren goldene Augen vom Schein des Nachtlichts in der Küche strahlten.

Er schrie.

Die Katze rannte weg und versteckte sich unter dem Bett.

»Scheiße«, fluchte Billy.

Er verstand nun, dass er die Schlafzimmertür hätte schließen sollen, als die Katze noch im Wohnzimmer auf der Couch oder dem Sessel gelegen hatte. Er hatte es zwar erwogen, aber er war sich nicht sicher gewesen, ob er ohne den üblichen Lichtschein schlafen konnte. Und er hatte ein solch unsanftes Erwachen nicht vorausgeahnt.

Er schaltete seine Nachttischlampe an und lag mehrere Stunden lang wach, in seinem Bauch eine gefühlsmäßige Erschöpfung, die nur als Schmerz beschrieben werden konnte.

Ohne es zu wollen, schlief er mit der Zeit schließlich wieder ein.

Wegen eines merkwürdigen, gedämpften Geräusches in seinem rechten Ohr wachte er auf. Es war eine Art vibrierender Ton, aber auch das Gefühl, dass etwas sein Gehör auf dieser Seite blockierte.

Es war hell. Er lag auf dem Rücken, was er sonst nie tat. Sonst rollte er sich immer in einer Embryonalstellung auf der Seite zusammen, wenn er sich auf den Schlaf vorbereitete. Aber dies war ein unvorbereiteter Schlaf gewesen.

Erst als er seinen Kopf zu drehen versuchte, verstand er, dass Mr Lafferty, die Katze, rechts neben seinem Gesicht zusammengerollt lag und laut schnurrte.

Er setzte sich auf, aber merkwürdigerweise vermisste er sofort die Wärme und Vibration, die er den ganzen Weg bis hinunter in die Magengegend gespürt hatte. Und offensichtlich hatte er es länger gespürt, als es ihm bewusst gewesen war. Er musste sich an das Gefühl gewöhnt haben, bevor es ihn aufgeweckt hatte.

Langsam und behutsam legte er sich wieder hin. Die Katze bewegte sich nicht.

Eine weitere Stunde oder noch länger lag Billy einfach nur da, hörte zu und widmete sich dem, was er fühlte.

Er dachte an Grace und machte sich Sorgen. Was, wenn sie niemals wieder in seine Wohnung käme? Was, wenn es keine Tanzstunden mehr gäbe? Was, wenn Grace ihn nie wieder zurechtwiese, weil er an seinen Nägeln kaute oder sie unterbrach? Was, wenn sie das für immer mit ihrem kleinen Kidnapping-Plan ruiniert hätten?

Es gab keine wirklichen Antworten auf diese Fragen, zumindest konnte er keine finden, aber das Schnurren half schon mal ein wenig.

Erst als Billy schließlich endgültig aufstand, bemerkte er, dass er geschlafen hatte, ohne Besuch von den Flügeln zu bekommen.

•••

Zur üblichen Zeit, etwa um halb vier am Nachmittag, klopfte Felipe an Billys Tür.

Nur hatte er diesmal Grace nicht dabei. Billy sah Felipe an, und Felipe sah Billy an. Es war ein bisschen, wie wenn man in einen Spiegel schaute, dachte Billy. Zumindest in einen emotionalen Spiegel.

»Sie ist auf jeden Fall bei ihrer Mutter«, sagte Felipe.

»Hast du sie gesehen?«

»Ja. Ich wollte sie von der Schule abholen. Aber ihre Mutter war auch da, um sie abzuholen. Was konnte ich also tun? Kannst du dir vorstellen, wie dieser Typ spanischer Herkunft sich mit dem Kind von jemandem davonmacht, während seine richtige Mutter dort steht? Das wäre eine Katastrophe, was?«

»Konntest du überhaupt mit ihr sprechen? Wie erschien sie dir?«

»Sie versuchte, rüberzukommen und mit mir zu reden, aber ihre Mutter ließ sie nicht. Also glaube ich, sie war irgendwie … nicht frei. Als wollte sie etwas machen oder woanders sein, aber sie kam nicht an ihrer Mutter vorbei. Dann allerdings rief sie mir etwas zu.«

»Ja? Was denn?«

»Sie rief: ›Sag Billy, dass es mir wegen der Katze leid tut‹. Das ist also der Grund, warum ich hierher gekommen bin. Ich weiß, du magst es nicht so sehr, wenn Leute an deine Tür klopfen, aber ich wollte dir nur sagen, dass ich die Katze nehmen kann. Ich meine, wenn es nötig ist.«

»Oh«, sagte Billy. »Das ist nett. Sehr nett. Aber, weißt du was? Wir scheinen uns aneinander zu gewöhnen. Wir sind … genau genommen … gut miteinander ausgekommen. Irgendwie … gewöhnen wir uns ein.«

»Oh. Okay. Gut. Das ist gut.«

»Hast du daran gedacht, dass wir sie vielleicht nie wieder sehen, wenn ihre Mutter clean bleibt?«, fragte Billy.

Zu seiner Überraschung zitterte seine Unterlippe etwas, als könnten ihn seine eigenen Worte zum Weinen bringen – was vor Felipe sehr beschämend wäre.

»Ich habe daran gedacht, ja«, antwortete Felipe. Er klang nicht gerade weinerlich, aber ebenfalls bedrückt.

»Möchtest du hereinkommen?«, fragte Billy.

Das war ein ungewöhnliches Verhalten für Billy. Und noch während er seine Einladung aussprach, fragte er sich selbst, was passiert sein mochte. Die einfachste Antwort schien zu sein, dass er jetzt daran gewöhnt war, um halb vier nachmittags Besuch zu haben.

Felipe kam herein und setzte sich auf Billys Couch.

»Kaffee?«, fragte Billy.

»Fantastisch, ja. Das macht mich wach für die Arbeit. Das wäre gut.«

Bevor Billy in die Küche gehen konnte, kam die Katze aus dem Schlafzimmer, lief direkt auf Felipe zu und schnupperte am Aufschlag seiner Jeans.

»Sieh an, sieh an!«, sagte Billy. »Hier ist Mr Lafferty, die Katze.«

Felipe schaute schnell auf, als wolle er abschätzen, ob Billy einen Scherz machte.

»Willst du mich auf den Arm nehmen? Sie hat die Katze ›Mr Lafferty‹ genannt?«

»Ich würde über solche Sachen keine Witze machen.«

»Au weia! Man kommt von diesem Typen einfach nicht los.«

»Zumindest mag dich *dieser* Mr Lafferty«, sagte Billy, als die Katze auf Felipes Schoß sprang.

»Ja. Gott sei Dank, was? Zum Glück gibt es keine intoleranten Tiere.«

Billy ging in die Küche, und als er den Kaffee machte, kam Felipe herein und sah ihm dabei zu. Mr Lafferty, die Katze, wanderte schnurrend zwischen ihnen beiden hin und her, umkreiste sie, strich um ihre Beine herum und zwischen ihnen durch, rieb sich an ihnen und machte einen Buckel.

»Ich nehme an, ihr zwei habt euch wirklich aneinander gewöhnt«, sagte Felipe.

Mit einem Kopfnicken wies er auf die Porzellantasse mit Wasser und den Untersetzer mit trockenem Katzenfutter, die auf einem Stoff-Tischset auf Billys Küchenboden akkurat angeordnet waren.

»Sogar gutes Porzellan«, fügte Felipe hinzu.

»Wir müssen alle essen, und es gibt keinen Grund, unzivilisiert zu sein.«

»Ich hatte mal eine Nachbarin«, begann Felipe, »Jahre bevor ich hier lebte. Sie hatte einen großen Hund, einen Dobermann, glaube ich, und sie schwörte, dass dieser Hund Vorurteile habe. Es war absoluter Schwachsinn. Sie erzählte mir mal die Geschichte, dass sie mit ihrem Hund die Straße entlanggelaufen sei und auf sie sei ein – das sagte sie wörtlich – schwarzer Bock zugekommen ...«

»Bock?«

»Ja, genau. Ich weiß. Das ist mein Punkt. Sie sagte, der Hund hätte den Typen sofort angeknurrt. Um es kurz zu machen, es stellte sich heraus, dass diese Frau so dumm war, dass sie nicht verstand, dass der Hund schwarzen Leuten nicht traute, weil er merkte, dass *sie* ihnen nicht traute.«

»Wow. Was kann man zu einer solchen Geschichte überhaupt sagen?«

»Na ja, ich hab mich mich über sie lustig gemacht. Ich hab sozusagen über sie gelacht. Ich hab gesagt: ›Sie haben eine Ziege auf der Straße gesehen? Hier in L.A.?‹ Und sie: ›Nein, es war keine Ziege, es war ein Mann. Ein großer Mann.‹ Und dann sagte ich: ›Na, Sie haben eben gesagt, es war ein Bock. Und ein Bock ist kein Mann. Das ist ein Tier.‹ Aber sie hat es nicht verstanden. Sie dachte nur, sie hätte mich verwirrt. Aber eine andere Nachbarin von mir hatte alles gehört und lachte sich schlapp, hinter vorgehaltener Hand.«

»Wirklich«, sagte Billy, »so sehr ich einen guten Witz auf Kosten eines kleingeistigen Menschen mag, dieser ist nicht sehr witzig.«

»Nein, ich glaube auch nicht«, sagte Felipe, nahm die Katze hoch und streichelte sie sanft hinter den Ohren. »Aber manchmal muss man trotzdem lachen. Ich meine, was soll man sonst machen?«

Billy stellte die Kaffeemaschine an, und vorsichtig darauf bedacht, sich mit der Maschine zu beschäftigen und nicht Felipe anzuschauen, sagte er: »Weißt du, er ist hierher gekommen und hat mir auch die Hölle heiß gemacht. Unmittelbar bevor ich mich zum ersten Mal um Grace gekümmert habe.«

»Lafferty?«

»Lafferty.«

»Wegen was?«

»Er wollte wissen, ob ich schwul sei«, sagte Billy und gab immer noch vor, die Kaffemaschine brauche seine volle visuelle Aufmerksamkeit. »Er sagte, er hätte ein Recht, das zu fragen, weil – so sagte er – ›Homosexuelle mit höherer Wahrscheinlichkeit Kinderschänder‹ seien.«

Er erhaschte einen kurzen Blick auf Felipe, der die Augen verdrehte.

»O … mein … Gott! Ich schwöre, dieser Typ war besessen von diesem Thema! Als wenn er nie über irgendetwas anderes nachgedacht hätte. Was zum Teufel stimmt mit so einem Typen nicht?«

»Wir werden es nie wissen«, sagte Billy. »Jetzt werden wir es nie mehr erfahren.«

»Auch gut«, sagte Felipe. »Ich glaube nicht, dass ich es überhaupt wissen will. Je weniger ich über das Innenleben dieses Typen weiß, desto besser.«

»Als ob ich möglicherweise überhaupt irgendwie sexuell sein könnte«, sagte Billy und griff absichtlich auf das vorige Thema zurück, ohne zu wissen, warum. »Ich meine, schau mich doch an. Wie könnte ich etwas anderes als asexuell sein? Niemand ist hier. Nur ich und diese triste, kleine Wohnung und jeden Monat eine Geldüberweisung von meiner Mutter, die gerade hoch genug ist, um nicht zu verhungern.«

»Na, zumindest kannst du etwas Geld herauspressen.«

Billy lachte.

»Meine Eltern schwimmen im Geld«, sagte er. »Sie sind stinkreich.«

»Oh.«

Die längste Pause, die es je gegeben hat, dachte Billy, aber er überbrückte sie nicht.

»So …«, begann Felipe schließlich.

»Sag nichts«, warf Billy ein, »ich werde die Frage erraten. Wenn ich über einen gut betuchten Hintergrund verfüge, was mache ich dann an einem Ort wie diesem?«

»Es geht mich nichts an, aber ja, das habe ich mich gefragt.«

»Ich glaube, sie haben sich gedacht, wenn sie mir gerade genug geben, um meinen buchstäblichen Tod abzuwehren, würde es mich motivieren.«

»Sie wollen es dir nicht ermöglichen, so weiterzumachen«, sagte Felipe.

Eine kurze Stille trat ein, und dann brachen beide in lautes Lachen aus.

»Man kann sehen, wie gut es bisher funktioniert hat«, sagte Billy und führte in seinem alten, roten Pyjama eine große, theatralische Verbeugung aus.

•••

»Ups«, sagte Felipe. »Ich habe eine Neuigkeit für dich.«

Er saß auf Billys großem Polstersessel und hatte Mr Lafferty, die Katze, auf dem Schoß. Sie lag ausgestreckt auf dem Rücken und schnurrte. Felipe trank seinen Kaffee mit einer Hand und streichelte den Bauch der Katze mit der anderen.

»Eine schlechte Neuigkeit?«

»Einfach eine Neuigkeit. Wir müssen den Namen von Mr Lafferty zu Ms Lafferty umändern.«

»Ist es ein Mädchen?«

»Ein Mädchen.«

»Grace wird …«

Es war ihm peinlich, aber Billy konnte nicht weitersprechen, sonst hätte er geweint.

Es war still, dann sagte Felipe: »Ich weiß. Ich vermisse sie auch.«

»Ich sollte eigentlich hoffen, dass ihre Mutter clean wird. Ich meine, um Grace' willen. Aber was ist mit uns? Was ist, wenn ihre Mutter uns nie mehr erlaubt, sie wiederzusehen?«

»Ich weiß nicht«, sagte Felipe, »es ist verkorkst. Kommt Zeit, kommt Rat.« Er warf einen Blick auf seine Uhr. »Ich mache mich besser für die Arbeit fertig.« Den restlichen Kaffee trank er in einem großen Schluck. »Danke für den Kaffee.«

Felipe ließ die Katze zu Boden gleiten und ging in Richtung Tür.

»Sag es mir, wenn du sie wiedersiehst«, sagte Billy.

»Das werde ich. Ich meine, beides. Ich werde sie wiedersehen, und ich werde es dir sagen. Ich gehe auch morgen wieder zu ihrer Schule und ebenso an jedem verdammten Tag danach. Wenn ihre Mutter es mal verpfuscht und sie nicht abholen kommt, werde ich da sein. Also werde ich sie sehen, selbst wenn ich nicht mir ihr sprechen kann. Und ich sage es dir.«

Ohne noch etwas hinzuzufügen ging Felipe, und Billy verriegelte die Türschlösser hinter ihm. Bevor er damit zu Ende war, wurde er von einem plötzlichen Klopfen erschreckt.

»Ja?«

Felipes Stimme erklang durch die Tür.

»Mach dir nicht die Mühe, wieder aufzuschließen, Billy, ich bin's noch mal. Ich wollte nur noch eine Sache sagen. Ich wollte sagen, dass es mir egal wäre, wenn du es wärst. Ich bin nicht wie Lafferty. Ich bin kein Typ, der Vorurteile hat. Mein Vater hat mir beigebracht, auf niemanden herunterzusehen und über niemanden schlecht zu denken. Außer, wenn es sich um Arschlöcher handelt. Er sagte, es sei okay, Arschlöchern gegenüber Vorurteile zu haben, weil keiner ein Arschloch sein *muss*. Das ist freiwillig.«

Stille. Billy schien seine Kommunikationsfähigkeit verloren zu haben.

»Aber du bist definitiv kein Arschloch.«

»Danke«, sagte Billy.

»Bis später, *mi amigo*.«

»Danke«, sagte Billy.

Das war das einzige Wort, an das er in diesem Moment denken konnte.

Grace

Es war schon die letzte Unterrichtsstunde, und das Läuten der Schulglocke kam näher und näher. Und je näher es kam, desto mehr fühlte sich Grace, als müsse sie sich vielleicht übergeben. Ihr Gesicht war heiß und prickelte, und im Bauch hatte sie ein mulmiges Gefühl, genau wie damals, als sie eine Erkältung hatte.

Aber dieses Mal war es keine Erkältung, und sie wusste es.

Sie befand sich in einer dieser Situationen, wo man immer nervöser und aufgebrachter wird und nach einer Weile so aufgebracht ist, dass man denkt, man müsste sich übergeben.

Aber es gab wirklich nicht vieles, was schlimmer war, als sich in der vierten Klasse im Unterricht zu übergeben, es sei denn man pinkelte in die Hose. Aber selbst das war nicht ganz dasselbe, wie sich zu übergeben. So schlimm war es.

Also fragte Grace ihre Lehrerin, ob sie zur Toilette gehen könne.

Ihre Lehrerin zog eine Augenbraue hoch.

»Bitte, es ist eilig«, sagte Grace, »ich glaube, ich übergebe mich gleich.«

»O je«, sagte ihre Lehrerin, Mrs Placer. »Geh zur Schulschwester, nachdem du auf der Toilette warst.«

Das war merkwürdig, da sie bereits die letzte Stunde hatten und es fast Zeit war heimzugehen, aber Grace vermutete, dass Mrs Placer vielleicht nicht daran gedacht hatte. Erwachsene sagten ständig alle möglichen merkwürdigen Dinge, also war dies nur ein Punkt mehr auf dieser ständig wachsenden Liste.

»Okay«, sagte Grace und rannte so schnell sie konnte den Schulflur entlang.

Meistens ist es besser, einfach nur ›okay‹ zu sagen. So ziemlich jedes Mal ist es besser, als mit ihnen zu diskutieren.

Sie stand eine Weile in der Mädchentoilette, aber jetzt, da sie an einem Ort war, wo sie sich übergeben konnte, wenn sie es gemusst hätte, schien es so, als müsse sie sich gar nicht mehr übergeben.

Drei ältere Mädchen kamen herein, vielleicht aus der sechsten Klasse. Sie standen dicht zusammen und reichten eine Zigarette herum. Eine von ihnen schaute über ihre Schulter Grace an, und das war kein freundlicher Blick.

Grace hoffte, dass die Mädchen sie nicht ausraubten, denn so etwas kann in der Toilette passieren. Nicht, dass sie etwas Stehlenswertes bei sich gehabt hätte. Aber Kinder wurden auch verprügelt, besonders wenn sie nichts zum Stehlen hatten.

»Erkältung«, sagte sie und dachte: Wenn sie wissen, dass ich kurz davor bin, mich zu übergeben und denken, sie könnten sich anstecken, dann halten sie sich vielleicht von mir fern.

Da läutete die Schulglocke, und Grace sprintete zum Ausgang.

Ihre Mom war dort. Und auch Felipe. Genau wie am Tag zuvor.

Grace' Mutter nahm sie zu fest bei der Hand und marschierte mit ihr in Richtung ihres Zuhauses. Grace blickte über die Schulter zu Felipe, aber sobald sie es tat, zog ihre Mutter sie so an ihrem Arm herum, dass sie wieder nach vorn schauen musste.

»Ich werde in der Schule Stepptanz machen«, erzählte sie ihrer Mutter. »Es ist für eine große Versammlung. Ich werde vor fast der ganzen Schule tanzen. Von den Erstklässlern bis zu den Sechstklässlern.«

»Wann?«, fragte ihre Mutter und klang, als dachte sie an etwas völlig anderes. Sie blickte über ihre Schulter zu Felipe.

Grace drehte sich um und sah, dass Felipe immer noch hinter ihnen war, aber ihre Mutter zog sie wieder herum.

»Es ist in drei Monaten«, sagte Grace.

»Gut. Das ist viel Zeit, um Stepptanzen zu lernen, nehme ich an.«

»Ich kann schon Stepptanzen.«

»Seit wann?«

»Du hast viel verpasst, weißt du. Du warst eine Weile weg.«

»So lang war es gar nicht.«

»Es waren Wochen.«

»Es waren nur ein paar Tage.«

»Ja, ein paar Tage, die wochenlang dauerten.«

Sie erwartete, dass ihre Mutter sie anbrüllen werde, weil sie das gesagt hatte. Aber nichts passierte. Ihre Mutter schaute nur wieder über die Schulter zurück zu Felipe.

»Ich muss Billy über das Tanzen in der Schule erzählen«, sagte Grace.

»Du erzählst Billy gar nichts.«

»Aber ich muss.«

»Aber du darfst nicht.«

»Aber ich muss!«, brüllte Grace und fand in ihrem Inneren einen Ort, der sie einfach nicht nachgeben ließ. Dann sagte sie etwas, das sogar noch mehr Mut erforderte und wahrscheinlich das Mutigste war, was sie jemals zu ihrer Mutter gesagt hatte. »Und ich werde es!«

Aber niemand schenkte ihr auch nur das geringste bisschen Aufmerksamkeit.

Plötzlich blieb Grace' Mutter mitten auf dem Fußweg stehen, drehte sich um und brüllte Felipe an.

»Warum folgen Sie uns?«, brüllte sie. »Warum lassen Sie uns nicht einfach in Ruhe?«

Grace sagte: »Er folgt uns nicht, er wohnt nur einfach im selben Haus wie wir.« Und Felipe sagte: »Ich folge Ihnen nicht, ich gehe nur nach Hause.« Beide sagten es fast genau zur gleichen Zeit.

»Warum sind Sie überhaupt zu ihrer Schule gekommen?«, schrie Grace' Mutter.

»Für den Fall, dass niemand da ist, um sie abzuholen«, antwortete Felipe.

»Aber ich war da.«

»Aber für den Fall, dass Sie nicht da wären.«

Grace schaute Felipe an. Er sah so traurig und hilflos aus, und es machte sie wütend, dass ihre Mutter so patzig zu ihm war, und das überhaupt nicht aus einem wirklich guten Grund. Sie entschied sich, die Sache selbst in die Hand zu nehmen, Mutter oder nicht.

Sie riss ihre Hand los und rannte zu Felipe, den sie stürmisch umarmte. Er trug ein grünes Flanellhemd, das schon oft gewaschen worden sein musste, denn es fühlte sich so weich an.

»Te amo, Felipe«, sagte sie absichtlich so laut, dass ihre Mutter es hören konnte.

»Te amo también, mi amiga.«

»Billy y Rayleen? Dice para mi, ›Grace te amo.‹«

»Sí, mi amiga. Sí, yo lo hare.«

Dann rannte Grace zu ihrer Mutter zurück, die ihren Arm fest griff und sie weiterzog.

»Au«, sagte Grace, »Könntest du meinen Arm bitte weniger fest halten? Und langsamer gehen?«

»Beeil dich einfach und geh mit mir.«

Aber es tat weh und brachte Grace dazu, sich wieder besonders aufmüpfig zu fühlen. Plötzlich blieb sie stehen und befreite ihren Arm aus dem Griff.

»Felipe! Könntest du vor uns gehen? Bitte? Ich habe nämlich genug davon, zu versuchen, mit meiner Mom mitzuhalten. Außerdem tut sie mir weh.«

Felipe ging zur anderen Straßenseite hinüber, während Grace' Mutter einfach nur dastand und ihn beobachtete. Dann ging er voraus und wechselte wieder zu ihrer Straßenseite zurück. Er schaute nicht über seine Schulter, sondern ging einfach weiter geradeaus.

Grace' Mutter ging wieder weiter, aber jetzt lief sie langsamer und hielt Grace nicht fest, also war das eine Verbesserung.

»Seit wann sprichst du Spanisch?«, fragte ihre Mutter.

»Ich hab dir gesagt, dass du viel verpasst hast«, war Grace' Antwort.

•••

Als sie vor ihrer Wohnung angekommen waren, fanden sie eine braune Papiertüte vor der Tür. In einer Handschrift, die Grace nicht erkannte, hatte jemand mit einem dicken Markierstift »FÜR Grace« auf die Tüte geschrieben.

Ihre Mutter nahm die Tüte und versuchte hineinzusehen, aber Grace, die sich immer noch aufmüpfig fühlte, schnappte sie ihr aus den Händen.

»Da steht ›für Grace‘, nicht ›für Eileen‹.«

»Aber ich muss sehen, was dir jemand schenkt.«

»Okay, gut, warte einfach eine Sekunde, und ich zeig es dir. Damit du keinen Anfall bekommst.«

Grace griff in die Tüte und fühlte einen weichen Stoff. Sie zog ihn heraus und breitete ihn auseinander. Es war ein Kleid.

Ein brandneues Kleid. Grace hielt es vor sich hin, und es sah aus, als würde es genau passen, was nicht sehr überraschend war, da Mrs Hinman Grace genau ausgemessen hatte, bevor sie das Muster bestellt hatte. Das Kleid reichte gerade bis zu Grace' Knien und hatte die wunderbarste blaue Farbe, die es gab.

»Das ist gut geworden!«, sagte Grace.

»Wer hat dir ein Kleid gekauft?«

»Niemand hat es gekauft.«

»Es ist einfach erschienen?«

»Mrs Hinman hat es für mich genäht. Ich muss zu ihr gehen und mich bei ihr bedanken.«

»Später«, sagte ihre Mutter.

»Warum nicht jetzt?«

»Weil ich mit dir gehen muss und müde bin, ich muss mich einen Moment hinsetzen.«

»Du musst nicht mit mir gehen.«

»O doch, das muss ich.«

Grace seufzte.

»Okay, gut. Wie auch immer. Ich übe einfach Tanzen, und du sagst mir bescheid, wenn du fertig bist.«

Grace' Mutter öffnete die Tür, und Grace rannte sofort zu ihren Steppschuhen, während sie mindestens zum zwanzigsten Mal dachte, was für ein Glück es gewesen war, dass sie sie getragen hatte, als ihre Mutter sie kidnappte. Sie konnte die Schuhe auch im Nullkommanichts anziehen. Mit diesen Steppschuhen war es einfach, denn sie passten. Bloß zuschnüren und lostanzen.

Grace rannte in ihr Schlafzimmer und zog das neue blaue Kleid an. Sie hatte noch nie zuvor in einem Kleid getanzt und wollte sehen, wie es sich anfühlte. Sie zog es sich über den Kopf und mochte das weiche Gefühl des Stoffes.

Dann betrachtete sie sich im Spiegel und holte tief Luft.

»Ich sehe schön aus«, sagte sie laut.

Es war nicht nur das Kleid, aber das Kleid vollendete den Look auf jeden Fall. Zusammen mit dem fast neuen Haarschnitt und den Nägeln verwandelte das Kleid Grace, und das Gesamtbild war … nun ja, *schön*. Und es gab noch eine weitere Sache, die Grace gerade erst bemerkte. Sie hatte Gewicht verloren, ohne es überhaupt zu beabsichtigen. Ohne es auch nur zu versuchen. Das mussten all die Tanzstunden gewesen sein.

Sie lächelte sich im Spiegel an – etwas, das sie noch nie getan hatte. Dann rannte sie in die Küche, um zu tanzen.

Grace' Mutter saß am Tisch, steckte sich eine Zigarette an und verzog das Gesicht, als Grace auf dem Küchenlinoleum lossteppte.

»Was ist mit dem Rauchen draußen?«, fragte Grace und machte ein ähnliches Gesicht.

»Ich möchte dich jede Minute im Auge behalten. Musst du dieses Steppding machen? Ich kriege von dem Geräusch Kopfschmerzen.«

»Ja, das muss ich«, sagte Grace und verpasste keinen Schritt. »Ich muss täglich stundenlang üben. Ich habe diesen Auftritt vor mir, und ich will gut sein.«

»Davon bekomme ich Kopfschmerzen.«

»Das hast du schon gesagt. Ich muss zu Rayleen und meinen Schlafanzug holen.«

»Wir haben das längst besprochen.«

»Ich schlafe heute Nacht nicht wieder in meinen Klamotten. Ich brauche meinen Schlafanzug.«

»Du kannst sie anrufen, wenn sie nach Hause kommt und sie bitten, den Schlafanzug in den Hausflur zu legen. Seit wann musst du mehrere Stunden am Tag tanzen? Das hast du doch vorher nie gemacht.«

»Es hat sich viel verändert, während du weg warst.«

Grace' Mutter schluckte den Köder endlich und brüllte Grace an. »Ich war nicht so lange weg! Hör auf, das immer zu sagen! Ich habe genug davon!«

Grace unterbrach das Tanzen. Sie stand still, ihre Füßen ein wenig auseinander, als wollte sie sichergehen, dass es nichts gab, das sie umhauen konnte. Sie sah ihrer Mutter direkt in die Augen, aber ihre Mutter schaute weg.

»Sieh mich an, Mom.«

Ihre Mutter blickte sie kurz flüchtig an, dann schaute sie wieder runter auf den Teppich und nahm einen weiteren Zug an der Zigarette.

»Also, es ist alles wahr«, sagte Grace, »ob du es nun hören willst oder nicht. Ich kann stepptanzen und ich rede Spanisch und ich habe einen schönen neuen Haarschnitt, der eine Menge Geld gekostet hätte, wenn du dafür hättest zahlen müssen ...« Grace konnte hören, wie sich ihre Stimme erhob, merkte aber, dass sie es nicht aufhalten konnte, selbst wenn sie es versuchen würde, »... und ich habe schöne Fingernägel und eine Fuß-Maniküre bekommen. Und ich trage ein Kleid, das extra für mich gemacht wurde. Und *ich habe eine Katze*!«

Der Teil über die Katze half ihr, ihren Satz mit einem besonders überzeugenden Schrei zu beenden, denn sie hatten das Thema bereits debattiert, seit ihre Mutter sie gekidnappt hatte.

Grace fragte sich, ob Billy sie durch ihre Decke – seinen Fußboden – hören konnte und ob ihr Mut, ihrer Mutter die Stirn zu bieten, ihn zum Lächeln bringen oder ob die Auseinandersetzung ihn eher beunruhigen würde. Sie wollte niemanden beunruhigen, besonders nicht Billy.

»Und einer unserer Nachbarn hat sich erschossen, und du weißt es noch nicht einmal«, schrie sie. »Und das zeigt, wie lange du weg warst.«

Anstatt zurückzubrüllen war Grace' Mutter ruhiger geworden. Sie tat das manchmal, aber nur, wenn sie wirklich wütend war.

»Du hast keine Katze«, sagte sie. »Und ich habe Schwierigkeiten zu verstehen, warum du so laut brüllst, wie du kannst, wenn ich dir gerade gesagt habe, dass ich Kopfschmerzen habe.«

»Ich habe eine Katze. Sie ist eine Calico und ihr Name ist Mr Lafferty, die Katze.«

»Vielleicht existiert die Katze tatsächlich«, sagte ihre Mutter, immer noch mit dieser unheimlichen, ziemlich wütenden Stimme. »Ich sage nicht, dass es die Katze nicht gibt. Ich sage aber, dass sie nicht *deine* Katze sein kann, weil du ohne meine Zustimmung keine Katze bekommen kannst.«

»Na ja, du warst eben nicht da, um mir deine Zustimmung zu geben, und nun ist es zu spät! Jetzt habe ich sie, und sie gehört mir, und ich gehe jetzt, um sie zu sehen, und du kannst mich nicht aufhalten!«

Und damit marschierte Grace zur Tür.

Ihre Mutter erreichte die Tür jedoch zuerst und verschloss sie mit der Sicherheitskette, die so hoch angebracht war, dass Grace sie nicht erreichen konnte.

Grace schnappte einen Stuhl und schob ihn zur Tür. Doch ihre Mutter griff einfach zu und zog ihn wieder von der Tür weg, aber in diesem Moment war Grace schon dabei gewesen, auf den Stuhl zu steigen. Alles passierte so schnell.

Grace schlug mit ihrer rechten Hüfte und Schulter auf den Boden, und es tat weh, besonders an der Hüfte.

»Au«, rief sie.

»Also, es tut mir leid, aber du solltest nicht auf einen Stuhl steigen, während ich ihn bewege.«

»Vielleicht solltest du einen Stuhl nicht bewegen, während ich auf ihn draufsteige«, gab Grace zurück. Sie saß immer noch auf dem Boden.

»Warum benimmst du dich so grässlich, Grace? Du bist doch normalerweise nicht so.«

»Weil ich meine Freunde sehen will, und meine Katze, aber du mich nicht lässt.«

»Sie haben versucht, dich mir wegzunehmen.«

»Nein, das haben sie nicht! Sie haben sich nur um mich gekümmert. Es war alles meine Idee gewesen! Ich wollte nicht zu Hause sein, als du drauf warst! Ich hasse es, zu Hause zu sein, wenn du drauf bist!«

In diesem kurzen und sehr düsteren Augenblick stand Grace' Mutter über ihr, und nur für einen Sekundenbruchteil dachte Grace, sie würde gleich ausholen und sie schlagen. Etwas, das sie vorher fast nie getan hatte. Andererseits hatten sie noch nie einen so schlimmen Streit gehabt, zumindest keinen lauten. Es war beinahe so, als könnte Grace sehen, wie der Drang zu schlagen ihre Mutter durchfuhr. Zum Glück verschwand er aber einfach, und eine Minute später sprach sie wieder mit ihrer ruhigen Stimme.

»Du machst mir Kopfschmerzen. Ich muss ein Aspirin nehmen. Wage dich nicht, irgendwohin zu gehen, während ich weg bin.«

Sie ging durch ihr Schlafzimmer in das Badezimmer.

Grace schaute zur Tür. Sie stand auf, aber ihre Hüfte schmerzte noch, wenn sie die eine Seite mit ihrem Gewicht belastete. Sie dachte kurz daran, den Stuhl wieder zurück zur Tür zu ziehen und die Sicherheitskette abzumachen, aber vermutlich würde ihre Mutter sie so schnell erwischen, dass es ohnehin keinen Zweck hätte.

Also humpelte Grace in die Küche und tanzte wieder. Ihre Hüfte tat beim Tanzen zwar weh, aber nicht genug, um sie aufhören zu lassen. Stattdessen zuckte sie bei jedem Schritt ein wenig zusammen.

Ihre Mutter kam nach kurzer Zeit zurück.

»Hast du Aspirin genommen?«, fragte Grace.

»Ja«, sagte ihre Mutter, »hab ich.«

»Bist du sicher, dass das alles ist, was du genommen hast?«, fragte Grace, immer noch tanzend.

»Fordere dein Glück nicht heraus, Kleine!«

»Hast du noch all diese Drogen im Haus? Weil, wenn du sie nämlich hast, dann wirst du sie wahrscheinlich nehmen. Früher oder später.«

»Anderes Thema«, sagte ihre Mutter und schien nicht das geringste bisschen Energie zu haben.

»Das ist nicht nur meine Meinung. Yolanda sagt das immer zu dir.«

»Mehr tanzen, weniger reden.«

In den nächsten etwa zwanzig Minuten tanzte Grace und beobachtete ihre Mutter, um zu sehen, was sie wirklich genommen hatte. Es sollte nicht lange dauern, das herauszufinden, dachte Grace, denn wenn sie tatsächlich nur Aspirin genommen hatte, würde sie wach bleiben. Es ist nicht wirklich notwendig, sich zu streiten, dachte sie, wenn man einfach warten und beobachten kann.

Als ihre Mutter mit nach hinten gekipptem Kopf und offenem Mund auf der Couch eingenickt war, schob Grace den Stuhl wieder zur Tür, stieg vorsichtig darauf (Steppschuhe waren dafür nicht ideal) und schloss die Tür auf.

Ihre Mutter wachte nicht auf.

Grace klapperte ihren Weg die drei Etagen bis zu Mrs Hinmans Wohnung hoch und klopfte an die Tür.

»Ich bin's nur, Mrs Hinman, Grace. Ich wollte Ihnen nur zeigen, wie gut ich in meinem neuen Kleid aussehe und mich dafür bedanken.«

Sie versuchte so zu klingen, als hätte sie etwas Energie und sei glücklich, damit Mrs Hinman nicht dachte, dass sie das Kleid nicht mochte.

»Wir glaubten alle, du müsstest jetzt unten bei deiner Mutter bleiben«, sagte Mrs Hinman durch die Tür, während sie all diese Schlösser öffnete.

»Ja«, sagte Grace und bemühte sich nicht länger, ihre deprimierte Stimmung zu verbergen. »Ich musste es. Es war irgendwie so, wie Sie gedacht haben. Aber es hat nicht sehr lange angehalten.«

Billy

Kopf. Klopf. Klopf. Pause. Klopf.

Billy warf einen Blick in die Küche, um auf die Uhr über seinem Herd zu schauen. Rayleen war früh zu Hause. Er nahm Ms Lafferty, die Katze eilig von seinem Schoß, und sie rannte ins Schlafzimmer.

Er öffnete die Tür und sah niemanden. Aber natürlich war es nicht niemand. Mit der Ausnahme eines Tanzbodens aus Sperrholz, den er überhört hatte, passierte es ziemlich selten, dass jemand anklopfte und niemand vor der Tür stand. Er schaute aber nur auf der falschen Höhe, der Rayleen-Höhe. Aus dem Augenwinkel konnte er sehen, dass jemand da war, es war nur jemand Kleineres.

Dann sah er zu Grace hinunter. Sie weinte, ihre Nase lief etwas, ihr Gesicht war tränenüberströmt. Sie trug ein blaues Kleid, das Billy noch nie zuvor gesehen hatte. Das heißt, er hatte sie eigentlich noch nie in einem Kleid gesehen. Und dieses Kleid war brandneu und passte ihr wie angegossen.

Er beugte sich zu ihr und nahm sie hoch. Grace schlang ihre Arme und Beine um ihn und weinte an seiner Schulter, die nass wurde. Aber es machte ihm wirklich nichts aus. Ihre Wärme in seinen Armen – und ihre Emotionen – bewirkten, dass sich seine Knie so schwach anfühlten, als würden sie schmelzen. Also nahm er sie mit auf die Couch, wo sie Arm in Arm zusammensaßen.

Sie ließ ihn nicht los, und ihre Tränen bewirkten, dass Billy ebenfalls dem Weinen nah war, obwohl er nicht sicher war, weswegen sie eigentlich weinten.

»Tut mir leid, dass ich dir nicht sagen konnte, wo ich war«, sagte sie mit wackliger Stimme.

»Na, du hast es mir doch gewissermaßen mitgeteilt. Du hast dieses Signalklopfen gegen meinen Fußboden gemacht.«

»Aber das war so viel später. Du musst vor Sorge durchgedreht sein.«

»Ich habe mich besser gefühlt, nachdem du geklopft hattest.«

»Hast du all deine Nägel abgebissen?«

»Ich hatte schon vorher nicht besonders viele.«

»Bedeutet das Ja?«

»So ziemlich.«

»Du weißt, dass ich dir gesagt hätte, wo ich war, wenn ich gekonnt hätte. Stimmt's?«

»Daran hatte ich nie einen Zweifel. Wo ist deine Mom jetzt?«

»Drei Mal darfst du raten.«

»Oh.«

Sie blieben noch einen Moment in der Umarmung. Billy hatte die Grenze von zu viel menschlichem Kontakt überschritten und spürte das Verlangen, sich zurückzuziehen. Aber er tat es nicht und ließ sich auf das Gefühl ein.

Plötzlich brachte ein gellender Schrei auf der Seite, die Grace zugewandt war, sein Trommelfell fast zum Platzen.

»Mein Kätzchen! Mein Kätzchen! Mein Kätzchen!«

Grace sprang von seinem Schoß, stieß dabei gegen sein Bein und hinterließ buchstäblich ein Klingelgeräusch in seinem Ohr.

Ms Lafferty, die Katze, war in das Zimmer hereingeschlendert gekommen und bewegte sich direkt auf Grace zu, die der Katze entgegenging. Billy bemerkte, dass etwas nicht stimmte. Mit Grace stimmte körperlich etwas nicht. Sie lief nicht wie gewöhnlich, sie entlastete ihre rechte Hüfte oder ihr rechtes Bein. Sie humpelte.

»Grace. Was ist passiert?«

»Nichts ist passiert. Ich begrüße nur meine Katze.«

»Du humpelst.«

»Oh, das. Das ist nichts.«

»Hattest du einen Unfall?«

»So ein bisschen. Hallo, Mr Lafferty, die Katze. Ich habe dich vermisst. Hast du dich bei Billy dafür bedankt, dass er so gut auf dich aufgepasst hat?«

»Was für einen Unfall? Was ist passiert?«

»Oh, es es war kaum was. Na, ich meine, es war nicht viel. Meine Mom und ich hatten nur einen großen Streit.«

Zu seiner Überraschung fand sich Billy auf seinen Füßen stehend und hatte keine Erinnerung daran, dass er von der Couch aufgestanden war.

»Deine Mutter hat dir wehgetan?«

»Na ja, irgendwie, aber ich glaube nicht, dass sie …«

Aber Billy war schon zur Tür hinaus und im Hausflur, bevor er das Ende des Satzes hören konnte. Er trabte die Treppe hinunter und hämmerte an die Tür dieser furchtbaren Frau.

Er hämmerte!

Irgendwo in seinem Magen begann es zu zittern und fühlte sich an, wie wenn jemand anders wütend gewesen wäre. Aber hier war niemand anderes. Dies war Billy selbst. Er hatte das noch nie erlebt, kein einziges Mal in seinem Leben, soweit er sich erinnern konnte, aber hier war es, und er war nicht in der Lage, es aufzuhalten. Es fühlte sich an, als werde er durch die Wut von jemand völlig anderem verängstigt.

»Mrs Ferguson!«, brüllte er. Er brüllte. Er fühlte den Druck in seinem Hals, der durch das scharfe Erheben seiner Stimme verursacht wurde. »Mrs Ferguson! Sie müssen an die Tür kommen! Jetzt! Ich weiß, dass sie nicht richtig wach sind, aber ehrlich gesagt ist es mir vollkommen egal! Ich will mit Ihnen reden! Jetzt sofort!«

Wahrscheinlich würde sie nicht an die Tür kommen.

Aber er hatte auf diesem erschreckenden neuen Gebiet einen Punkt erreicht, von dem es kein Zurück mehr gab, und er musste seine Meinung sagen. Also sagte er, was er zu sagen hatte, trotzdem durch die Tür und hoffte, es werde auf irgendeine Weise durch einen Hintereingang in ihr Bewusstsein dringen wie bei einem Menschen im Koma, der trotz allem versteht, wenn mit ihm gesprochen wird. Sein lauter, aggressiver Ton erschreckte ihn selbst, obwohl es seine eigene Stimme war.

»Sie werden Grace nicht mehr wehtun. Verstehen Sie mich? Sie werden es nicht tun. Niemals wieder. Ich bin hier. Ich wohne genau über Ihnen. Und ich werde es nicht zulassen. Sie tun diesem Mädchen nur über meine Leiche noch einmal weh. Haben Sie verstanden?«

Keine Antwort.

Billy drehte sich um und sah Grace mit ihrer Katze im Arm am oberen Ende der Treppe stehen, ihr Mund war weit geöffnet, ihre Augen hatte sie aufgerissen. Eine Art Spiegelbild. Er drehte sich wieder zur Tür um.

»Ich hoffe, Sie hören mir zu, Mrs Ferguson.«

Er hämmerte drei weitere Male gegen die Tür, und jeder Schlag war wie ein Pistolenschuss in seiner wunden, zittrigen Magengegend. Er fühlte sich innerlich wie mit Sandpapier bearbeitet, hautlos, wie eine raue, offene Wunde, die weiterem Schaden ausgesetzt ist.

»Nie wieder!«, brüllte er.

Er spürte ein Ziehen an seinem Pyjama und schrak erschrocken auf.

»Billy«, flüsterte Grace leiser als sonst. »Billy, du bist im Treppenhaus.«

Das mit Sandpapier bearbeitete Innere von Billy antwortete mit einem plötzlichen Schmerz.

»Um ehrlich zu sein«, sagte er, »ich wusste es. Diesmal wusste ich es.«

Ihre beiden Hände umfassten seine Hand.

»Du gehst besser wieder rein«, sagte sie. »Komm, ich bring dich heim.«

•••

»Ich fühle mich wie ein nasser Spüllappen«, sagte Billy.

Er saß zusammengesackt auf seiner Couch, und Grace saß mit der Katze auf dem Schoß neben ihm. Sowohl Grace als auch die Katze starrten Billy unentwegt an, als wäre er kurz davor, ganz plötzlich zu explodieren.

»Du siehst auch ziemlich schlecht aus. Ich kann gar nicht glauben, dass du das alles gesagt hast.«

»Es musste gesagt werden.«

»Alle Arten von Sachen müssen gesagt werden, andauernd. Aber normalerweise bist es nicht du, der sie sagt. Selbst Mr Lafferty, die Katze, war überrascht. Stimmt's, Mr Lafferty, die Katze?«

»Wir haben den Namen der Katze geändert«, sagte Billy schwach.

»Du kannst nicht seinen Namen ändern. Und wer ist ›wir‹?«

»Felipe und ich.«

»Ihr könnt nicht einfach seinen Namen ändern. Ich habe es ihm versprochen.«

»Nun, sieh mal, das Problem ist, dass sie kein ›er‹ ist. Sie ist eine ›sie‹.«

»Er ist ein Mädchen?«

»*Sie* ist ein Mädchen. Ja. Also haben wir sie ›Ms Lafferty, die Katze‹ genannt.«

»Du kannst aber nicht seinen Namen ändern. Ich meine, ihren Namen. Ich habe ihr versprochen, dass das ihr Name ist. Also wird ihr Name einfach ›Mr Lafferty, die weibliche Katze sein‹.«

»Oh, das glaube ich nicht«, sagte Billy, aber er fühlte sich, als würden ihm diese einfachen Worte die letzten Krümel Energie rauben.

»Warum nicht?«

»Meinst du nicht, dass das ein bisschen lang ist?«

»Ich frage ihn, ob er etwas dagegen hat. Ich meine, sie. Ich frage sie, ob sie etwas dagegen hat.« Grace hielt die Katze an ihr Ohr und drückte ihr Gesicht gegen das weiche Fell. »Sie sagt, sie hat nichts dagegen.« Eine lange Stille trat ein. Dann sagte Grace: »Sie konnte nicht einmal drei Tage lang clean bleiben.«

Billy blieb still, denn er wusste nicht, was er dazu sagen sollte.

»Meine Mom, meine ich.«

»Ich weiß.«

»Sie wusste, dass ich wieder weg sein würde, sobald sie wieder drauf ist. Und was tut sie? Sie nimmt Drogen. Ich nehme an, sie liebt Drogen mehr als mich.«

»Sucht ist ein merkwürdiges Phänomen«, sagte Billy. Es war kaum mehr als ein Flüstern.

»Bist du jemals nach etwas süchtig gewesen?«

»Ich bin danach süchtig, in meiner eigenen Wohnung zu bleiben.«

»Oh. Stimmt. Aber du bist gerade rausgegangen.«

»Das ist wahr.«

»Weil es dir wichtiger war, dass mir meine Mom nicht wehtut.«

»Ich glaube.«

»Warum kann das also meine eigene Mom nicht tun?«

»Ich wünschte, ich wüsste es.«

»Das ist Mist.«

»Ja, ist es.«

»Sag Rayleen nicht, dass ich mich beschwert habe.«

»Ich glaube, sie würde zustimmen, dass du in diesem Fall dazu berechtigt bist«, sagte er. »Manche Dinge erfordern einfach, dass man sich beschwert.«

Währenddessen dachte Billy jedoch: Sicher, ich habe meine Sucht für eine Minute oder zwei unterbrochen. Das bedeutet nicht, dass ich von hier aus weitermachen kann. Aber er sagte es nicht zu Grace, da er ihr nicht den letzten Hoffnungsschimmer nehmen wollte, falls sie einen besaß.

•••

Eine Weile später schaute Billy auf und sah, dass Rayleen in seinem Wohnzimmer stand und Grace umarmte. Grace musste sie hereingelassen haben. War er eingeschlafen oder nur in ein Koma aus emotionaler Erschöpfung gefallen?

»Was ist mit Billy los?«, fragte Rayleen Grace.

»Er hat meine Mom angebrüllt, und nun ist er davon ganz kaputt.«

»Billy hat deine Mom angebrüllt?«

»Ja, aber ich glaube nicht, dass sie ihn gehört hat. Du hättest ihn sehen soll. Er war total wütend. Ich glaube, selbst wenn sie an die Tür gegangen wäre, hätte er ihr direkt ins Gesicht geschrien. Und er wusste, dass er im Hausflur war und alles.«

»Hmm«, sagte Rayleen und ließ Grace los.

»Au«, sagte Grace.

»Alles in Ordnung?«

»Ich habe mir an der Hüfte wehgetan. Deshalb war Billy so wütend.«

Als Billy wieder hochschaute, sah er Rayleen vor sich, die mit einem sanften, besorgten Blick auf ihn herunterblickte.

»Alles in Ordnung mit dir?«, fragte sie. »Du siehst aus, als hättest du eine Grippe oder so was.«

»Es hat mich nur ziemlich mitgenommen«, schaffte er gerade noch zu sagen, aber seine Worte waren an den Endungen undeutlich.

»Na ja, ich würde hierbleiben und könnte dir Bände darüber erzählen, wie stolz ich auf dich bin. Aber ich bekomme Probleme mit dem Atmen. Also müssen wir das ein anderes Mal tun. Komm, Grace, lass uns gehen.«

»Nimm Grace nicht mit«, sagte Billy mit einer überraschend lauten Stimme.

Es ließ alle aufhorchen.

»Warum nicht?«, fragte Rayleen.

»Ja, warum nicht?«, fragte auch Grace.

»Könntest du sie nicht einfach eine Weile hierlassen? Ich habe sie vermisst. Oh, aber das ist selbstsüchtig, was? Du hast sie wahrscheinlich auch vermisst.«

»Nein, das ist schon in Ordnung«, sagte Rayleen. Billy hörte einen beunruhigend röchelnden Klang, der hinter ihrer Stimme anwuchs. »Ich meine, ja, ich habe sie vermisst. Aber sie kann trotzdem eine Weile hierbleiben, wenn sie will.«

»Danke«, sagte Billy.

»Aber machst du dir keine Sorgen … was, wenn ihre Mutter …«

»Das ist mir egal. Ich bin ein Kidnapper. Ruf die Polizei.«

Rayleen blieb einen Augenblick länger stehen und sah ihn an. Zwar konnte er an ihrer Miene nichts ablesen, aber es schien keine Art von Beleidigtsein zu sein.

»Na dann«, sagte sie und wandte sich zum Gehen.

»Vergiss die Versammlung nicht«, rief Grace ihr hinterher. »Sag es allen. Wir haben wieder eine Versammlung. Bald.«

»Du hast mir nicht gesagt, was …«, begann Rayleen.

»Deshalb hat man eine Versammlung«, sagte Grace. »Um allen zu erzählen, worum es bei der Versammlung geht. Ich habe dir das schon mal erklärt, bei der letzten Versammlung.«

»Ja«, sagte Rayleen, »ich glaube, das hast du.«

•••

Grace saß noch ein paar Stunden mit Billy auf der Couch und sah mit ihm auf seinem winzigen Fernseher Zeichentrickfilme an, ihren Kopf an seine Schulter gelehnt und Mr Lafferty, die weibliche Katze lag so zwischen ihnen, dass sie beide die Katze streicheln konnten.

»Oh, das habe ich vergessen dir zu sagen«, sagte Grace, ohne den Fernseher leiser zu stellen. »Ich werde in meiner Schule tanzen.«

Billy war zu müde, um gleichzeitig dem Zeichentrickfilm und Grace zuzuhören. Es war einfach zu schwierig, die Geräusche voneinander zu trennen. Aber er war auch zu müde, um das zu sagen oder etwas daran zu ändern.

Also fragte er einfach: »Wann?«

»In drei Monaten.«

»Gut. Denn wir werden viel Arbeit haben.«

Sie antwortete nicht sofort. Billy schaute zu ihr hin, um zu sehen, ob er sie beleidigt oder ihre Gefühle verletzt hatte oder beides zusammen, was wahrscheinlicher war.

»Ich mache einen guten Time Step«, sagte sie, und ihre Unterlippe schob sich ein wenig weiter vor als normalerweise.

»Ja. Das machst du. Aber ich habe mich gefragt, ob du für eine große Schulaufführung nicht vielleicht etwas Kunstvolleres machen möchtest. Ein erster Auftritt ist keine geringe Sache. Das ist ein entscheidender Moment. Es ist etwas, das du nicht so bald vergessen wirst, das kann ich dir sagen. Aber es liegt an dir. Es ist dein Auftritt. Willst du auf den Time Step zurückgreifen, weil er einfach und sicher ist und du ihn am besten kannst? Oder willst du wirklich glänzen?«

Still streichelte Grace den Rücken der Katze. Billy fühlte sich, als könnte er durch sie hindurchsehen und beobachten, wie die Gedanken in ihrem Hirn kreisten, bis sie sich zusammenfanden, um einen Sinn zu ergeben.

»Ich will glänzen«, sagte sie schließlich.

»Eine gute Entscheidung.«

Grace

Grace stand am Fuße der Treppe und legte die Hände trichterförmig vor den Mund, um mit ihrer besten – oder zumindest ihrer lautesten – Grace-Stimme zu rufen.

»Mrs Hinman! Beeilen Sie sich. Kommen Sie nicht zu spät zur Versammlung!«

Sie meinte, einen gedämpften Aufschrei von der Treppe her gehört zu haben. Und in der folgenden Stille polterte ein fester und lauter Gegenstand die Treppe hinunter, mit jeder Stufe gab es ein lautes Geräusch.

Grace wartete, bis es in Sicht kam. Ein Koffer.

Der Koffer war in Begleitung eines sehr furchtsam aussehenden Mädchens. Na ja, einer Frau. Aber einer sehr jungen Frau. Vielleicht zwanzig oder sogar erst um die achtzehn Jahre alt. Aber sie sah auf jeden Fall furchtsam aus. Sie hatte lange, blonde Haare, große Augen und erschien wie ein nervöses Pferd, das nur darauf wartete, ein Geräusch zu hören, um dann wegzurennen.

»Du hast mir einen Schrecken eingejagt«, sagte die junge Frau.

»Sorry«, sagte Grace, aber offenbar zu laut, denn die junge Frau erschrak schon wieder. »Wer sind Sie denn eigentlich?«

»Ich ziehe oben ein.«

»Oh! Sie ziehen in die Wohnung, in der sich Mr Lafferty umgebracht hat.«

Die Augen der jungen Frau wurden größer, und damit sah sie noch furchtsamer aus, falls das überhaupt möglich war.

»Jemand hat sich dort umgebracht?«

»Ja, Mr Lafferty«, sagte Grace und dachte, wie seltsam es war, dass sie sich schon jetzt wiederholen musste. Vielleicht hatten furchtsame Leute Schwierigkeiten damit, einfache Informationen zu behalten.

»Das wusste ich nicht.«

»Und jetzt wissen Sie's. Wie heißen Sie?«

»Emily.«

»Ich bin Grace. Sind Sie allein? Wenn Sie allein sind, sollten Sie zu unserer Versammlung kommen.«

»Ich weiß nicht, was du damit meinst … allein.«

»Es ist ziemlich einfach«, sagte Grace. »Ich dachte, jeder wüsste, was es bedeutet.«

»Allein … wie?«

»Haben Sie eine große Familie oder viele Freunde?«

»Ich habe eine Familie.«

»Oh. Gut.«

»In Iowa.«

»Oh. Schlecht.«

»Ich habe Freunde. Nun, ein paar, glaube ich.«

»In LA?«

»Hier nicht, nein.«

»Sie sollten zu unserer Versammlung kommen.«

»Ich kenne euch noch nicht mal.«

»Na klar! Das ist ja der Sinn der Sache, oder?«

»Ich muss auspacken.«

»Sind das all Ihre Sachen?«, fragte Grace und zeigte auf den Koffer, der zu ihren Füßen lag.

»So ziemlich, ja.«

»Was glauben Sie, wie lange es dauert, bis Sie das ausgepackt haben? Wir könnten so lange warten. Das macht uns nichts aus.«

»Ich bin furchtbar müde.«

»In Ordnung«, sagte Grace und spürte, dass es an der Zeit war aufzugeben. »Wir haben jede Woche eine Versammlung. Vielleicht könnten Sie zur nächsten kommen.«

»Vielleicht, ja.«

In diesem Augenblick tauchte Mrs Hinman auf der Treppe auf, und Emily erschrak wieder. Sie nahm ihren Koffer und rannte an Mrs Hinman vorbei die Treppe hoch, bevor Grace sie auch nur miteinander bekannt machen konnte.

Mrs Hinman bewegte sich die Treppe hinunter, und sehr langsam gingen Grace und sie zu Rayleens Wohnung, denn Grace wusste, dass es nichts nützte, Mrs Hinman zu hetzen.

»Wer war das?«, fragte Mrs Hinman.

»Ihr Name ist Emily. Sie zieht oben ein, in Mr Laffertys alte Wohnung.«

»Aha.«

»Warum haben alle Angst voreinander?«

»Hmm. Gute Frage. Einer dieser mysteriösen Aspekte der conditio humana, nehme ich an.«

»Sie klingen grad wie Billy«, sagte Grace und stellte mit ihrem Ton klar, dass es in diesem Fall kein Kompliment war. »Was bedeutet das, was Sie gerade gesagt haben?«

»Ich meine damit: Es ist eine ausgefallene Art zu sagen, dass manche Dinge einfach so sind, wie sie sind.«

Grace seufzte laut und dachte, dass das eine furchtbare Antwort sei, aber sie wollte Mrs Hinman nicht beleidigen, indem sie darauf hinwies.

»Vielleicht können wir in der Versammlung mehr darüber sprechen«, sagte sie.

•••

»Wer will als Erstes?«, fragte Grace, und bevor jemand antworten konnte, fügte sie hinzu: »Billy, kannst du uns hören?«

Grace, Felipe, Mrs Hinman und Rayleen hatten sich in Rayleens Wohnung versammelt, während die Tür weit offen stand. Billy hatte in seiner Wohnung gegenüber die Tür geöffnet und saß auf einem Stuhl in seinem Türeingang. Er saß auf seinen Händen, wahrscheinlich, um nicht an seinen Nägeln kauen zu müssen, dachte Grace. Sie hatte ihn bereits einmal beim Nägelkauen erwischt und dem ein Ende gemacht.

Aus offensichtlichen Gründen konnte Billy nicht zu Rayleen kommen, und Rayleen konnte wegen der Katze nicht zu Billy kommen. So albern es Grace auch erschien, dies war die einzige Möglichkeit, eine sehr wichtige Versammlung zustande zu bringen.

»Mir geht's gut«, sagte Billy.

»Das beantwortet nicht die Frage, Billy.«

»Na ja, aber ich habe gehört, dass du gefragt hast, oder? Sonst hätte ich nicht geantwortet.«

»Oh. Stimmt«, sagte Grace.

»Wer will als Erstes *was* sagen?«, fragte Rayleen. »Wir wissen immer noch nicht, worum es in dieser Versammlung eigentlich geht.«

»Es geht darum, dass Leute nicht allein sein sollten. Besonders, wenn wir so viele sind. Schaut euch alle an. Ihr seid alle allein, und ihr seid vier Leute – und das ist wirklich dumm, weil ihr doch vier Leute seid. Warum also allein sein?«

»Was sollen wir sagen, wenn wir dran sind?«, fragte Felipe.

»Ihr sollt sagen, warum ihr allein seid. Alle außer Mrs Hinman. Sie muss es nicht sagen, schließlich ist sie nur deshalb allein, weil sie schon länger gelebt hat als ihr Mann und all ihre Freunde.«

In der folgenden Stille räusperte sich Mrs Hinman und rutschte auf Rayleens Couch verlegen etwas zur Seite.

»Na, das stimmt nicht ganz«, sagte sie.

»Aber das haben Sie mir gesagt.«

»Ich weiß. Ja. Aber was ich sage ist … wirklich, wenn ich vollkommen ehrlich sein soll, stimmt es nicht ganz.«

Eine weitere lange Stille. Dies war die andere Sache, die Grace an Erwachsenen aufgefallen war. Sie hatten nicht nur Angst voreinander, es war auch schwer, aus ihnen Informationen herauszubekommen. Zumindest wenn es sich um Informationen über sie selbst handelte. Wenn es allerdings darum ging, was Kinder tun sollten, dann konnten sie nicht genug Worte finden.

»Marv und ich standen uns sehr nahe«, sagte Mrs Hinman mit leiser Stimme. Wahrscheinlich war es zu leise für Billy. »Und obwohl ich nicht glaube, dass ich es zu der Zeit auf diese Weise betrachtet hätte, habe ich das vielleicht als Ausrede genommen, um manche meiner Freundschaften zu vernachlässigen. Auch ein paar sehr alte Freundschaften. Ich habe sie einfach wegtreiben lassen. Ich kann nicht einmal genau sagen, warum. Es war einfach so viel leichter. Nur ich und Marv, das erschien erst mal unproblematischer. Weniger Streitereien und verletzte Gefühle und Missverständnisse und was weiß ich nicht alles, all diese Dinge, die andere Leute in unser Leben bringen. Aber dann, am Ende, standen selbst Marv und ich uns nicht so nahe wie vorher. Oh, ich weiß nicht. Ich glaube, irgendwie waren wir uns schon nahe. Von außen hätte man nicht sehen können, dass sich etwas geändert hatte. Aber trotzdem fehlte irgendetwas. Es wirkte hohl. Ich weiß nicht, wie ich es besser erklären kann.«

Die folgende Stille schien allen außer Grace unbehaglich zu sein. Rayleen schaute auf ihre Fingernägel, und Felipe wippte mit seinem Knie. Grace schaute über den Hausflur zu Billy, und er hatte diesen angespannten, gestressten Gesichtsausdruck angenommen, obwohl sich Grace ziemlich sicher war, dass er den größten Teil von Mrs Hinmans Rede nicht gehört hatte.

Mrs Hinman saß merkwürdig kerzengerade auf dem Stuhl, ihre Hände im Schoß verschränkt. Sie hatte einen schockierten Gesichtsausdruck, als wäre es jemand anders gewesen, der all diese Dinge gesagt hatte, und sie könne nichts davon gutheißen.

»Das ist soweit eine gute Versammlung«, sagte Grace, um jeden, der vielleicht anders dachte, gleich zu korrigieren. »Wer will als Nächstes drankommen?«

Niemand gab einen Ton von sich.

Daher schreckten alle auf, sogar Grace, als jemand in der geöffneten Tür erschien und so fest gegen die Tür schlug, dass sie gegen die Wand knallte.

Es war Yolanda. Grace sah sofort, dass sie wütend war.

»Oh, hi Yolanda«, sagte Rayleen und stand auf, um sie zu begrüßen.

»Was habe ich da gehört – du hast Grace ihrer eigenen Mutter weggenommen?«

Grace ging schnell zwischen die beiden, sodass es keinen Ärger geben konnte – oder zumindest nicht zu viel Ärger. »Es war alles meine Idee«, warf sie ein.

»Deine? Du *wolltest* deiner Mutter weggenommen werden?«

»Wir wollten, dass sie nicht … o Mist, jetzt habe ich das Wort wieder vergessen. Was war es, das wir nicht mit meiner Mom machen wollten?«

»Ermöglichen«, sagte Rayleen, die immer noch vor Yolanda stand. »Wir wollten damit aufhören, es ihr zu ermöglichen, so weiterzumachen wie bisher.«

»Okay. Wie wäre es, wenn mir jemand erklärt, wie es sie befähigt, wenn man sie ihr eigenes Kind großziehen lässt.«

»Ich kann es erklären«, rief Grace. »Bitte lasst es mich erklären. Ich weiß das sehr gut. Es ist doch so, sie macht nichts anderes, als den ganzen Tag lang zu schlafen. Und alle meine netten Nachbarn haben sich um mich gekümmert, aber dann fanden wir heraus, dass – wenn sie sich einfach so weiterhin um mich kümmerten – sie alle Drogen nehmen könnte, die sie will, und trotzdem wüsste, dass mit mir alles okay ist. Und so wussten wir, dass das nicht gut war. Also dachten wir, dass Leute manchmal von Drogen loskommen, wenn sie wissen, dass sie etwas verlieren können, vor allem wenn es etwas ist, das sie wirklich nicht verlieren wollen. Also zum Beispiel mich. Also haben wir ihr gesagt, dass sie mich erst wieder sehen kann, wenn sie clean ist.«

Es war schwer einzuschätzen, was Yolanda dachte, bis sie schließlich rief: »O mein Gott! Das ist genial.«

»Ist es, ja?«, fragte Grace und war überrascht, dass Yolanda die Idee mochte.

»Grace, hast du dir das alles selbst ausgedacht?«

»Nicht ganz. Mr Lafferty hat mir viele Ratschläge gegeben.«

»Sie hat aber viel davon selbst zusammengestellt«, sagte Rayleen.

»Okay, ich mache dir einen Vorschlag«, sagte Yolanda. »Ich gehe jetzt gleich da runter und sage ihr, dass sie verdammtes Pech gehabt hat, denn ich bin auf deiner Seite. Sie wird zwar wütend sein, aber na ja, so ist das Leben halt manchmal. So, wie lange muss sie clean bleiben, bevor sie Grace zurückbekommt?«

»Oh«, sagte Rayleen, »wir haben keine Zeit festgelegt.«

»Wir sollten aber eine Zeit festlegen«, sagte Yolanda. »Denn sie reißt sich manchmal für einen Tag oder zwei zusammen, und dann machen sich alle für nichts und wieder nichts Hoffnungen. Ich würde sagen dreißig Tage. Ich bin mit ihr bei den Meetings und kann erkennen, wenn sie wirklich clean wird.«

Alle schauten sich an, und schließlich sagte Rayleen: »Okay.«

»Abgemacht«, antwortete Yolanda und stürzte hinaus.

»Das war ziemlich seltsam«, sagte Felipe.

»Ja, aber es ist doch gut gelaufen«, antwortete Grace, »und es hat uns nicht von unserer Versammlung abgehalten.«

»Ich finde, wir sollten die Versammlung verschieben«, sagte Rayleen, »falls deine Mom sich aufregt. Ich glaube nicht, dass wir hier mit geöffneten Türen sitzen sollten, nachdem Yolanda dieses kleine Gespräch mit ihr hatte. Außerdem haben wir Billy wieder verloren.«

Grace schaute über den Hausflur und sah, dass Billys Wohnungstür geschlossen war, offensichtlich war Billy in der Wohnung. Sie seufzte.

»Ich gehe lieber mal da rüber und rede mit ihm«, sagte sie.

•••

»Weißt du«, sagte sie zu Billy, der auf der Couch saß und kleiner und noch mehr zusammengerollt als üblich erschien, »ich brauche dich in meiner Schule, wenn ich meine Tanzvorführung habe. Ich meine im Publikum, um für mich zu applaudieren und das alles.«

Billy lachte schnaubend, als sei er überrascht und Grace hätte einen Witz gemacht.

»Nein, ernsthaft«, sagte sie.

Sie sah, wie sein Gesicht plötzlich an Farbe verlor und er noch blasser wurde als er ohnehin schon war.

»Grace. Du weißt, dass ich das nicht tun kann.«

»Nein. Ich weiß, dass du das kannst.«

»Grace, ich …«

»Sieh mal, Billy. Willst du nur die einfache Sache machen, weil es das ist, was du immer tust? Oder willst du glänzen?«

Er wandte ihr den Blick zu und sah verletzt aus.

»Das ist nicht fair.«

»Es war fair, als du es mich gefragt hattest.«

»Das war etwas anderes.«

»Warum war das etwas anderes?«

»Weil *ich* es war, der dich gefragt hatte.«

»Denk einfach drüber nach, okay? Versprich mir, dass du darüber nachdenkst. Ich weiß, dass du das Richtige tun wirst.«

»Vermessenheit ist ein wunderbares Attribut der Jugend«, sagte Billy leise.

»Ich werde dich erst gar nicht fragen, was das bedeutet.«

»Das ist wahrscheinlich genauso gut.«

•••

Am Morgen, auf ihrem Weg zur Schule, stieß Grace im Hausflur – fast buchstäblich – auf die neue junge Frau, Emily. Rayleen folgte Grace, während sie noch dabei war, ihren Mantel anzuziehen, und Grace ging voraus und prallte unten an der Treppe fast mit Emily zusammen.

Emily trug wieder denselben Koffer.

»Wo gehen Sie hin?«, fragte Grace. »Holen Sie mehr von Ihren Sachen?«

»Ich ziehe aus«, sagte Emily knapp, als wollte sie nicht langsamer gehen, um sich zu unterhalten.

»Aber Sie sind doch gerade erst eingezogen.«

»Ich verbringe keine weitere Nacht mehr an diesem furchtbaren Ort.«

»Was ist daran furchtbar? Die Wohnung hat einen sehr schönen neuen Teppich.«

»Ich kann es nicht beschreiben. Etwas stimmt mit dieser Wohnung nicht. Mit der Energie dort. Da sind einfach schrecklich schlechte Vibes.«

Sie eilte schnell hinaus – so schnell, dass Grace nicht mithalten konnte, selbst wenn es noch etwas zu sagen gegeben hätte.

»Wer war das?«, fragte Rayleen.
»Sie war unsere Nachbarin. Nur nicht besonders lange.«

Billy

»Wir sollten diesen Tag in unserem Kalender eintragen«, sagte Billy zu sich, als er seinen Pyjama auszog.

Es war etwa eine Woche später, an einem Samstagmorgen. Billy glitt in seine Stretch-Tanzhose und zog ein Sweatshirt an, denn Tanzhosen und Pyjamaoberteile waren einfach eine zu merkwürdige Kombination – selbst für Billy, und obwohl niemand in der Nähe war, der diesen modischen Fauxpas hätte miterleben können.

In seiner kleinen Kammer schaltete er das Licht an und kämpfte sich bis zu der Stehkommode vor. Er griff in die oberste Schublade und ertastete seine Steppschuhe. Seine Steppschuhe, nicht das uralte Paar aus seiner Kindheit, das er Grace geliehen hatte. Die normalen Erwachsenen-Steppschuhe, die er bei seinen letzten Tanzaufführungen getragen hatte. Die natürlich schon eine Weile zurücklagen. Er zog sie heraus, hielt sie sich unter die Nase und erinnerte sich an den unaufdringlichen, aber charakteristischen Geruch des alten Leders und an jedes Andenken, das der Geruch mit sich brachte.

All diese Erinnerungen gab es nur als Ganzes. Es war nicht erlaubt, sich nur die Rosinen herauszupicken.

Er zog die Schuhe im Wohnzimmer an. Mr Lafferty, die weibliche Katze sah ihm mit ungewohnter Faszination zu, als könnte sogar sie die bedeutungsvolle Atmosphäre dieses Ereignisses riechen.

Dann dehnte er sich. Er beugte sich auf den abgenutzten, alten Teppich hinunter, nahm vertraute, alte Positionen ein und schrie vor Schmerz auf, als seine Muskeln bei den akrobatischen Verrenkungen, die sie einst so leicht hatten durchführen können, nicht mehr nachgaben.

Hin- und hergerissen zwischen dem Wunsch, es zu schaffen und dem Wunsch, es einfach aufzugeben, trat Billy mit seinen rutschigen Steppschuhen vorsichtig auf Grace' Tanzboden und begann mit der Choreografie eines Tanzes für ihre Schulaufführung.

Er hätte es schon früher getan, aber Grace musste eine ganze Woche lang ihre verletzte Hüfte schonen.

»Ich finde, sie kann zumindest mit einem Time Step beginnen«, sagte er, »einfach, um sich langsam in den Rhythmus reinzuarbeiten.«

Er wusste aus eigener Erfahrung, dass es am besten war, einen großen Auftritt mit etwas Einfachem und Vertrautem zu beginnen, weil die ersten Sekunden die schwierigsten waren. Wenn man erstarrte oder einen Fehler machte, passierte das bei den ersten Schritten. Wenn man einen Hänger hatte, passierte das gleich am Anfang. Nach den ersten paar Sekunden des Tanzens übernahm dann eine Art Autopilot die Kontrolle, und alles ergab sich von selbst.

Wenn man also das Glück hatte, auf diesem Gebiet für sein eigenes Schicksal verantwortlich zu sein, fing man mit einem Schritt an, den man quasi im Schlaf ausführen konnte.

Er durchlief den seltsamen Prozess, seine Füße langsam daran zu erinnern, wie der Time Step funktioniert hatte. Es war ein merkwürdiges Gefühl. Sein Geist griff die Schritte sofort wieder auf. Alles fühlte sich genau wie immer an, als die Nervensignale von seinem Hirn an seine Muskeln geleitet wurden. Aber die Antwort, die von diesen Muskeln kam, erinnerte ihn an eine bestimmte Kategorie von schrecklichem Traum – ein Traum, in dem man versucht, vor dem Monster wegzurennen. Aber die eigenen Beine wiegen plötzlich hunderte von Kilos oder fühlen sich an, als würden sie in warmem Teer versinken.

Er hielt an, blieb einen Moment niedergeschlagen stehen und starrte die Katze an, die wiederum ihn anstarrte.

»Entspann dich, Billy«, sagte er. »Wir könnten es in ein paar Monaten wieder erreichen, wenn wir es nur wollten.«

Na ja, einen Teil könnte er wieder erreichen. Er war jetzt zwölf Jahre älter und konnte seine Jugend nicht zurückbekommen. Wenn das möglich wäre, hätte schon längst jemand ein Patent darauf angemeldet und damit ein gutes Geschäft gemacht.

»Sie braucht Drehungen«, sagte er und probierte ein paar aus. »Sie könnte ein paar dreifache Buffalo Turns machen, das würde auffallen. Nicht zu sehr, aber genug.«

Er übte die Drehungen langsam auf dem kleinen Tanzboden, um sicherzugehen, nicht in hohem Bogen auf den Teppich zu fliegen. Es war kaum genug Platz, um die Serie von Drehungen, die er langsam einübte, auszuführen.

Grace war kleiner und ihre Beine waren kürzer – wenn er es schaffte, sollte sie es auch können. Sie würde sehr genau aufpassen müssen, aber das war nicht schlecht. Die Disziplinübung könnte ihr gute Dienste leisten. Dann würde sie auf der Schulbühne nicht die Übersicht über ihre Reihe von Drehungen verlieren und könnte somit auch nicht in den Orchestergraben fallen. Der kleine Tanzboden würde ihr dabei helfen, ihre Drehungen straff und präzise zu halten.

Billy hielt plötzlich an. Ohne Vorwarnung hatte ihn der Widerhall von etwas getroffen, was er vorher gesagt hatte: »Wir könnten es in ein paar Monaten wieder erreichen, wenn wir es nur wollten.«

Er stand fast still, steppte rhythmisch mit seiner rechten Fußspitze und hörte die Frage in seinem Kopf, als sei es das erste Mal.

Dann blieb er vollständig stehen und steppte nicht einmal mehr.

»Wollen wir es?«, fragte er sich laut.

Aber es schien sich ihm keine Antwort zu präsentieren, es gab noch viel zu choreografieren, und ein erneuter Themenwechsel erschien attraktiv.

»Vielleicht etwas Synkopiertes«, sagte er und versuchte ein paar Wings, ein paar Wing Steps mit Toe Hits, da sie eleganter waren.

Er hatte mehrere Minuten damit verbracht und eine ziemlich raffinierte Figur ausgearbeitet, als er schließlich den Fehler in seinen Gedanken realisierte. Er hielt plötzlich inne und dachte eingehender darüber nach.

»Nein«, sagte er. »Großer Fehler, Billy Boy. Du stellst dir ständig *dein* Publikum vor. Stell dir doch mal *ihr* Publikum vor. Sie wollen nichts so Ausgeklügeltes. Tatsächlich könnten sie sogar denken, sie mache Fehler und käme aus dem Rhythmus. Nein, sie wollen etwas Zuverlässiges. Ausgeglichen. Zuschauerfreundlich. Trotzdem auffällig! Jeder mag es ein bisschen auffällig.«

»Ich hab's!«, sagte er und begann damit, andere Bewegungen zu probieren.

Eine Dreifachserie. Dreifache Sprünge. Sieben auf einer Seite, sieben auf der anderen, dann straff zusammenführen, vielleicht nur vier auf jeder Seite, dann zwei, dann straffen für ein schönes Ende …

Er zählte die Schritte, während er tanzte.

»Eins, zwei, drei, vier, fünf, sechs, sieben, hopp … eins, zwei, drei, vier, fünf, sechs, sieben, hopp … eins, zwei, drei, vier …

eins, zwei, drei, vier … eins und zwei, und eins und zwei, und eins und zwei, und drei. Und Stopp.«

Er hielt plötzlich an und hatte einen Fuß elegant gehoben. Das war ein plötzliches Ende. Der Augenblick des Applauses. Er stand still da und nur für den Bruchteil einer Sekunde erwartete er, Applaus zu hören.

Stattdessen erklang nur ein Signalklopfen an seiner Tür.

Vorsichtig ging er über den Teppich, um zu öffnen.

Grace stand vor der Tür, und zwar mit einem Mann, den Billy noch nie getroffen hatte. Ein Afroamerikaner mit einem rasierten Kopf und einem Vollbart, der mit grauen Haaren durchsetzt war. Er war aber nicht sehr alt, vielleicht Mitte vierzig. Er hatte Augen, die Billy nur als funkelnd beschreiben konnte. In seinem linken Ohrläppchen war ein rubinroter Ohrstecker zu sehen.

»O mein Gott, Billy!«, schrie Grace. »Schau dich an! Du bist ganz angezogen!«

»Lass es nicht so klingen, als sei das ein so seltenes Vorkommnis«, sagte er und wies mit einer unauffälligen Kopfbewegung auf den Fremden.

Die Anspielung ging völlig an Grace vorbei.

»Es ist das allererste Mal, seit ich dich kenne, Billy, also ist das ziemlich selten, meinst du nicht auch?«

»Wer ist dein Freund?«, fragte Billy und hoffte, dass er nicht rot geworden war.

»Dies ist Jesse. Er ist unser neuer Nachbar.«

Jesse sah Billy direkt in die Augen, woraufhin Billy den Blick abwandte. Er fragte sich, ob Jesse clever genug war, um zu spüren, dass Billy dies bei jeder Begegnung tat. Gleichbehandlung als Ausrede.

Dann streckte Jesse eine Hand aus und Billy schüttelte sie, während er dem Druck seiner Nervensignale standhielt, die er wie Glasscherben in seinem Hirn und seinem Bauch spürte, während sie ihn vor dem Hautkontakt mit Fremden warnten.

Er fragte sich plötzlich, ob es gut war, dass Grace hier im Gebäude mit einem Mann herumhing, den niemand von ihnen kannte.

Billy nahm einen tiefen Atemzug. Er war schon immer stolz darauf gewesen, eine gute Menschenkenntnis zu haben. Während er sich daran erinnerte, zwang er sich, dem Fremden für den Bruchteil einer Sekunde direkt in die Augen zu sehen. Dann schaute er wieder weg und stieß einen langen Atemzug aus.

Es war okay. Jesse war okay.

»So«, sagte Billy und versuchte, die Unterhaltung auf einen normalen Nenner zu bringen. »Sie sind oben eingezogen? In Mr Laffertys alte Wohnung?«

»Ja«, sagte Grace, »das ist er. In die Wohnung, in der sich Mr Lafferty erschossen hat. Aber es ist okay. Weil sich Jesse nicht so leicht fürchtet. Nicht so, wie unsere letzte Nachbarin.«

»Welche letzte Nachbarin?«

»Oh, stimmt. Du hast sie noch nicht mal getroffen, oder? Sie war etwa einen Tag lang hier. Dann sagte sie, es seien unheimliche Vibes in der Wohnung – und zog aus. Ich habe es Jesse erzählt, aber ihm macht es nichts aus. Er sagte, er hätte etwas … was war das, Jesse?«

»Salbei«, sagte Jesse. »Weißer Salbei.« Es war das erste Mal, dass Billy Jesses Stimme hörte. Sie klang tief, weich und beruhigend.

»Ja, Salbei«, sagte Grace, »das war es. Er sagte, er würde die Wohnung mit weißem Salbei ausräuchern, um böse Geister zu vertreiben.«

»Genau genommen glaube ich nicht wirklich daran, dass es so etwas wie böse Geister gibt«, sagte Jesse, »aber wenn jemand schlechte Energien hinterlassen hat, könnte es durchaus helfen.

Wenn ich wirklich denken würde, dass eine Art böser Geist dort herumspukte, was ich sehr bezweifle, dann würde ich eher mit ihm Frieden schließen, als ihn zu vertreiben.«

»Das wäre eine gute Taktik, um mit Mr Lafferty umzugehen«, sagte Billy.

»Das wäre eine gute Taktik, um mit jedem umzugehen«, gab Jesse zurück.

Sie standen einen Moment verlegen herum, und Billy bemerkte, dass es unhöflich war, Grace und Jesse nicht hereinzubitten. Aber er konnte nunmal keine Fremden in seiner Wohnung haben, besonders nicht so kurzfristig.

»Entschuldigung«, sagte er, »ich würde Sie hereinbitten, aber …«

Grace unterbrach, und es kam Billy alles andere als ungelegen.

»Nein, wir müssen auch gehen«, sagte sie. »Ich muss ihn noch Felipe und dann Mrs Hinman vorstellen.«

»Hat er Rayleen schon getroffen?«

»O ja«, antwortete Grace. An der Art, wie sie es sagte, war etwas ungewöhnlich Verheimlichendes, die Andeutung einer dahinterliegenden Botschaft. Ausgehend von den Informationen, die Billy hatte, war die Botschaft jedoch vollständig unentzifferbar. »O mein Gott«, schrie Grace plötzlich auf. »Billy! Du trägst Steppschuhe!«

»Das tue ich.«

»Ich wusste nicht einmal, dass du diese Steppschuhe hast. Das sind doch nicht diejenigen, die du mir geliehen hattest. Oh, stimmt. Schon gut, ich hab es gerade kapiert. Die hier sind für Erwachsene. Warum hast du mir denn nicht gesagt, dass du noch Steppschuhe hast?«

»Ich dachte, das erkläre sich von selbst.«

»Falsch. Hast du gerade getanzt?«

»Ich habe ein paar Tanzschritte choreografiert, die du für deine große Schulaufführung lernen könntest.«

»Toll!«, schrie sie. »Yeah! Wenn ich Jesse allen vorgestellt habe, komme ich wieder zurück, und wir können anfangen. Ich glaube, ich fühle mich gut genug, um anzufangen.«

»Schön, Sie kennengelernt zu haben«, sagte Jesse zu Billy.

»Ganz meinerseits«, sagte Billy und achtete darauf, dass sein Ton und Gesichtsausdruck seinem neuen Nachbarn zu verstehen gaben, dass er es aufrichtig so meinte.

Billy sah zu, wie Grace mit Jesse in Richtung Treppe ging. Mit beiden Händen hielt sie eine seiner Hände, und er fühlte sich irgendwie ein klein wenig ausgeschlossen.

»Billy mag keine Leute«, hörte er Grace zu Jesse sagen. »Er ist … anders. Aber er ist ein netter Kerl.«

•••

Etwa zwanzig Minuten später kam Grace zurück und schnappte sich als Erstes ihre Katze.

»Bevor ich anfange zu tanzen«, sagte sie, »muss ich dir ein Geheimnis verraten.«

»Wie kannst du es mir verraten, wenn es ein Geheimnis ist?«

»Es ist nicht diese Art von Geheimnis.«

»Welcher Art ist es?«

»Es ist die Art von Geheimnis, wo du etwas mit deinen eigenen Augen siehst und du weißt, dass du es jemandem erzählen willst, aber du willst nicht, dass der andere es der ganzen Welt weitererzählt.«

»Und du nimmst an, dass ich in naher Zukunft mit der ganzen Welt sprechen werde?«

»Sei nicht so komisch, Billy. Ich meine, sag es nicht Felipe oder Mrs Hinman … und sag es auf keinen Fall Rayleen.«

»Okay, abgemacht.«

Sie saßen zusammen auf der Couch, bereit für die Verkündung des bedeutsamen Geheimnisses.

»Bist du so weit?«, fragte Grace, die immer noch ihre Katze im Arm hielt.

»Mehr als bereit.«

»Jesse mag Rayleen.«

»Oh. Woher weißt du das?«

»Es war ganz einfach. Sobald ich ihn kennengelernt hatte, sagte ich ihm, dass er zu unserer Versammlung kommen solle und wir heute eine Versammlung hätten. Und er sagte immer wieder, dass er erst auspacken müsse und die anderen vielleicht etwas dagegen hätten, wenn er komme, weil ihn doch noch niemand kenne. Dann habe ich ihn mit zu Rayleen genommen. Und sobald wir wieder gegangen waren, fragte er: ›Um wie viel Uhr ist diese Versammlung?‹«

»Oh, ich verstehe. Also, um wie viel Uhr ist diese Versammlung?«

»Ich weiß nicht. Wann immer ich rufe, dass die Versammlung beginnt, nehme ich an.«

»Na, gibt dir das nicht einfach alle Macht der Welt?«

Grace boxte ihn leicht gegen den Arm. »Dann wähl du eine Zeit aus. Ich dachte nur, dass ich die Einzige bin, die die Versammlung wirklich will.«

»Das kannst du laut sagen.«

»Was hältst du nun von meinem großen Geheimnis?«

»Na ja. Es ist nicht sehr überraschend. Rayleen ist eine sehr attraktive Frau.«

»Ja. Sie ist hübsch. Und nett. Aber …«

»Aber was? Gibt es etwas, das du an Rayleen nicht magst?«

»Oh, nein. Ich mag sie ganz und gar. Ich wollte nur sagen, dass wir sie wirklich nicht so gut kennen.«

»Wir kennen sie nicht so gut?«

»Ich glaube nicht.«

»Ich dachte, wir würden sie gut kennen.«

»Ich weiß nur, dass sie im Salon an den Fingernägeln von Leuten arbeitet, und das ist irgendwie alles, was ich weiß. Nicht, dass ich viel mehr über Felipe oder Mrs Hinman wüsste, aber auf eine andere Art weiß ich schon mehr über sie. Bei ihnen kann man sehen, was in ihnen vorgeht. Aber bei Rayleen nicht. Bei Rayleen kann man nur sehen, wovor sie Angst hat.«

Billy dachte einen Moment nach und fragte sich, ob er auch sah, was Grace beobachtet hatte. Schließlich hatte er gerade bemerkt, dass er stolz darauf war, eine gute Menschenkenntnis zu besitzen. Aber soweit er es wusste oder sogar spürte, hatte Rayleen vor nichts Angst.

»Und wovor hat sie Angst?«

»Vor dem Amt.«

»Dem Amt?«

»Hast du mich nicht gehört?«

»Das ergibt doch keinen Sinn. Sie hat Angst vor dem Jugendamt von Los Angeles?«

»Genau.«

»Wovor hat sie Angst?«

»Zum Beispiel, dass es kommt und ein Kind wegnimmt.«

»Oh. So etwas.«

»Ja, so etwas. Vielleicht ist das Amt mal gekommen und hat sie weggenommen, als sie ein Kind war.«

»Oder vielleicht hatte sie ein Kind, und das Jugendamt hat es ihr weggenommen. Ich nehme an, wenn sie uns was darüber erzählen wollte, würde sie es tun.«

»Deshalb haben wir ja die Versammlungen«, sagte Grace ein wenig entnervt. »Niemand will jemand anderem solche schlechten Sachen wie diese sagen. Man muss ein bisschen drängen, um so etwas aus Leuten herauszubekommen.«

»Bist du bereit zu tanzen?«, fragte Billy schnell, für den Fall, dass Grace ihn ein bisschen drängen könnte.

»Machst du Witze? Ich bin seit einer Woche bereit. Ich hole meine Steppschuhe, sie sind bei Rayleen. Ich komme gleich zurück. Du erzählst Rayleen aber nicht mein Geheimnis, oder?«

»Aber sie war schließlich dabei. Sie war doch da, als du sie Jesse vorgestellt hast. Wenn er sie also mag, denkst du nicht, dass sie es schon weiß?«

»Keine Ahnung. Man kann das bei Erwachsenen nie sagen. Sie übersehen manche Dinge, die wirklich offensichtlich sind. Jedenfalls würde ich nicht wollen, dass sie erfährt, dass wir darüber geredet haben.«

»Worüber?«

»Über Jesse und Rayleen!«, schrie sie nun völlig entnervt und wahrscheinlich so laut, dass Rayleen es in ihrer Wohnung gegenüber leicht hören konnte.

»Das war eine Art Witz«, sagte Billy. »Es ist ein kleines Signal und bedeutet, dass ich bereits vergessen habe, dass es überhaupt etwas zu erzählen gibt.«

»Warum hast du das nicht gesagt? Wie hätte ich das wissen sollen?«

»Ich dachte, jeder wüsste es. Ich dachte, es sei eine kulturelle Sache und inzwischen in das kollektive Unbewusstsein eingedrungen.«

Grace verdrehte genervt die Augen in Richtung Himmel.

»Du bist so komisch, Billy.«

»Danke«, sagte er leise zu ihrem Rücken, als sie hinausging.

Dann stieg er wieder vorsichtig auf den Tanzboden und ging die Figur ein weiteres Mal langsam durch. Er beendete sie sogar noch präziser als zuvor und blieb mit einem erhobenen

Fuß stehen, wieder einen Moment lang in der Erwartung, Applaus zu hören.

Aber es war nicht sein Applaus, dieses Mal ging es nicht um ihn. Dies war der Applaus für Grace. Grace' erste Erfahrung mit dem Beifall des Publikums.

»Du meine Güte«, sagte Billy plötzlich laut zu sich selbst. »Ich muss wirklich dabei sein. Scheiße.«

Grace

»Bitte, wer will als Erstes drankommen?«, fragte Grace weinerlich.

Einen nach dem anderen sah sie jeden Erwachsenen im Zimmer an. Nur Mrs Hinman entging ihrem Blick, vielleicht weil sie bereits bei der letzten Versammlung drangewesen war und sich daher nicht unter Druck gesetzt fühlte. Erwachsene verhielten sich immer anders, wenn man nur das kleinste bisschen Druck auf sie ausübte.

Alle hatten sich bei Rayleen versammelt.

Sogar Billy war dort. Er war vollständig gekleidet, doch er stand mit dem Rücken zur Tür, als könnte seine eigene Wohnung sein Leben retten, wenn er nur möglichst in ihrer Nähe bliebe. Grace erwischte ihn dabei, wie er an einem Daumennagel kaute, aber sie dachte, dass er nach Hause rennen könnte, falls sie ihn wie üblich zurechtwies, also sagte sie lieber nichts.

Rayleen saß mit verschränkten Beinen auf dem Teppich, ihr Rücken gegen die Couch gelehnt, sodass Jesse sie nur von hinten sehen konnte. Grace fragte sich, ob Rayleen das absichtlich machte.

Jesse schaute sich alle Gesichter an, als würde er sich für später jede Einzelheit einprägen, und für Grace war es unmöglich einzuschätzen, was er dachte, obwohl sie ihn beobachtete.

Felipe wippte mit dem Fuß und starrte wie hypnotisiert den Teppich an.

»Bitteeeeeee?«

Rayleen öffnete den Mund, was Grace für ein gutes Zeichen hielt, aber es dauerte nicht lange, bis sie merkte, dass sie sich geirrt hatte.

»Ich weiß nicht, wie es den anderen geht«, sagte Rayleen mit einer Schärfe in ihrer Stimme, die Grace zuvor nur in Rayleens Gespräch mit ihrer Mom gehört hatte, »aber ich fühle mich unter Druck gesetzt. Ich bin nicht dazu bereit«, fügte sie hinzu und warf einen halben Blick über die Schulter in Jesses Richtung.

Grace' Gesicht brannte, und ein schmerzhaftes Gefühl strahlte in ihren Magen aus. Rayleen hatte nie zuvor in einem wütenden Ton mit ihr gesprochen, und dass es jetzt passierte, vor all diesen Leuten … einschließlich einer neuen Person … also, es war zwar nicht gerade erniedrigend, doch Tränen quollen in ihren Augen auf, und sie bemühte sich, sie zu verstecken.

Grace öffnete den Mund, aber es kamen keine Worte heraus.

Felipe schaute plötzlich auf und sah Grace direkt in die Augen.

»Ich glaube, ich könnte anfangen«, sagte er.

Grace wäre ihm am liebsten um den Hals gefallen und hätte ihn geküsst.

»Ich war nicht allein«, sagte Felipe, und sein Akzent war stärker als sonst. Grace war schon zuvor aufgefallen, dass dies passierte, wenn er besonders müde oder gefühlsbetont zu sein schien. »Ich meine, bis … nun … vor kurzem. Es ist nur eine kleine Weile her. Ein paar Wochen. Ich hatte eine Freundin. Wir wollten heiraten. Ich hatte ihr einen Ring gegeben und so, und wir hatten einen kleinen Sohn. Zwanzig Monate alt. Und dann eines Tages kam ich von der Arbeit, und da lag diese Tasche vor meiner Tür. Mit meiner Zahnbürste darin und den Hemden und der Unterwäsche, die ich bei ihr im Haus hatte. Und ganz unten lag die kleine Schachtel mit dem Ring. Dem Verlobungsring, den ich ihr gegeben hatte. Also war es das gewesen.«

Nachdem Felipe geendet hatte, trat eine Stille ein und … wow. Es war eine sehr stille Stille.

»Hat sie gesagt warum?«, fragte Garce ehrfürchtig.

»Ich kam nicht mal zu ihr durch. Ich habe eine Million Nachrichten hinterlassen. Schließlich habe ich ihre Schwester angerufen. Und sie erzählte mir, dass da ein anderer Kerl war, und das schon seit *mucho tiempo*. Seit langer Zeit.«

Es war wieder still.

Rayleen schien ihren Ärger vergessen zu haben. Als sie sprach, klangen ihre Worte weich und hilfsbereit, und Grace wünschte, Rayleen hätte vorhin auch mit ihr so gesprochen.

»Hattest du irgendeine Ahnung?«

»Ja und nein«, sagte Felipe. »Ich hatte eine Ahnung und hatte sie auch wieder nicht. Ich war so überrascht. Aber wenn ich jetzt zurückschaue, erkenne ich einiges. Du weißt, wie das ist. Du siehst es, aber du siehst es nicht. Du siehst eine Sache, und du denkst, da stimmt was nicht. Aber du sagst dir selbst: ›Nein, das ist verrückt, du liegst falsch.‹ Und dann findest du heraus, dass du doch recht hattest. Und ein Teil von dir sagt: ›Verdammt, ich hatte keine Ahnung‹. Und ein anderer Teil sagt: ›O doch, du hattest tatsächlich eine Ahnung.‹«

»Was ist mit *su hijo*?«, fragte Grace, und ihre Stimme klang vor lauter Ehrfurcht gedämpft.

»Was ist mit *was*?«, fragte Billy, bevor er fortfuhr, seinen Daumennagel zu zerfetzen.

»Sein kleiner Junge«, sagte Grace. »Hör auf, an deinen Nägeln zu kauen.«

»Also, ich habe nach ihm gefragt«, sagte Felipe. »Ich habe ihre Schwester gefragt. Ich sagte: ›Was ist mit Diego? Wie soll ich Diego sehen? Schließlich ist er mein Sohn. Mein Fleisch und Blut.‹ Und weißt du, was sie gesagt hat?«

Felipes Stimme war bei dem letzten Satz gebrochen, und Grace war sich nicht sicher, ob sie es wissen wollte oder nicht. Ohne zu überlegen, schüttelte sie den Kopf.

»Sie sagte: ›Vielleicht ist er dein Sohn, vielleicht auch nicht.‹«

Grace sprang von ihrem Stuhl auf und rannte zu Felipe, um die Arme um seinen Hals zu werfen.

»*Lo siento*, Felipe«, sagte sie, und es war kaum lauter als ein Flüstern. »*Lo siento para su hijo.*«

»*Gracias«,* antwortete Felipe leise.

»Ich muss gehen«, sagte Billy plötzlich von seinem Platz an der Tür aus.

Seine Panik musste ihn wie ein Dammbruch getroffen haben, denn Grace konnte sehen, wie sich seine Worte verwirklichten, sobald er sie ausgesprochen hatte.

Sie ließ Felipe los und trat zurück. Billy hatte die Tür bereits geöffnet.

»O nein, Billy. Kannst du es nicht bitte nur ein kleines bisschen länger probieren? Es wird gerade eine richtige Versammlung.«

»Sorry, Kleine. Das ist alles, was ich tun kann.«

Aber er machte einen Schritt in das Zimmer hinein, sogar vier oder fünf Schritte in Felipes Richtung und blieb vor ihm stehen. Er sah ihn mit einem warmen Ausdruck in den Augen an. Felipe lächelte traurig.

»Was bedeutet ›*lo siento*‹?«, fragte Billy leise.

»Es bedeutet, es tut ihr leid.«

Billy beugte sich zu Felipes Stuhl runter und umarmte Felipe schnell und vorsichtig um die Schultern, als sei es besser, ihn nicht zu lang oder zu fest zu umarmen.

» *Lo siento*«, sagte Billy.

»*Gracias*, Billy«.

Dann spurtete Billy buchstäblich aus der Tür. Selbst Grace konnte sich nicht so schnell fortbewegen, und sie war ein Kind.

»Ich mache weiter«, sagte Jesse.

Alle sahen auf, als hätten sie vergessen, dass Jesse reden konnte.

»Schaut nicht so überrascht. Ich dachte einfach, ich gebe euch eine Gelegenheit, mich ein bisschen kennenzulernen, da ich neu hier bin. Und weil ich nur ein paar Monate hier sein werde.«

Niemand widersprach ihm, also begann er zu erzählen.

»Ich bin hier in der Nähe aufgewachsen, nur vier Straßen entfernt. Was auch mit ein Grund dafür ist, dass ich diese Wohnung ausgesucht habe. So nahe der Straße, in der ich früher gelebt habe. Viele Erinnerungen. Natürlich hat es sich sehr verändert. Und der andere Grund ist, dass ich soviel Geld sparen muss wie möglich. Ich bin für sechs Monate von der Arbeit freigestellt, und meine Ersparnisse müssen ausreichen. Ich glaube, sie werden auch ausreichen, aber nur gerade so.«

»Jedenfalls lebte ich in Chapel Hill in North Carolina. Ich hatte L.A. verlassen, um dort aufs College zu gehen und kam nie zurück. Der einzige Grund, weshalb ich jetzt hier bin, ist der, dass meine Mutter im Sterben liegt.«

Grace öffnete den Mund. Sie hatte tonnenweise Fragen. Ihr ganzer Kopf war voller Fragen. Sie wollte fragen, wie bald Jesses Mutter sterben würde und an was, und wie nahe er ihr stand, und ob es ihn so traurig machte, dass er es kaum ertragen konnte. Und ob es irgendetwas gab, was sie tun könne, damit er nicht so traurig sei – obwohl sie nicht glaubte, das es bei einer so großen, schrecklichen, traurigen Sache etwas gab, das man tun konnte. Aber sie stellte keine Fragen, weil sie es nicht musste. Jesse war ein guter Redner. Man musste ihm keine Antworten aus der Nase ziehen. Er öffnete einfach die Tür, und es kam heraus. Für Grace war das etwas Neues.

»Es ist eine komische Sache mit mir und meiner Mutter. Wir kamen nie wirklich gut miteinander zurecht. Wir waren nie einer Meinung, egal worum es ging. Wir hatten eine sehr explosive Beziehung. Jeder, der uns kannte, dachte, wir würden uns nicht mögen. Vielleicht dachten sie sogar, wir würden uns hassen. Ich neige mehr dazu, unsere Beziehung als eine ›stürmische Bindung‹ zu betrachten. Würden wir uns nicht sehr lieben, wäre kein Platz für all dieses Feuer. Es ist Liebe, und außerdem ist es die Kehrseite von Liebe. Wir haben viel von beiden Seiten.«

»Ich nehme an, die Leute denken, dass es nicht so schwer ist, seine Mutter zu verlieren, wenn man sowieso nie gut miteinander klargekommen ist. Aber da liegen sie falsch. Sie liegen sogar völlig falsch. Es ist immer hart, seine Mutter zu verlieren. Immer. Ob du sie geliebt oder gehasst hast. Ob sie dich verhätschelt hat oder ob sie dich ignoriert hat. Es ist egal. Sie ist deine Mutter. Deine *Mutter.* Das ist einfach eine sehr feste Bindung, die nicht leicht gebrochen werden kann.«

Grace öffnete den Mund, um etwas zu sagen, fing stattdessen aber an zu weinen. Innerhalb von Sekunden verwandelte sich das Weinen in ein Schluchzen. Ein lautes, unkontrollierbares Schluchzen.

Damit war die Versammlung schnell beendet.

Plötzlich drängten sich alle um sie herum, so nahe, dass sie kaum Luft holen konnte. Sie wollten alle hören, ob mit ihr alles in Ordnung sei – und fragten sie wieder und wieder danach. Aber Grace wusste, dass es ihr besser ginge, wenn sie etwas Abstand nehmen würden.

»Ich gehe rüber zu meiner Katze«, sagte sie und rannte hinaus.

Schniefend wischte sie sich die Nase mit ihrem Ärmel ab, während sie im Hausflur stand und an Billys Tür klopfte.

»Ich kann heute nicht mehr draußen sein, Kleine. Ich habe mein Limit erreicht, tut mir leid. *Lo siento.*«

»Deswegen bin ich nicht hier. Ich muss reinkommen. Könntest du die Tür aufmachen?«

Er musste die Schluchzer in ihrer Stimme gehört haben, sie waren auch nicht zu überhören gewesen. Die Tür öffnete sich, bevor sie ihren letzten Satz zu Ende gesprochen hatte.

Sie schlurfte an ihm vorbei und setzte sich auf die Couch.

»Gute Versammlung soweit?«

Das war einfach Billys merkwürdiger Sinn für Humor. Anstatt sie zu fragen, was denn nicht stimmte, machte er eine witzige Bemerkung. Aber es war besser, als mit Aufmerksamkeit erstickt zu werden.

Deshalb war sie hierhergekommen, wie sie plötzlich feststellte. Es war nicht wirklich wegen ihrer Katze gewesen. Na ja, vielleicht ein bisschen, teilweise. Aber vor allem war sie hier, um Billy zu sehen.

Sie rief mit einem kleinen »Psst« Mr Lafferty, die weibliche Katze, die in einem leichten Galopp aus Billys Schlafzimmer kam und direkt auf ihren Schoß sprang. Grace hielt die Katze dicht an sich gedrückt und presste ein Ohr gegen ihre Seite.

Grace schniefte so viel sie konnte, um mit ihrer laufenden Nase nicht das Fell von Mr Lafferty, der weiblichen Katze nass zu machen.

Billy saß am äußeren Rand der Couch und reichte ihr eine extragroße Box mit Papiertüchern. Sie zog drei oder vier auf einmal heraus, trocknete sich die Augen und schneuzte sich lautstark mit einem peinlichen Trötgeräusch.

»Ich benutze wirklich viel von deinen Taschentüchern.«

»Damit kann ich leben.«

»Vielleicht sollte ich dir eine neue Box kaufen.«

»Womit denn? Hast du ein finanzielles Polster, von dem wir nichts wissen? Hältst du uns nur hin und bist in Wirklichkeit finanziell unabhängig und reich?«

»Oh. Stimmt.«

Sie putzte sich wieder die Nase und nahm dieses Mal nur drei Tücher.

»Möchtest du aus dem Nähkästchen plaudern?«

Grace verdrehte genervt die Augen.

»Ich meine, möchtest du reden?«

Grace seufzte.

»Ich vermisse nur meine Mom, das ist alles.«

»Oh«, sagte Billy.

»Ich weiß, dass sie keine sehr gute Mom ist, zumindest nicht zurzeit. Sie war früher eine ziemlich gute Mom, aber das ist jetzt lange her. Trotzdem, obwohl wir uns nicht verstehen und obwohl wir einen großen Streit hatten und ich wütend auf sie bin, und obwohl sie die Drogen mehr liebt als mich, trotzdem vermisse ich sie.«

»Hmm«, sagte Billy nur.

»Vielleicht kannst du das nicht verstehen.«

»Andererseits, vielleicht kann ich es gerade verstehen. Ich vermisse meine Mutter jeden Tag. Dabei ist sie die furchtbarste Frau, die je ihren Fuß auf den Planeten Erde gesetzt hat.«

Grace prustete unwillkürlich vor Lachen.

»Sie kann doch nicht sooo schlimm sein.«

»O doch, sie kann. Und sie ist es, das musst du mir glauben. So, ist die Versammlung vorbei?«

»Ich nehme es an. Ich meine, ich bin sowieso die Einzige, die Versammlungen haben will, und ich bin gegangen.«

»Vielleicht überraschen sie dich. Vielleicht sind sie dort drüben und schütten sich ihre Herzen aus über all die persönlichen

Tragödien, die ihr Alleinsein bisher zur Folge hatten. Vielleicht hast du sie inspiriert.«

»Ich gehe mal nachsehen«, sagte Grace.

Sie gab Billy die Katze und trottete in den Hausflur zurück. Dort presste sie ihr Ohr vorsichtig an Rayleens Tür.

Sie schütteten sich nicht ihre Herzen aus.

Jesse entschuldigte sich dafür, dass er Grace aufgeregt hatte und sagte, er habe nicht gewusst, dass er etwas gesagt habe, das sie zum Weinen bringen könnte.

Sie trottete wieder in Billys Wohnung zurück und ließ sich auf die Couch fallen.

»Ich glaube nicht«, sagte sie.

•••

Später, als Grace dachte, dass alle Rayleens Wohnung verlassen hätten und getrennte Wege gingen, spazierte Grace durch den Hausflur. Und stieß direkt mit Jesse zusammen.

Das hätte ich wissen können, dachte sie und schimpfte innerlich mit sich. Natürlich würde Jesse sich nicht beeilen und versuchen, der Letzte zu sein, damit er allein mit Rayleen reden konnte, denn Jesse mochte Rayleen. Jeder Dummkopf konnte das sehen.

Grace hatte nicht mit Jesse zusammenstoßen wollen, da sie wusste, dass er sich ewig entschuldigen würde. Und sie wollte seine Entschuldigungen nicht. Sie würden Grace wahrscheinlich nur wieder zum Weinen bringen.

»Oh, da bist du, Grace«, sagte er. »Ich dachte, ich bekäme keine Gelegenheit mehr, mich zu entschuldigen.«

Da war es.

»Du musst dich nicht entschuldigen«, sagte sie und bemühte sich, nicht wieder zu weinen. »Du hast nichts Falsches getan.

Du hast nur die Wahrheit gesagt, so wie du es solltest, dafür ist die Versammlung schließlich da.«

»Ich wollte dich nicht aufregen.«

»Ich weiß, dass du es nicht mit Absicht gemacht hast«, sagte Grace und eine Gereiztheit klang in ihrem Ton durch. »Denkst du, ich würde das nicht wissen?«

Dann wartete sie ab, ob auch er wütend werden würde.

Aber er tätschelte nur ihren Kopf und ging in Richtung Treppe zu seiner Wohnung.

Grace sah ihm nach und fragte sich plötzlich, wie er mit dem Geist von Mr Lafferty, der Person, zurechtkam. Oder falls es kein Geist war, wie er mit was-auch-immer-es-war zurechtkam, was Emily verscheucht hatte, die für den Bruchteil einer Sekunde ihre Nachbarin gewesen war. Einerseits hätte sie ihn gern gefragt, aber andererseits war sie froh, dass der Entschuldigungskram erledigt war. Sie hatte nicht die Absicht, ihr Glück herauszufordern.

Sie schaute in beide Richtungen, als lauerten in jeder Ecke des Treppenhauses Spione. Dann machte sie eine ungeplante Kehrtwende und trottete die Treppe hinunter, zu ihrer eigenen Wohnung.

Die Wohnung war dunkel. Es war zwar nicht stockfinster, aber es waren keine Lichter an. Nichts, was lebendig zu sein schien oder sich bewegte. Sie fand ihre Mom in ihrem Schlafzimmer. Sie lag mit ausgebreiteten Armen und Beinen auf dem Rücken in ihrem Bett und schnarchte.

Grace bewegte sich näher heran und sah sie zunächst nur an. Dann streckte sie die Hand aus und zog am Ärmel des T-Shirts, das ihre Mutter trug.

»Hey«, sagte sie ruhig. Es klang wie eine Begrüßung. So wie bei den Leuten, die manchmal »Hey« statt »Hallo« sagen.

Die Augen von Grace' Mom zuckten und öffneten sich für eine Sekunde oder zwei.

»Hey«, sagte auch sie.

»Alles in Ordnung mit dir?«

»Hmmmm. Was machst du hier?«

»Ich bin nur vorbeigekommen, um nachzusehen, ob alles mit dir in Ordnung ist«, sagte Grace. Etwas verhakte sich in ihrer Kehle, blieb stecken und brachte sie fast zum Würgen.

Grace' Mom hob eine Hand, als sei ein Winken eine gute Möglichkeit, die Frage zu beantworten. Aber die Hand blieb nicht lange erhoben und die Bewegung gestaltete sich nicht zu einem tatsächlichen Winken. Die Bewegung verklang, die Hand fiel und landete wieder auf ihrem Bauch.

Für den Fall, dass mehr kommen würde, wartete Grace, obwohl sie nicht sicher war, auf was sie eigentlich hoffte.

Das ist's, dachte sie sich. Das ist alles. Alles, was man bekommen kann. Ich kann genausogut zurück zu Rayleen gehen.

Aber sie ging noch nicht. Stattdessen strich sie ihrer Mom übers Haar, drei Mal. Sie beugte sich vor und flüsterte ihr ins Ohr: »Ich liebe dich, Mom.«

Sie musste sich zu weit vorgebeugt haben. Ihr Atem am Ohr ihrer Mom musste gekitzelt haben, denn ihre Mom hob ihre Hand und klatschte nach Grace, als sei sie eine Fliege oder Mücke. Sie schlug ihr direkt aufs Ohr.

»Au«, rief Grace, lauter als wirklich nötig, sodass es in keinem Verhältnis zu dem leichten Schmerz stand. Es war eine Erniedrigung, die ihr innerlich wehtat, und ihr Aufschrei war ein Ausdruck davon.

Dann, ebenso plötzlich, weinte sie.

Das Weinen bewirkte, dass sie gehen wollte. Sie rannte zur Tür, um zu Rayleen zu kommen, in Sicherheit, als könnte jemand sie weinen sehen, wenn sie blieb. Sie wusste natürlich, dass es niemand bemerkt hätte, noch nicht einmal ihre Mom.

Sie klopfte an Rayleens Tür, während sie sich immer noch das Ohr rieb.

Als Rayleen sie hereinließ, bemerkte Grace zwei kleine Linien auf Rayleens Stirn, die sie nicht oft sah. Rayleens Gesicht schien angespannter zu sein als sonst .

»Bist du hungrig?«, fragte Rayleen.

»Ziemlich.«

»Ich habe nicht viel. Du musst dich mit Erdnussbutter zufrieden geben.«

»Erdnussbutter ist okay. Haben wir Marmelade?« Grace bereute sofort, dass sie »wir« gesagt hatte. Was in Rayleens Kühlschrank war, gehörte schließlich Rayleen und nicht ihnen beiden. Sie war wahrscheinlich gerade sehr unhöflich gewesen und noch dazu zu einem Zeitpunkt, als Rayleen in einer miesen Laune war. »Du, meine ich. Hast du Marmelade?«

Rayleen schaute in den Kühlschrank.

»Erdbeermarmelade«, sagte sie, gab allerdings keine Antwort darauf, ob die Marmelade für sie beide war oder nur Rayleen gehörte.

»Perfekt«, sagte Grace, obwohl sie Traubengelee lieber mochte.

Während Rayleen die Sandwiches machte, fragte Grace: »So, was hältst du von Jesse?«

Ein Glas wurde auf den Tisch geknallt, und Grace erschrak.

»Hör damit auf«, sagte Rayleen mit genau der Stimme, die Grace bei der Versammlung fast zum Weinen gebracht hatte – und die sie jetzt fast wieder zum Weinen brachte. Was war mit diesem Tag los? Es schien, als lauerte hinter jeder Ecke etwas, das nur darauf wartete, herauszuspringen und sie zum Weinen zu bringen.

»Womit? Ich habe nichts getan.«

»Hör damit auf, mich mit einem Mann verkuppeln zu wollen, den ich nicht einmal kenne.«

»Das habe ich nicht getan! Ich habe nichts getan!«, schrie Grace und kämpfte gegen ihre Tränen an. »Ich habe nur gefragt, was du von ihm hältst. Ich hätte dich dasselbe über diese andere Nachbarin gefragt, diese schreckhafte Frau, aber sie blieb nicht lang genug, als dass du sie hättest kennenlernen können. O je, Rayleen. Ich weiß nicht, worüber du dich so ärgerst. Er mag dich halt. Was ist daran so furchtbar? Ich habe ihm nicht gesagt, dass er dich mögen soll. Er mag dich einfach. Alles war seine Idee.«

Ganz ruhig legte Rayleen ein Sandwich auf einen Pappteller vor Grace hin und sagte gar nichts mehr.

Grace starrte das Sandwich an und merkte, dass sie jetzt nicht mehr so hungrig war.

»Kann ich mein Sandwich mit zu Billy nehmen und es dort essen? Es ist netter bei ihm.«

»Du kannst machen, was du willst«, sagte Rayleen gefühllos.

Grace hielt an der Tür an und schaute zu Rayleen, die das Messer abspülte. Rayleen sah nicht auf.

»Du warst früher nicht so mürrisch«, sagte Grace und gratulierte sich selbst dafür, dass sie eine so mutige Sache gesagt hatte.

»Du hast dich früher auch nicht in meinen privaten Kram eingemischt«, sagte Rayleen ohne aufzusehen. »Da könnte eine Verbindung bestehen.«

•••

»Katzen mögen keine Sandwiches mit Erdnussbutter und Marmelade«, sagte Grace zu Mr Lafferty, der weiblichen Katze.

Es schien jedoch keinen großen Unterschied zu machen, da gerade diese Katze an einem Sandwichstück kaute, als Grace darauf hinwies.

»Rayleen ist in einer wirklich miesen Laune«, sagte Grace zu Billy.

»Ja, das ist mir auch aufgefallen«, sagte er. »Was hat es damit auf sich?«

»Ich bin nicht sicher. Ich glaube, es hat etwas mit Jesse zu tun. Ich glaube nicht, dass sie ihn auch mag.«

»Oh.«

»Ich dachte nur, es wäre … ich meine, er mag sie, er ist nett … und dann müsste zumindest einer von euch nicht mehr allein sein. Weißt du, es beginnt mit einem von euch, dann kommen die anderen.«

»Ich glaube, es gehört mehr dazu, damit zwei Leute zusammenkommen.«

»Was gehört dazu?«

»Ich habe nicht die geringste Vorstellung. Ich glaube nicht, dass irgendjemand es weiß. Wenn du es je herausbekommen solltest, schreib ein Buch darüber. Du wirst über Nacht reich und berühmt werden.«

»Du bist so komisch, Billy.«

»Hey. Etwas, über das ich mit dir reden wollte. Hier, gib mir die Katze, okay? Es fällt mir leichter, das zu sagen, wenn ich die Katze halte.«

»Warum?«

»Ich weiß nicht. Sie beruhigt mich einfach.«

»Okay, wie auch immer.«

Grace gab Mr Lafferty, die weibliche Katze an Billy und bemerkte, dass die Katze immer noch versuchte, das letzte bisschen Erdnussbutter zu schlucken.

Billy atmete tief ein, und zwar so laut, dass Grace es hören konnte.

»Morgen … wenn du zur Schule gehst …«

»Morgen ist Sonntag.«

»Oh. Okay. Am Montag, wenn du zur Schule gehst … ich dachte, ich könnte versuchen, ein winziges Stückchen mit dir und Rayleen mitzugehen.«

Grace öffnete den Mund und wollte einen spitzen Schrei ausstoßen, aber Billy hielt eine Hand hoch, um sie aufzuhalten. Er schien sehr entschieden zu sein, mehr als üblicherweise. Er wollte keine Reaktion von ihr hören.

»Sag gar nichts«, sagte er, »denn wenn du zu aufgeregt bist, dann macht mich das nur noch ängstlicher.«

Grace widerstand ihren Impulsen und hielt still, was ihr unmöglich lange vorkam. Als sie wieder sprach, war sie klug genug zu flüstern. Es war ein richtiges Flüstern.

»Bedeutet das, dass du mit zu meiner Schule kommst?«

»Eins nach dem anderen, Kleine. Eins nach dem anderen.«

Sie warf sich auf ihn und umarmte ihn fest.

»Ich wusste, dass du kommen würdest«, flüsterte sie, jetzt sogar noch ehrfuchtsvoller. »Ich wusste, dass du sagen würdest, du könntest nicht. Und es würde wirklich so aussehen, als könntest du nicht. Aber ich wusste auch, dass – wenn es darauf ankäme – du es doch machen würdest.«

»Ich habe nur gesagt, dass ich am Montag ein Stück auf deinem Schulweg mitkomme.«

»Ja«, sagte Grace, »verstanden.«

»Und du kannst mich nicht drängen oder beurteilen. Weil ich am ersten Tag vielleicht nicht viel weiter als zur Vordertreppe kommen werde.«

Grace' Augen weiteten sich.

»Du willst es jeden Tag machen?«

»Na ja«, sagte Billy und pausierte dann merkwürdig lange. »Ich muss üben.«

»Bist du deshalb heute zu Rayleen gekommen? Um zu üben?«

»Nun. Ja. Zum Teil schon. Deshalb, aber auch, weil ich nicht will, dass der neue Nachbar denkt, ich sei ein völliger Freak.«

»Was ist so besonders an Jesse? Was ist mit dem Rest von uns? Was ist damit, was wir denken?«

»Oh, bitte. Für euch ist es viel zu spät. Ihr wisst doch längst, dass ich ein völliger Freak bin.«

»Das ist wahr«, sagte Grace, und als sie über ihren Kommentar nachgedacht hatte: »Nichts für ungut.«

»Das ist in Ordnung.«

Billy

Es war ein besonderer Glücksfall, dass Billy die Choreografie von Grace' Schultanz verfeinerte, als Jesse am folgenden Abend an Billys Tür klopfte, da es bedeutete, dass Billy seine Tanzhose und einen weichen, übergroßen, hellblauen Pulli trug. Und sogar Schuhe.

Vielleicht verbessert sich unser Schicksal, dachte Billy.

Er öffnete die Tür und sah seinen gutaussehenden neuen Nachbarn dort mit einem strahlenden Lächeln im Gesicht stehen. In der einen Hand hielt er eine Flasche Rotwein, in der anderen zwei Weingläser.

Es flößte Billy ein seltsames und äußerst unvertrautes Gefühl ein. Nichtsdestotrotz fühlte es sich gut an. Obwohl er dafür in diesem Moment keine Worte finden konnte, war es ein Gefühl von Richtigkeit. So sollte das Leben sein. Man sollte gut angezogen zu Hause sein, wenn ein Gentleman an die Tür klopft, um einem einen Besuch abzustatten. Und er sollte eine Flasche Wein in der Hand halten und lächeln. Und vielleicht sollte er so etwas sagen wie: »Ist es ein Problem? Ich hätte wirklich vorher anrufen sollen.« Und dann kann man in etwa darauf antworten: »Keinesfalls. Komm herein. Ich habe gerade an einer Choreografie gearbeitet.«

Himmlisch und doch so völlig vergessen. Ein so uraltes Stück Geschichte.

»Was fühlst du, wenn Nachbarn uneingeladen vorbeikommen?«, fragte Jesse, immer noch lächelnd, »eine leichte Irritation? Irrationalen Hass? Mörderische Wut?«

»Keinesfalls. Komm herein. Ich habe gerade an einer Choreografie gearbeitet.«

Erstaunlich. Es glich dem Leben.

»Was choreografierst du?«, fragte Jesse und ließ sich auf Billys Couch nieder. Er stellte die Weinflasche und die Gläser auf den Tisch. »Ich war nicht sicher, ob du Weingläser besitzt. Ich wollte nicht einfach davon ausgehen, dass du welche hast. Andererseits wollte ich auch nicht davon ausgehen, dass du keine hast. Ich habe mich mit der Frage sehr abgemüht.«

»Ich arbeite an einem Tanz, den Grace an ihrer Schule aufführen wird.«

Billy trat in die Küche und war sich sehr bewusst darüber, dass er beobachtet wurde. Er nahm zwei seiner eigenen Weingläser auf dem Schrank. Sie waren handgeblasen, irrsinnig zerbrechlich und hatten einmalige Stiele. Keine zwei Gläser waren identisch. Synkopiert, dachte Billy. Synkopiert und raffiniert.

Er nahm die Gläser mit in das Wohnzimmer und stellte sie auf den Couchtisch vor Jesse, der sie gebührend bewunderte.

»Wie wäre es mit einem Flaschenöffner?«

Billy fühlte, wie er rot wurde. Bis zu diesem Augenblick hatte er seinen Traum gelebt. Gefangen in der Vorstellung von »das ist mein Leben, und es ist genauso wie das Leben aller anderen«. Natürlich besaß er schöne Weingläser. Wer, außer Barbaren, besaß denn keine? Aber er hatte keinen Flaschenöffner, also wusste Jesse jetzt, dass er die Gläser nie benutzte.

Er beantwortete die Frage nicht, denn offensichtlich musste er es nicht. Sein rotes Gesicht und sein Schweigen hatten ihn verraten.

»Die zweitbeste Möglichkeit«, sagte Jesse, stand auf und griff mit seiner Hand tief in die Tasche seiner Jeans. Er trug eine leicht ausgewaschene Jeans und ein weißes Hemd mit einer Krawatte. Eine Krawatte! Es machte Billy stolz, dass jemand eine Krawatte anzog, um ihn zu besuchen. »Schweizer Armeemesser«, sagte Jesse.

»Warst du Pfadfinder?«

»Woher wusstest du das?«

»Ich habe nur einen Witz gemacht. Eigentlich.«

»Ich bin es aber wirklich gewesen. Ich war wirklich ein Pfadfinder. Ich habe es sogar bis zum Eagle Scout geschafft. Und du?«

Billy lachte und wurde rot. »Nicht ganz. Überhaupt nicht. Ich war nie ein Pfadfinder-Typ. Zelten ist nicht mein Stil. Das ganze Ungeziefer.«

»Ungeziefer gibt es beim Zelten allerdings«, sagte Jesse, und seinen Worte folgte das Knallen des Korkens. Er hielt ihn hoch, als hätte er gerade einen Preis in einem Spiel geschossen. »Und Bären. Und Mückenstiche, die unbarmherzig jucken. Erzähl mir von Grace und dem Tanzen. Ach, erzähl mir was Allgemeines über Grace. Was ist das Problem mit dem Mädchen und seiner Mutter?«

»Oh«, sagte Billy, »das.«

Er saß auf der Couch, nur ein kleines Stück von Jesses Knie entfernt und nahm ein Glas Wein von ihm entgegen. Es bewegte etwas in ihm, das zerbrechliche Glas zu halten. Er nahm einen Schluck von Jesses Wein und fühlte, wie sich die leichte Wärme in seinem Magen ausbreitete. So viele Erinnerungen.

»Das ist entzückend«, sagte er.

»Das freut mich. Ich musste meine Unhöflichkeit irgendwie wiedergutmachen. Einfach so ohne Einladung hereinzuplatzen. Und ich weiß nicht, was du normalerweise trinkst.«

»Wasser«, sagte Billy – worauf sein Gast lachte. »Ich trinke normalerweise Wasser. Aus Budgetgründen«, fügte er hinzu, damit Jesse nicht dachte, er sei ein Barbar. »Also, Grace. Ihre Mutter hat ein Drogenproblem. Soweit ich weiß, war sie zwei Jahre trocken – und dann ist sie richtig abgestürzt.«

»Wer kümmert sich um Grace?«

»Wir alle. Rayleen bringt sie zur Schule, und Felipe holt sie ab und geht mit ihr nach Hause, und dann bleibt sie bei mir, bis Rayleen von der Arbeit kommt, und dann bleibt sie den ganzen Abend und die Nacht bei Rayleen.«

Billy meinte, während dieses letzten Satzes eine leichte Veränderung an seinem Gast bemerkt zu haben, ein kurzes Flackern in Jesses allgegenwärtigem Lächeln. Nichts Besorgniserregendes. Es war eher so, als hätte ihn ein Gedanke kurz aus der Unterhaltung gezogen.

»Mrs Hinman von oben näht sogar mit ihrer Nähmaschine Kleidung für Grace«, fügte Billy hinzu.

Jesse griff an seinen Hals und lockerte die Krawatte etwas.

»Das ist ungewöhnlich.«

»Ich nehme an, das ist es, an einem Ort wie diesem.«

»Einem Ort wie was?«

»Na, du weißt schon.«

»Arm und heruntergekommen? Nein, ich glaube, es wäre überall ungewöhnlich. Aber vielleicht ist es ein bisschen *weniger* ungewöhnlich an einem Ort wie diesem. Die Leute, die am wenigsten zu geben haben, geben immer am meisten. Hast du das nicht bemerkt?«

»Hmm«, meinte Billy, da er nicht zugeben wollte, dass er nicht genug Zeit mit tatsächlichen menschlichen Wesen verbracht hatte, um viele Beobachtungen zu machen.

Mr Lafferty, die weibliche Katze schlenderte ins Zimmer und rieb sich an Jesses Beinen. Jesse beugte sich runter und streichelte die Katze hinter den Ohren.

»Das bist also alles du?«, fragte Jesse.

Zunächst hatte Billy keine Ahnung, auf was sich Jesse gerade bezog, bis er bemerkte, dass Jesse seine Fotos anschaute.

»Oh. Ja. Das. Mein vergangenes Leben.«

»Welche Art von Tanz ist das?«

»Oh, alles Mögliche. Klassisch. Step. Modern. Jazz. Sogar etwas Ballett.«

»Warum hast du das alles hinter dir gelassen?« Bevor Billy auch nur antworten konnte, sagte Jesse: »Nein, sorry. Schon gut, zu früh. Davon sind wir noch zwei Flaschen Wein entfernt, was?«

»Wenn nicht sogar zehn«, antwortete Billy.

Eine Weile tranken sie in der Stille. Es war tatsächlich so leise, dass Billy das Katzenschnurren hören konnte. Billy tauchte in sein Innenleben ein, auf der Suche nach einem ausweichenden … Etwas. Es lag etwas Vertrautes in dieser Situation. In Jesse, oder im Weintrinken mit Jesse, oder in der Art, wie er seine Krawatte lockerte. Es war nicht so, dass er dachte, er hätte Jesse je zuvor getroffen, nicht diese Art von Vertrautheit. Aber was war es? Egal, wie sehr er suchte, dieses Etwas schaffte es immer, um eine Ecke zu gehen und zu verschwinden, wie der Name eines Schauspielers, der einem auf der Zunge liegt und nicht einfällt.

»Wie heißt die Katze?«, fragte Jesse, und Billy schrak auf.

Er fragte sich, ob er sichtbar genug zusammengezuckt war, um seine pathologisch dünnen Nerven preiszugeben.

Er lachte. »Ich weiß nicht, ob du das wirklich wissen willst. Bevor ich es erzähle, muss ich zuerst sagen, dass sie gar nicht meine Katze ist. Sie ist Grace' Katze, und Grace hat ihr den Namen gegeben.«

»Ah. Verstanden. Ich verspreche, dass ich das berücksichtigen werde.«

»Mr Lafferty, die weibliche Katze.«

»Das alles?«

»Ja, das alles. Es begann nur mit »Mr Lafferty«. Aber dann wurde das zu verwirrend, weil es schon eine Person mit diesem Namen gab. Also änderte sie den Namen zu ›Mr Lafferty, die Katze‹.«

»Und dann fand sie heraus, dass es kein Kater ist.«

»Gut mitgedacht.«

»Äh … eine Sekunde. Ist Mr Lafferty nicht der Nachbar, der sich in meiner Wohnung oben umgebracht hat?«

»Genau, das ist er. Dies war seine Katze.«

Jesse stellte sein Weinglas ab und nahm die Katze hoch. Er hielt sie unter den Vorderbeinen hoch und blickte ihr direkt ins Gesicht. Die Katze ließ sich friedlich gesinnt von Jesses Händen herunterhängen und schnurrte weiter.

»So, Mr Lafferty, die weibliche Katze«, sagte er ernsthaft zu ihr. »Ich glaube, du hast eine Geschichte zu erzählen. Willst du darüber reden?« Nachdem die Katze nicht geantwortet hatte, hielt Jesse sie behaglich an seine Brust gedrückt. »Das erinnert mich an etwas«, sagte er, dieses Mal an Billy gewandt, »ich wollte dich einladen, für die Räucherzeremonie in meine Wohnung zu kommen. Wir werden ein Gespräch mit dem haben, was auch immer von diesem Mr Lafferty übrig geblieben ist. Von der Person«, fügte er schnell hinzu und schaute hinunter auf die Katze. »Wir wollen mal sehen, ob wir eine Art Frieden schließen können. Je mehr Nachbarn kommen möchten, desto besser. Schließlich kanntet ihr ihn, ich aber nicht. Wie war er?«

»Er war furchtbar. Ein Tyrann. Und intolerant. Aber er mochte Grace sehr gern.«

»Gut. Ich werde Grace fragen, ob sie kommen kann. Es sollte jemand sollte da sein, der ihm gegenüber keinen Unmut empfindet. Ich weiß, dass auszugehen nicht deine Stärke ist, ich verstehe das …«

»Ich komme«, sagte Billy schnell, »das kann ich tun.«

Billy schaute in sein Weinglas und sah zu seiner Überraschung, dass kaum ein Schluck Wein übrig war. Wann hatte er ihn getrunken? Dessen war er sich nicht einmal bewusst gewesen. Aber jetzt, da er es bemerkte, fühlte er, wie dieses alte, vertraute Gefühl in seine Muskeln kroch. Das warme Prickeln. Es war nur ein Glas Wein gewesen, aber er hatte kaum etwas gegessen. Und er hatte seit über zehn Jahren keinen Wein mehr getrunken.

Er beobachtete, wie Jesse die Katze streichelte, und verfolgte wieder dieses alte, doch vertraute Gefühl. Aber warum wich es ihm immer aus?

»Oh, du brauchst mehr Wein, Nachbar«, sagte Jesse.

Er lehnte sich vor, und die Katze sprang von seinem Schoß auf Billys. Jesse musste sich gewissermaßen über Billy lehnen, um sein Glas aufzufüllen, was ihn näher an Billy heranbrachte. Sein Knie streifte kaum merkbar Billys Hose. Und er roch gut. Frisch. Ein Duft, der ein Hauch von Rasierwasser sein konnte, vielleicht aber auch einfach sein Waschmittel oder sein eigener Körpergeruch.

Billy schluckte mühsam und griff nach dem Gefühl, das ihm ausgewichen war.

Natürlich. Natürlich.

Emotionale Anziehung. Aber nichts Niedriges, nicht diese derbe, ausschließlich körperliche Anziehung, sondern eher eine jener romantischen Bewunderungen, die das Herz schmerzhaft schwellen lassen. Die Art von Anziehung, die plötzlich alle Farben auf der Welt heller erscheinen lässt und bewirkt, dass man

Fremde anlächelt und Leuten, die man vorher nicht bemerkt hatte, Glück und Freude wünscht. Es war wie Liebe, nur neuer und weniger ausgeformt.

Kein Wunder, dass es einige Zeit gedauert hatte, bis er das Gefühl bestimmen konnte. Also, *das* war eine uralte Erinnerung. Kein Wunder, dass es ihm schwer gefallen war, ein solches Gefühl zu erkennen.

»Hier«, sagte Jesse und setzte sich zurück. Er sah direkt in Billys Augen. »Besser.«

Billy blickte weg und trank in einem langen Zug das halbe Glas leer.

»Ich würde es hassen, solltest du denken, ich sei mit irgendwelchen Hintergedanken hierhergekommen«, sagte Jesse und änderte deutlich die Richtung der Ereignisse. »Ich will wirklich nur meine Nachbarn kennenlernen. Aber da ich hier bin, habe ich gehofft, ich könnte dir ein paar Fragen über Rayleen stellen. Wenn das nicht zu unhöflich ist.«

Ein leiser, unsteter Schmerz zog sich wie ein Faden zwischen Billys Rippen hindurch und ließ sich an einer Stelle zwischen seinem Bauch und seiner Leistengegend nieder. Er starrte einen Moment lang in sein Weinglas und leerte es dann in einem weiteren langen Zug.

Er war nie von etwas anderem ausgegangen. Er war nicht überrascht, das war es nicht. Dennoch hatte dieser Augenblick etwas Enttäuschendes.

Und das, dachte Billy, ist unser Leben. Nicht diese liebliche Version, in der wir in einem schönen Outfit die Tür öffnen und dem attraktiven Mann mit der Weinflasche sagen, dass wir für seinen Besuch unsere Choreografie gern unterbrechen und eine Pause machen. Guter Versuch, dachte er. Nein, *dies* ist unser Leben. Die Version, in der wir erkennen, dass wir uns verlieben könnten, und den Bruchteil einer Sekunde später will der Angebetete unsere Hilfe dabei, ihn mit jemand anderem zu verkuppeln.

Ja, genau. Diese Version.

»Ist alles in Ordnung?«, fragte Jesse.

»Ja. Gut.«

»Ich dachte nur … nun … du kennst sie.«

»Ja und nein«, sagte Billy. »Ich mag Rayleen sehr. Aber erst vor Kurzem haben Grace und ich über all die Sachen gesprochen, die wir nicht über sie wissen.«

»Du kennst sie trotzdem weit besser als ich.«

»Das stimmt.«

»Vielleicht mag sie mich einfach nicht.«

»Sei nicht albern. Wie kann jemand dich nicht mögen?«

Billy stieg die Hitze ins Gesicht, und vermutlich wurde er rot. Er sah auf sein Glas hinunter, um etwas zu haben, das er anschauen konnte.

»Dein Glas ist wieder leer«, sagte Jesse.

»Das ist es.«

Billy hielt sein Glas so weit von sich wie möglich, damit Jesse es auffüllen konnte, ohne sich vorzulehnen.

»Mir scheint, es ist etwas sehr Besonderes an ihr«, sagte Jesse. »Aber versteh mich nicht falsch. Ich bin kein Stalker. Wenn sie nicht interessiert ist, habe ich nicht vor, sie zu drängen. Da ist ein Anflug von gemischten Signalen, die sie mir gibt. Denke ich. Vielleicht sehe ich auch nur, was ich sehen will. Ich könnte falsch liegen. Das ist schon vorher passiert.«

Billy atmete tief ein. Er merkte in diesem Augenblick, dass er die Gelegenheit hatte, diese zwei möglicherweise zusammenzubringen. Vielleicht. Irgendwann. Oder er könnte sie genauso gut mit nur wenigen Worten auseinanderbringen. Endgültig. Jetzt sofort. Für immer. All diese Macht lag bei ihm.

»Ich denke, sie trägt einen Kummer aus ihrer Vergangenheit mit sich herum«, sagte Billy. »Ich sollte nicht einmal darüber reden, weil ich es nicht weiß. Aber sie ist ein ungewöhnlich guter Mensch. Wenn ich du wäre, würde ich ihr mehr Zeit geben.«

Jesse klopfte auf Billys Knie, und sofort stellten sich Billys ganzer Körper und sein Hirn taub – seine Ausweichstrategie hatte eingesetzt.

»Danke Nachbar, ich werde zurückzahlen, was du für mich getan hast. Wenn ich die anderen Nachbarn eingeladen habe, sage ich dir, wann die Räucherzeremonie stattfinden wird. Dann kann ich eine formellere Einladung anbieten.«

»Du musst noch nicht gehen«, wollte Billy sagen. Entweder das oder das erbärmlichere, direkte: »Bleib und rede mit mir.« Aber alles, was er sagte, war bloß: »Vergiss nicht deine Weingläser. Und dein Schweizer Armeemesser.«

Jesse lachte, als er alles nahm.

»Ich hatte ein Gefühl, das dich betraf«, sagte Billy. »Ich habe eine gute Menschenkenntnis. Und du bist, was ich einen ›guten Menschen‹ nenne. Ich wusste das, als ich dich zum ersten Mal gesehen habe.«

Er ging mit Jesse zur Tür und sagte nichts.

»Danke«, sagte Jesse mit sanfter Stimme. »Was du gesagt hast, bedeutet mir viel. Mehr als du ahnst.«

Bevor Billy reagieren konnte, hatte Jesse ihn umarmt. Billy blieb steif stehen und war nicht einmal in der Lage, seine Arme zu heben und die Umarmung zu erwidern.

»Zurück zu deiner Choreografie. Was ist schließlich wichtiger als Grace' großer Auftritt? Ich gehe vielleicht hin. Gehen alle?«

»Ich habe nicht alle gefragt. *Ich* werde da sein.«

Als sei es eine leicht realisierbare Sache. Als sei er nicht von allen guten Geistern verlassen, solch ein lächerlich unwahrscheinliches Ereignis auch nur zu erwähnen.

»Ich werde vielleicht auch hingehen«, sagte Jesse. »Gute Nacht, Billy.«

Billy öffnete den Mund, aber es kamen keine Worte. Offensichtlich waren keine mehr in ihm übrig. Also hob er nur die Hand zu einem schwachen, armseligen Winken.

•••

Billy lag die ganze Nacht über wach. Er schloss nicht einmal die Augen, was wahrscheinlich der einzige Grund dafür war, dass die Flügel ihm keinen Besuch abstatteten.

•••

»Halt meine Hand nicht zu fest«, sagte Billy.

»Warum nicht?«, fragte Grace. »Ich bin das Einzige, was dich vom Wegrennen abhält.«

Billy spürte, wie Rayleen seine andere Hand nahm und sie sanft drückte.

»Nicht ganz«, sagte sie. »Ich habe ihn auch.«

Sie standen im Flur und starrten die Haustür an. Durch die Tür und hinaus auf die Straße. Die Straße!

Billy trug ein Paar Jeans und lächerlich weiße Tennisschuhe. Er besaß sie seit zehn Jahren, aber er hatte sie noch nie zuvor getragen. Noch nicht einmal im Haus. Selbst die Sohlen waren noch von einem perfekten, unberührten Weiß – wie frisch gefallener Schnee, bevor jemand darin herumtrampelt. Er schaute missbilligend auf seine Schuhe hinunter und dann wieder in Richtung Straße.

Billy spürte, wie etwas von seinem Brustkorb in seinen Hals aufstieg und versuchte, es wieder hinunterzuschlucken. Aber was auch immer es sein mochte, es blieb von seinem Schlucken unberührt.

»Hast du deine Schlüssel?«, fragte Rayleen.

Ihre Stimme klang blechern und hatte ein kleines Echo. Sie klang weit entfernt, als würde Billy von diesem Moment wegtreiben. Was er wahrscheinlich auch tat.

»Natürlich habe ich meine Schlüssel. Ich habe in meiner Tasche nur sechs Mal nachgesehen. Kannst du dir vorstellen, was für eine Katastrophe das wäre? Wenn ich rausginge und ausgesperrt wäre?«

»Ich frage nur nach«, sagte Rayleen. »Bist du bereit?«

»Absolut nicht.«

»Ernsthaft? Du gehst nicht mit?«

»Ich habe nicht gesagt, dass ich nicht mitgehe. Ich habe nur gesagt, dass ich nicht bereit bin. Und ich werde es nie sein. Also beeilen wir uns einfach und tun es, bevor ich meine Meinung ändere.«

Rayleen zog die Tür nach innen auf, und die Morgenluft traf Billy ins Gesicht.

Es erinnerte ihn an Rotwein. Beängstigend. Entfernt vertraut. Zu lange vergessen. Gut.

Zusammen, fast wie eine Einheit, traten sie auf den Treppenaufgang.

»Alles in Ordnung?«, fragte Grace und spähte zu ihm hoch.

Aber Billys Hals hatte sich zugezogen und sein Brustkorb war wie eingeschnürt, also war eine Antwort unmöglich. Stattdessen machte er mit dem Kinn eine Vorwärtsgeste.

Sie begannen, die Treppenstufen hinunterzusteigen.

Fünf Betonstufen. Nur fünf. Billy rechnete sich in Gedanken aus, wie viele Jahre es her war, dass er diese Stufen betreten hatte, aufwärts oder abwärts. Doch er realisierte schnell, dass ihm die Antwort keine guten Dienste leisten würde, daher änderte er das Thema in seinem Hirn.

Über seinem Kopf zwitscherte ein Vogel in einem Dach aus Baumkronen aufgeregt ein Lied.

»Gibt es immer noch Vögel in L.A.?«, wollte er fragen, aber kein Ton kam heraus.

Er versuchte nachzudenken, sich zu erinnern. Wenn Vögel in den Bäumen vor seiner Wohnung zwitscherten, dann musste er sie doch von innen gehört haben. Hatte er das? Er konnte sich nicht mit Sicherheit daran erinnern, aber er glaubte nicht, Vögel gehört zu haben. Bedeutete dies, dass er jetzt auf eine Art und Weise lebendig war, wie er es zuvor nicht gewesen war?

Na klar, wie Grace sagen würde.

Er drehte seinen Kopf, um sein Haus zu sehen, das jetzt drei Gebäude von ihm entfernt war. Er war hinausgegangen, auf die Straße und drei Gebäude weiter, während er über Singvögel nachgedacht hatte. Aber jetzt, da er das Haus dort hinten sah, so entfernt wirkend, holte ihn die Panik ein und raubte ihm den Atem. Es fühlte sich an, als werde sein Brustkorb mit einer Schraubzwinge zerquetscht. Sein Gesicht fühlte sich kalt an, aber gleichzeitig bildeten sich Schweißtropfen auf seiner Stirn.

Ruckartig blieb er stehen.

Rayleen blieb mit ihm stehen, aber Grace, die zwei Schritte weitergegangen war, prallte an seinem Arm zurück.

»Was?«, fragte sie.

Billy konnte nicht sprechen.

»Musst du zurückgehen?«

»Alles in Ordnung?«, fragte Rayleen.

Er schüttelte den Kopf und fand die Bewegung eigenartig beunruhigend. Es war, als wäre er kaum im Gleichgewicht und jede plötzliche Bewegung könnte ihn umwerfen.

»Du kannst zurückgehen«, sagte Rayleen, »wenn du es musst.«

»Nur ein kleines bisschen weiter, Billy«, quengelte Grace. »Bitte, nur bis zu der Ecke.«

Billy schüttelte wieder den Kopf, diesmal vorsichtiger.

»Okay«, sagte Grace. »Das ist okay. Für das erste Mal hast du es gut gemacht.«

Beide ließen seine Hände in genau demselben Moment los und dachten offenbar nicht daran, dass er ein Heliumballon sein könnte und sie der einzige Ballast, der ihn nach unten drückte. Ohne die Wärme ihrer Hände, die ihn auf der Erde gehalten hatten, war es unvorstellbar, drei Häuser entfernt von der Sicherheit seines Zuhauses auf der Straße zu stehen. Was hatte er sich dabei gedacht?

Er rannte los.

Es hätte nur ein paar Sekunden bis zu seiner Haustür dauern sollen, stattdessen aber dehnte sich die Zeit aus – betrog ihn. Er sagte sich selbst, dass es nur eine Illusion sein konnte, aber es war eine sehr lebendige, extreme Illusion. Dennoch, nach gefühlten zehn oder fünfzehn Minuten kam er an der Haustür seines Hauses an, drehte gewaltsam am Türgriff und versuchte die Tür aufzustoßen. Stattdessen prallte er wieder von der Tür ab.

Er versuchte es ein weiteres Mal. Die Tür war abgeschlossen.

Ein Anflug von Panik überkam ihn, und es war eine Reaktion, als werfe jemand einen Eimer voller Fett auf ein bereits loderndes Feuer.

Er stützte sich ab und nahm einen tiefen Atemzug.

»Diese Tür lässt sich nicht abschließen«, sagte er laut und war über die Rückkehr seiner Worte überrascht. Er musste ganze Arbeit geleistet haben, um sich zu beruhigen. »Wir drehen nur den Türgriff nicht richtig.«

Er versuchte es wieder. Es funktionierte nicht. Es gab wirklich nur eine einzige richtige Methode, einen Türgriff umzudrehen. Diese Tür war abgeschlossen.

Er dachte daran zu versuchen, Rayleen und Grace einzuholen, aber das hätte bedeutet, sich in die falsche Richtung zu bewegen. Er schaute sich nach ihnen um, für den Fall, dass sie nahe genug waren, um ihn hören zu können, falls er rief. Sie waren jedoch nirgends zu finden, sie waren verschwunden. Sie mussten um eine Ecke gegangen sein, aber Billy wusste nicht, um welche Ecke oder in welche Richtung sie gelaufen waren.

Der einzige Weg, hier herauszukommen, war die Aufmerksamkeit von einem seiner Nachbarn im Haus zu erregen.

Nicht Jesse, dachte er.

Er hämmerte mit beiden Fäusten gleichzeitig fest an das dicke Glas in der Tür.

»Felipe! Ich bin ausgesperrt! Kannst du kommen und die Tür öffnen?«

Er wartete. Nichts.

Er blickte zum zweiten Stock hinauf. War es Felipes Wohnung, die zur Straße hin lag, deren Fenster er vom Treppenabsatz aus sehen konnte? Oder war es Jesses? Er wusste es nicht, weil er noch nie dort oben gewesen war.

»Mrs Hinman!«, brüllte er.

Ein paar verzweifelte Sekunden später wurde ein Fenster im dritten Stock geöffnet, und Mrs Hinmans Kopf schaute heraus.

»Große Güte«, sagte sie. »Wozu in aller Welt dieses Geschrei?«

»Ich bin ausgesperrt«, rief Billy. Als er seine eigenen Worte hörte, flossen ein paar heiße Tränen über sein Gesicht. Er konnte sich nicht zurückhalten, so sehr er es auch versuchte.

»Nun, große Güte. Das ist kein Grund, so einen Aufstand zu machen. Warum haben Sie nicht Ihren Schlüssel mitgenommen?«

»Das habe ich! Ich habe meinen Schlüssel mitgenommen! Für meine Wohnung! Diese Haustür ist nicht abschließbar!«

»Aber natürlich ist sie es, sonst wären Sie doch nicht ausgesperrt.«

»Seit wann? Seit wann ist diese Haustür abschließbar?«

»Oh, mindestens seit zehn Jahren.«

Billy ließ sich auf den Treppenabsatz sinken, sein Rücken gegen die Tür gelehnt. Von dieser Position aus konnte er Mrs Hinman nicht sehen, was eine Verbesserung zu sein schien.

»Oder zumindest seit acht oder neun«, konnte er sie sagen hören.

Sein ganzer Kampfeswille war erloschen. Er drückte den Rücken fester gegen die Tür und fühlte sich ausgelaugt und krank. Er musste immer noch hineinkommen, aber er hatte kaum noch die Energie, um etwas dafür zu tun.

»Können Sie herunterkommen und mich hereinlassen?«, rief er und war sich nicht sicher, ob seine Lautstärke ausreichte, um sie zu erreichen.

»Ich denke, ich könnte es, aber die Treppenstufen sind furchtbar schlecht für meine Knie.«

»Können Sie sich bitte beeilen?«

»Also, warum in aller Welt fragen Sie mich, ob ich mich beeilen kann, wenn ich Ihnen doch gerade gesagt habe, dass die Stufen schlecht für meine Knie sind?«

Billy schloss die Augen und hatte sich schon teilweise damit abgefunden, in der Hölle festzusitzen. Das ist es, was passiert, wenn man hinausgeht. Das oder etwas anderes, das nicht kontrollierbar ist. Man verlässt seine sichere Umgebung, und Dinge passieren einfach, und was macht man dann? Na, da gibt es wirklich nicht viel, was man tun kann. Man steckt fest. Das ist es, was man bekommt.

Die Tür hinter Billy wurde plötzlich geöffnet, und Billy kippte nach hinten um, in das Treppenhaus. Er sah auf und sah Jesse über sich stehen.

»Alles in Ordnung, Nachbar?«

Verdammt.

»Ich war ausgesperrt«, sagte er und klang wie ein Kind. Verdammt nochmal! Verdammt nochmal! Verdammt nochmal! Sein Gesicht war nass vor Tränen, er war in einem offsichtlichen Zustand lähmender Panik gefangen, und seine Turnschuhe waren zu weiß. Es war nicht so, wie er gesehen werden wollte. Verdammt! »Ich bin rausgegangen und wusste nicht, dass ein Türschloss eingebaut wurde. Ich habe mich ausgesperrt.«

Jesse reichte ihm eine Hand, um ihm hochzuhelfen.

Billy schaute die ausgestreckte Hand zu lange an, bevor er sie ergriff. Er spürte das Zittern seiner eigenen Hand, als Jesse ihn hochzog, und er wusste, dass Jesse es auch spüren konnte.

»Du bist aber rausgegangen«, sagte Jesse. »Das war gut.«

O Gott. Er weiß es. Er weiß alles.

»Ich muss üben«, sagte Billy mit wackliger Stimme.

Sie gingen zusammen den Hausflur entlang zu Billys Wohnungstür. Jesse hatte eine Hand auf Billys Schulter gelegt. Offenbar war Jesse schlau genug, um einen Heliumballon zu erkennen, wenn er einen sah. Er hütete sich davor, ihn loszulassen.

Mit zitternden Händen grub Billy seinen Schlüssel aus seiner Hosentasche und öffnete die Tür.

Als er in seinen vertrauten Kokon trat, floss alles von ihm ab. Alles. Seine Panik. Seine Energie. Seine Fähigkeit zu denken. Alles. Er blieb leer und ausgehöhlt zurück – wie eine Muschel, die am Strand angeschwemmt wird, wenn der darin lebende Organismus gestorben ist und seinen Platz geräumt hat.

Er ließ sich auf die Couch fallen und sah Jesse mit getrübten Augen an.

»Ich fand es interessant«, sagte Jesse, »als du sagtest, du würdest zu Grace' Tanzaufführung gehen. Ich dachte, wow! Wenn man unter Agoraphobie leidet, ist das eine große Leistung.«

Alles verloren, dachte Billy, aber zum Glück stand hinter dem Gedanken nicht viel Gefühl. Jesse weiß alles.

»Ich dachte, ich könnte es üben«, sagte Billy in kaum mehr als einem Flüstern.

»Du kannst es«, sagte Jesse und setzte sich zu nah neben ihn. »Heute war ein prächtiges Beispiel.«

»Morgen wird es besser sein, weil ich dir einen Schlüssel für die Haustür machen lasse.«

Die Katze kam miauend auf sie zu. Billy nahm sie hoch und hielt sie an sich gedrückt. Er genoss ihre Wärme, die Weichheit ihres Fells und das rumpelnde Geräusch ihres Schnurrens. Leider verursachte die Katze, dass er ein paar weitere Tränen nicht aufhalten konnte. Aber es war ohnehin zu spät. Es war zu spät, um vor Jesse zu verbergen, wer er war.

»Ich glaube nicht, dass ein Tag ausreichen wird, um mich zu erholen.«

»Okay. Übermorgen.«

»Ich glaube nicht, dass ich das kann.« Billy vergrub sein Gesicht im Fell der Katze.

»Brauchst du Hilfe?«

Billy schaute auf, sich halb bewusst, dass er ein Katzenhaar im Auge hatte. »Welche Art von Hilfe?«

»Willst du, dass ich mitkomme? Es ist besser, wenn du nicht allein bist, stimmt's?«

»Ich war nicht allein. Genau genommen. Ich habe Rayleen und Grace auf dem Schulweg begleitet. Aber dann musste ich zurückgehen, und sie liefen weiter.«

»Wenn ich mitkäme, könnte ich also dafür sorgen, dass du gut zurückkommst.«

Es war zu viel. Es war einfach alles zu viel. Einerseits löste der Gedanke an einen Spaziergang mit Jesse jeden Morgen ein Hochgefühl in Billy aus. Aber auf diese Art? Mit Jesse als Kindermädchen, das dafür sorgte, dass er nach Hause kam, ohne zusammenzubrechen? Es waren einfach zu viele Gefühle auf einmal, und Billy hatte keine Kapazitäten übrig, um sie zu verarbeiten.

»Ich schäme mich so«, sagte er.

»Warum? Warum solltest du dich schämen? Ich hatte einen Onkel, der an Agoraphobie und einer Panikstörung litt. Er versuchte niemals rauszugehen, in der ganzen Zeit, in der ich ihn gekannt hatte. Du hast es immerhin versucht.«

»Ich habe es versucht«, sprach Billy wie ein Papagei nach. »Und ich habe versagt.«

»Na und?«, sagte Jesse, »versuch es einfach weiter.«

Grace

Billy hielt Grace' Hand, als sie die Treppe zu Jesses Wohnung hochgingen.

Billy war gut gekleidet, in einem weißen Pulli und Jeans, und Rayleen hatte seine Haare geschnitten und geföhnt, so dass sein Haar jetzt weich und glänzend war. Er sah aus wie ein normaler Mensch, genau so wie jeder andere. Außerdem ging er wie jeder andere die Treppe zu Jesses Wohnung hoch. Vielleicht hatte ihm dieser kurze Spaziergang am Montag gutgetan. Andererseits waren vier weitere Schultage vergangen, und Billy hatte sie alle ignoriert und war zu Hause geblieben. Also hatte ihm der Spaziergang vielleicht doch nicht geholfen.

»Du machst das gut, wie du die Treppe raufgehst«, sagte Grace, denn ihr Lehrer hatte ihr beigebracht, dass man immer etwas Positives und Nettes über jemanden sagen soll, bevor man eine Kritk anbringt.

»Danke«, gab er zurück. Außerhalb seiner Wohnung war er nie sehr gesprächig.

»Aber du versuchst wieder, den Weg zu meiner Schule zu gehen, oder?«

»Oh«, sagte Billy, als hätte sie ihn gerade aufgeweckt. »Oh. Stimmt, das. Ja. Morgen. Morgen mach ich's.«

»Morgen ist Sonntag. Du hast den ganzen Rest der Woche verpasst. Du weißt, dass heute Samstag sein muss, denn wenn nicht Samstag wäre, könnte es nicht der erste Tag sein, an dem alle zur gleichen Zeit zu der Räucherzeremonie kommen können. Wusstest du das wirklich nicht?«

»Ich hatte mich bemüht, nicht darüber nachzudenken.«

Grace war bereit gewesen, mit ihm zu streiten, tat es dann aber doch nicht, weil dies eine sehr ehrliche Antwort gewesen war.

Schließlich standen sie vor der Tür der Wohnung, die ehemals Mr Laffertys Wohnung gewesen war. Grace fühlte die Nervosität in ihrem Bauch, denn ihre letzten Male hier oben waren seltsam gewesen, trotz der Ankunft der Katze, die ein Highlight gewesen war. Billys Hand umschloss ihre Hand etwas fester, wobei sie dachte, dass seine Nervosität nicht denselben Grund haben konnte wie ihre, aber sie kannte seinen Grund nicht.

»Jesse wird beim nächsten Schulweg mitkommen«, sagte er.

»Warum?«

»Für meine moralische Unterstützung.«

»Was ist so unmoralisch daran?«

»Nicht diese Art von Moral, sondern die geistig-seelische Verfassung. Wenn man zum Beispiel die Moral von jemandem bessern will, kommt man zur moralischen Unterstützung mit.«

»Ich habe Schwierigkeiten, dich zu verstehen, wenn du redest, Billy.«

»Ich weiß. Es ist ein Wunder, dass du es mit mir aushältst.«

»Ja. Okay. Gut, bring also Jesse mit. Ich mag Jesse. Aber Rayleen wird sauer sein.«

»Stimmt«, sagte Billy, »das wird sie.«

Die Tür wurde weit geöffnet. »Nachbarn!«, begrüßte Jesse sie erfreut.

Dann sah er lange Billy an, hielt ihn an den Schultern und drehte ihn zuerst zur einen Seite, dann zur anderen, als gäbe es Seiten von Billy, die er noch nicht gesehen hatte.

»Du hast deine Haare geschnitten.«

»Rayleen hat sie geschnitten«, sagte Billy verlegen.

»Sieht gut aus. Sie hat gute Arbeit geleistet.«

»Sie sagte immer wieder, sie könne das nicht, nur Bella könne es. Aber ich sagte ihr, dass, was auch immer sie tun würde, besser wäre, als es so zu lassen, wie es war. Als ich sie schließlich zermürbt hatte, stellte es sich als ausgezeichnet heraus.«

»Das waren eine Menge Haare nach all diesen Jahren.«

»Du sagst es. Ich fühle mich merkwürdig leicht.«

»Du solltest sie spenden, an diese Organisation …«

Grace wusste, was er sagen wollte, also unterbrach sie ihn und sagte: »… die Perücken für Leute mit Krebs macht! Rayleen hat daran gedacht. Sie hat seinen Pferdeschwanz mit zur Arbeit genommen, damit sie die Haare spenden kann.«

»Ich hätte wissen sollen, dass Rayleen an alles denkt«, sagte Jesse.

•••

Der weiße Salbei kitzelte Grace in der Nase, und sie fühlte sich, als müsste sie niesen. Er war zu einer Art Stock zusammengewickelt, wie die dickste Zigarre der Welt aus Salbeiblättern. Aber anstatt in einem großen, festen Blatt zusammengewickelt zu sein wie eine Zigarre, war der Salbei in einem Kreuzmuster aus dicken blauen und grünen Fäden zusammengebunden, die zusammen mit dem Salbei brannten. Jesse hielt eine ganze Weile lang ein Feuerzeug an das Ende des Stocks, während Grace zuschaute, wie ein Rauchkringel aufstieg, bis er die Decke von Mr Laffertys ehemaliger Wohnung berührte.

Jesse hatte sie alle in einem Kreis versammelt, mit einem Teller in der Mitte, für den Salbei, wenn er ihn ablegen musste. Neben dem Teller stand eine Kupferschüssel und lag ein kurzer, dicker, geschnitzter Holzstock. Grace hatte beide Dinge betrachtet, weil sie wusste, dass sie irgendwie dazugehörten, aber sie wusste nicht, wozu sie da waren.

Sie schaute sich den Kreis und die Wohnung an. Jesse hatte nicht viele Möbel, wahrscheinlich weil er mit einem Flugzeug nach L.A. gekommen war und nur für ein paar Monate blieb. Aber trotzdem, selbst ohne viele Sachen war die Wohnung schön, denn Jesse hatte alle Gardinen zurückgezogen und die Fenster weit geöffnet. Also gab es viel Licht und Luft. Niemand sonst hatte Licht und Luft in seiner Wohnung. Grace wusste, dass sich alle vor unverschlossenen Türen fürchteten und Angst voreinander hatten, aber was konnten sie gegen Licht und Luft haben?

Grace spürte bereits, dass sie Jesse vermissen würde, wenn er wieder wegzog.

»Warte«, sagte sie zu ihm. »Wir können noch nicht anfangen. Es fehlt noch jemand.«

Sie stellte in ihrem Kopf eine kurze Berechnung an. Billy war da und Jesse natürlich und Rayleen und Felipe und natürlich Grace selbst.

»Mrs Hinman!«, sagte sie, »wir müssen auf Mrs Hinman warten.«

»Sie kommt nicht«, erwiderte Jesse. »Sie sagt, es sei lächerlich.«

»Oh«, sagte Grace, überraschenderweise enttäuscht darüber, dass es immer noch Unstimmigkeiten in der Gruppe gab. »Aber es ist nicht lächerlich, oder?«

»Ich glaube, es ist dann lächerlich, wenn du denkst, dass es so ist«, antwortete Jesse.

Das war einer dieser Sätze, die anscheinend für Erwachsene einen Sinn ergaben – und Grace war klug genug, ihn nicht in Frage zu stellen.

Jesse legte das Feuerzeug ab und blies das Ende des Salbeistocks an, das hellrot aufglühte.

»An den früheren Mr Lafferty«, sagte Jesse, als würde er ihn direkt ansprechen. Als befinde sich Mr Lafferty direkt bei der Versammlung und keinesfalls »früher«. »Ich kannte Sie überhaupt nicht, aber diese Leute, die ich heute hierhergebracht habe, kannten Sie alle. Ich glaube, sie haben ein paar Gedanken, die sie loswerden wollen. Sie denken, dass Sie unfreundlich zu ihnen waren, und ich sage nicht, dass Sie es nicht gewesen sind. Ich sehe keinen Grund, weshalb diese Leute lügen sollten. Aber nun, da ich hier in Ihrer übrig gebliebenen Energie lebe, will ich ihnen etwas erzählen, das sie wahrscheinlich nicht wussten – und vielleicht wussten auch Sie selbst es nicht. Sie hatten Angst. Wussten Sie, dass Sie sich gemein verhielten, weil Sie Angst hatten? Ich weiß, wie sich Furcht anfühlt, und das ist es, was Sie in diesem Zimmer zurückgelassen haben. Also werden wir dieses Zimmer von all der übrig gebliebenen Furcht reinigen, aber wir werden uns gerade genug daran erinnern, um zu wissen, wie wir unsere Leben leben und weniger Angst haben können. Sehen Sie? Alles hat einen Zweck, selbst wenn es uns nur an das erinnert, was wir nicht tun sollen.«

Jesse stand vor Billy, und Billy hatte dieses seltsame, scheue Lächeln im Gesicht, das Grace noch nie zuvor gesehen hatte. Es schien, als sei er verlegen, aber auf eine Art, die ihm irgendwie gefiel. Er sah auch nicht aus, als könne er es nicht erwarten, in seine eigene Wohnung zurückzurennen. Aber vielleicht war es trotzdem so, und Grace konnte es nur nicht von außen erkennen. Oder es lag an der moralischen Unterstützung, die Jesse ihm gab.

Jesse blies das Ende des Salbeistocks an und schickte einen weichen Rauchkringel in Billys Richtung. Jesse wedelte so mit der Hand durch den Rauch, dass der Rauch um Billy herumwaberte, von der Stelle über seinem Kopf bis unter seine Knie. Billy musste nicht niesen.

»Gleichzeitig mit der Wohnung räuchere ich jeden einzelnen von euch ein«, sagte Jesse, »für den Fall, dass ihr etwas von seiner übriggebliebenen Energie in euch habt. Billy? Willst du ein paar Worte zu deinem früheren Nachbarn sagen?«

Billy füllte seine Lungen mit Luft, und Grace konnte sehen, wie sich sein Brustkorb ausdehnte und größer wurde.

»Ja. Ich habe mich dazu entschlossen, Ihnen zu vergeben«, sagte Billy und sah so überrascht aus, als hätte jemand anders diesen Satz gesagt. Er schaute sich kurz um, bevor er weitersprach. »Ich vergebe Ihnen, dass Sie mich angebrüllt haben, als ich Sie nur vom Fenster aus angesehen hatte, und ich vergebe Ihnen all die schrecklich bösartigen Dinge, die Sie gesagt haben, als Sie an jenem Tag an meine Tür kamen. Ich vergebe Ihnen wirklich. Ich sage das nicht nur, weil ich glaube, dass ich es sollte. Plötzlich möchte ich Ihnen wirklich vergeben. Wissen Sie warum?« Er schaute auf, und sein Blick wanderte über die Decke, als versuchte er zu entscheiden, in welche Richtung er sprechen sollte. »Weil ich mit Ihnen nur zwei Mal zu tun haben musste, Sie aber mussten mit sich selbst jede Minute eines jeden Tages leben, was wahrscheinlich der Grund dafür ist, dass Sie nicht sehr lange lebten. Also fühle ich jetzt, dass ich Glück hatte. Und Sie tun mir leid. Also, was auch immer Sie getan oder zu mir gesagt haben, zur Hölle damit. Ich bin ernsthaft bereit, es hinter mir zu lassen.«

Billy richtete den Blick von der Zimmerdecke zu Jesse, der ihn anlächelte. Das Lächeln löste in Billy wieder diesen seltsamen, scheuen Gesichtsausdruck aus.

Jesse erreichte, dass Leute Dinge taten, die sie sonst niemals taten, und sich so verhielten wie nie zuvor, dachte Grace. Jesse war magisch. Nicht magisch magisch, aber er war mehr als nur eine normale menschliche Person. Er war einfach besser darin, Dinge zu bewirken als irgendjemand sonst, zumindest in der Welt von Grace.

»Oh!«, sagte Grace laut, und alle drehten sich herum und schauten sie an. »Sorry«, sagte sie. »Nichts, es ist nichts. Ich habe nur plötzlich etwas herausgefunden.«

Jesse hatte keine Angst vor anderen Leuten. Das war es, was sie herausgefunden hatte. Grace hatte endlich jemanden getroffen, der keine Angst vor anderen Leuten hatte! Das unterschied ihn auch so von den anderen. Aber Grace behielt das für sich.

Jesse hielt die kleine Kupferschüssel in seiner Handfläche und gab Billy den geschnitzten Stock. Er zeigte ihm, wie er einmal kurz gegen die Schüssel schlagen musste, als sei sie ein Gong. Billy versuchte es, und dieser erstaunliche Klang füllte das Zimmer aus, wie eine Glocke, die läutete, hoch und klar. Der Klang dauerte und dauerte an. Er bewirkte ein angenehmes Kribbeln in Grace' innerem Zentrum.

Jesse machte mit Felipe weiter und hüllte ihn mit den kleinen Linien und Kringeln von weißlichem Rauch ein. Felipe sah so ernst aus, als hätte er einen wichtigen Job zu erledigen.

»Also, irgendwie dachte ich, dass ich ihm nicht vergeben würde«, sagte Felipe, »denn es ist schwer, jemandem zu vergeben, der dich aus einem so schlechten Grund hasst. Aber vielleicht hatte er einfach Angst vor mir, wie Jesse sagt. Außerdem, wenn Billy es tut, kann ich versuchen, es auch zu tun.«

Felipe nahm den Stock von Billy und schlug gegen die Schüssel, und der Klang war viel kürzer und härter. Diesmal schmerzte es ein wenig in Grace' Ohren, aber sie mochte den Klang immer noch.

Dann gab Felipe Grace den geschnitzten Stock.

Jesse blies wieder gegen den Salbei, und eine Rauchwolke bauschte sich auf und wehte um Grace herum. Sie musste niesen. Es erinnerte sie an Peter Lafferty, der in dieser Wohnung genießt hatte, weil er gegen die Katze allergisch war. Ihre Katze. Der Gedanke, dass Mr Lafferty, die weibliche Katze, jemals zu jemand anderem gehört hatte als zu ihr, war schon jetzt seltsam.

»Gesundheit«, sagte Jesse.

»Danke«, antwortete Grace. »Ich mochte ihn eigentlich ganz gern. Dabei habe ich nicht gedacht, dass er nicht gemein sei. Das war er schon. Aber er hat ein paar nette Sachen für mich getan. Also hat zumindest eine Person etwas Nettes über Sie zu sagen, Mr Lafferty. Wenigstens ist es nicht so, dass Sie einfach gestorben wären und es hätte niemanden berührt. Oh. Und übrigens, wir sorgen gut für die Katze.«

Grace wartete darauf, dass Rayleen an die Reihe kam. Aber Jesse bewegte sich nicht weg. Gerade, als sie überlegte warum, hielt Jesse die Schüssel in seiner Handfläche hoch.

»Oh. Stimmt. Sorry.«

Sie klopfte mit dem Stock gegen die Schüssel und dachte, es sei ein guter, fester Schlag, aber die Schüssel machte nur einen zwar schönen, aber leisen Ton, der schon nach kurzer Zeit verklang. Genau das Gegenteil von mir, dachte Grace. Leiser als man es erwarten würde.

Jesse machte weiter und stand vor Rayleen, der er direkt ins Gesicht sah. Aber Rayleen schaute einfach weiter auf das glühende Ende des zusammengebundenen Salbeis. Jesse umhüllte sie wedelnd mit Rauch, aber es schien länger zu dauern als bei den anderen, zumindest erschien es Grace lange.

»Okay, das ist gut«, sagte Rayleen, aber sie klang nicht, als ob sie meinte, dass es gut sei. Sie klang, als meinte sie, es sei genug. »Ich weiß verdammt wenig darüber, wie man Leuten vergibt, um ehrlich zu sein. Ich bin nicht dagegen, ich habe nur einfach nicht viel Übung darin. Ich habe einfach mehr oder weniger meine Regeln und ziehe sie durch. Ich kam eigentlich nur Grace zuliebe hierher. Und ich kann hier nicht stehen – so wie

Billy – und sagen, dass ich es wirklich meine. Aber, wie Felipe sagte, wenn Billy bereit ist, es zu tun, dann kann ich es wahrscheinlich auch tun. Oder zumindest kann ich es versuchen. Er war ganz sicher ein unglücklicher Typ. Ich verstehe, was Billy damit gemeint hat.«

Sie übernahm den Holzstock von Grace, schlug gegen die Schüssel, und ein gewaltiger Ton erklang. Er wabbelte. Er schallte. Er waberte durch den Raum und blieb in der Luft hängen. Alle standen still da und bewunderten, wie lange es dauerte, bis der Ton verklang. Zumindest wusste Grace, dass sie es bewunderte. Da alle anderen so still dastanden, nahm sie an, dass sie den Klang auch bewunderten.

Grace fragte sich, ob Mrs Hinman von oben diesen letzten, lauten Klang gehört haben mochte, und sie fand es schade, dass sie nicht gekommen war. Schließlich klang es so wunderschön und auf keinen Fall lächerlich.

•••

»Wir müssen warten«, sagte Grace und zog die Riemen ihres Rucksacks höher auf ihre Schultern.

»Auf was?«, fragte Rayleen und klang etwas benebelt.

Manchmal konnte Rayleen am Morgen zwei oder sogar drei Tassen Kaffee trinken, und sie hörte sich immer noch so an, als sei sie gerade erst aus dem Bett gerollt. Grace hatte dies schon einige Male bemerkt, und heute schien solch ein Morgen zu sein.

»Billy kommt mit.«

»Oh. Gut.«

Einen Augenblick später hörten sie, wie jemand die Treppe hinuntertrabte, und dann erschien Jesse, der ihnen entgegenjoggte. Seine Kopfhaut glänzte, als hätte er sich gerade rasiert, außerdem sah sein Bart frisch geschnitten aus.

»Ich bin bereit«, sagte er.

»Für was?«, fragte Rayleen.

Sie klang jetzt ein wenig defensiv. Außerdem bemerkte Grace, dass sich Rayleen mit den Fingern durch ihr Haar strich, um es aufzuschütteln und dann wieder zu glätten, was seltsam schien. Ihre Haare sahen ein wenig ungekämmt aus, was untypisch für Rayleen war, aber wenn es ihr nichts ausmachte, dass Grace sie so sah und sie Jesse ohnehin nicht mochte, warum brachte sie ihre Haare dann jetzt in Ordnung?

»Ich komme mit«, sagte Jesse.

»Seit wann?«

»Es ist, um Billy zu helfen«, redete Grace dazwischen, »es ist für Billys moralische Unterstützung.«

»Warum sind *wir* keine moralische Unterstützung für Billy?«, fragte Rayleen. »Ich dachte, deshalb käme er mit uns.«

Jesse machte einen Schritt auf sie zu und stand nahe bei Rayleen, für ihren Geschmack vielleicht zu nah, denn sie machte einen Schritt zurück.

»Aber das nützt nichts, wenn er nicht den ganzen Weg schafft. Dann musst du den ganzen Weg zur Schule bei Grace bleiben, und er kommt allein nach Hause, und dann ist keiner da, um sicherzustellen, dass er nicht wieder in eine Katastrophe gerät wie beim letzten Mal.«

Eine kurze Stille trat ein, in der sich Grace fragte, ob Rayleen wusste, in welche Katastrophe Billy beim letzten Mal geraten war, denn sie verstand nicht, wovon Jesse sprach.

»Was ist letztes Mal passiert?«, fragte Rayleen.

»Das wusstest du nicht?«

»Ich habe es ihnen nicht direkt erzählt«, hörten sie Billys Stimme.

Billy trat in den Hausflur. Er trug einen schönen schwarzen Pulli, Jeans und Sandalen und sah aus wie jemand, der vorhatte, sich zu entspannen. Grace nahm an, dass es in Billys Fall wenigstens auf einen Versuch ankam.

»Billy«, sagte Rayleen, als sei sie die Mutter und er ein ungezogenes Kind. »Warum hast du mir nicht gesagt, dass beim letzten Mal etwas passiert ist? Was ist passiert?«

»Erste Frage, weil es beschämend war und ich nicht darüber reden wollte. Zweite Frage, ich hatte mich ausgesperrt, weil ich nicht wusste, dass seit meinem Einzug ein Schloss an der Haustür angebracht worden ist. Also kommt Jesse mit uns und geht dann mit mir nach Hause. Das ist in Ordnung, oder?«

»Sicher, alles okay«, sagte Rayleen. »Lasst uns einfach gehen.«

Sie gingen, aber die Stimmung fühlte sich angespannt an und mehrere Straßen lang redete niemand irgendetwas – außer Jesse, der zwei Schritte hinter ihnen mit Billy ging. Er sprach leise mit Billy, um ihn zu beruhigen, so ähnlich wie die Leute in Western-Filmen, die einem Pferd zureden, damit es nicht launisch wird und den Reiter abwirft.

Grace schaute immer wieder zurück und Billy blieb weiterhin hinter ihnen, was an sich schon eine Art Wunder war.

»Jesse ist magisch«, flüsterte Grace, als sie sich sicher war, dass Rayleen es nicht hören konnte.

»Was hast du gesagt?«, murmelte Rayleen, immer noch verschlafen klingend.

»Nichts.«

Grace drehte sich wieder um und sah, wie Jesse während des Laufens eine Hand an Billys Nacken gelegt hatte, als gäbe er ihm eine kleine Mini-Massage. Es war interessant zu beobachten, also ging Grace ein paar Schritte zurück und sah ihnen zu.

»Lockere dich«, sagte Jesse zu Billy. »Versuch, hier locker zu werden.« Dann benutzte er beide Hände, um Billys Schultern zu reiben. »Und hier. Lass all das hier gehen. Okay, das ist gut, aber ich glaube, du hast wieder vergessen zu atmen.«

Billy atmete so tief ein, dass Grace hören konnte, wie die Luft in ihn strömte.

»Schon besser«, sagte Jesse, »aber wenn du es schaffst, versuche gleichmäßiger zu atmen. Nicht immer so nach dem Motto: Alles oder nichts.«

Grace schaute an ihnen vorbei und sah, dass sie bereits drei Straßen von ihrem Haus entfernt waren.

»Billy«, schrie sie schrill auf, »du bist so weit gekommen!«

Billy riss die Augen weit auf und versuchte den Kopf zu drehen, aber Jesse nutzte seine Hand an Billys Nacken, um zu verhindern, dass Billy sich umschaute.

»Nein«, sagte Jesse, »schau nicht zurück. Das ist, als würde man hinunterschauen, wenn man auf einem Drahtseil balanciert. Geh noch einen Schritt vorwärts. Konzentriere dich auf den Schritt, den du als nächstes machst. Es ist egal, was vor dir oder hinter dir liegt. Es geht nur um diesen Schritt, den du gerade machst.«

Rayleen legte eine Hand auf Grace' Schulter und drehte sie wieder herum.

»Denen geht es gut. Und außerdem will ich nicht, dass du stolperst.«

Also schaute und ging Grace vorwärts, aber sie hielt ihre Ohren gespitzt, um Billy und Jesse hinter ihnen zu hören. Sie hörte allem zu, was Jesse sagte, aber sie sprach kein Wort mehr mit ihnen, da sie nicht diejenige sein wollte, wegen der Billy zurückschaute und Angst bekam.

Nicht mehr als zwei Minuten später tauchte die Schule vor ihnen auf. Sie befanden sich in derselben Straße wie ihre Schule! Grace hielt an und sprang herum, sie waren also immer noch da. Billy war immer noch da!

»Billy, du hast es geschafft!«, schrie sie. »Du bist zu meiner Schule gelaufen!«

Grace umarmte ihn.

»Ich muss jetzt nach Hause gehen«, sagte er in einem heiseren Flüstern, als hätte er eine Halsentzündung und während des Weges seine Stimme verloren.

»Du hast es aber so gut gemacht!«

Billy küsste Grace auf den Kopf, dann drehte er sich um und rannte los. Schnell wie der Wind. Grace hatte nicht gewusst, dass Billy so schnell rennen konnte. Das musste von seinem jahrelangen Tanztraining kommen.

Jesse hob den Arm und winkte. »Tut mir leid, dass ich nicht warten und mit dir zurücklaufen kann, Rayleen.« Dann legte er los und rannte Billy hinterher.

»Jesse, du bist magisch!«, rief Grace ihm nach.

Sie war sich nicht sicher, ob er sie gehört hatte. Aber nachdem sie es nicht mehr zurücknehmen oder ungesagt machen konnte, merkte Grace, dass Rayleen es auf jeden Fall gehört hatte.

Grace stand besonders nah bei Rayleen und sah den beiden beim Rennen zu. Sie sagte: »Ich kann jetzt endlich wirklich glauben, dass Billy zu meiner Schule kommen wird, um mir beim Tanzen zuzusehen. Ich dachte schon, dass ich es vorher geglaubt hätte, aber jetzt glaube ich es wirklich und weiß es. Vorher wusste ich es nicht wirklich, obwohl ich dachte, ich wüsste es. Kannst du ihn tatsächlich nicht leiden? Denn alle anderen finden, dass er toll ist.«

»Machst du Witze? Ich liebe Billy«, sagte Rayleen, und bevor Grace auch nur etwas sagen konnte, sagte sie: »Oh. Jesse.«

»Ich möchte mich nicht in deine Angelegenheiten einmischen. Ich habe mich das nur gefragt, weil es so schwer scheint, ihn nicht zu mögen.«

Rayleen seufzte und Grace wartete ab.

»Er scheint nett zu sein«, sagte Rayleen. »Ich will nur nicht verkuppelt werden. Noch nicht mal mit jemand Nettem.«

»Ich habe das nicht versucht«, rief Grace, trat zurück und hob defensiv ihre Hände, wie ein Schild.

»Ich weiß«, sagte Rayleen. »Tut mir leid, ich hätte deshalb neulich nicht so mürrisch sein sollen.«

»Ja, du warst wirklich mürrisch«, sagte Grace.

»Hast du jemals etwas Falsches getan?«

»Hm. Ja. Oft.«

»Würdest du nicht wollen, dass jemand deine Entschuldigung akzeptiert?«

»Ja. Verstanden. Okay, ich akzeptiere sie. Es hat mich aber verletzt.«

Rayleen beugte sich hinunter und umarmte Grace.

»Tut mir leid, dass ich dich verletzt habe«, sagte sie. Dann küsste sie Grace auf die Wange. »Hab einen guten Tag in der Schule.«

Grace musste sich schnell zwei verirrte Tränen aus den Augen wischen, bevor jemand aus der Schule sie sehen konnte.

Billy

Billy schloss sich sicher in seine Wohnung ein und fühlte sich, als wäre er mindestens drei Marathons in drei Tagen gerannt, ohne dazwischen auch nur eine einzige Nacht Schlaf zu bekommen.

Er wusch sich das Gesicht und gab dem Gefühl der Erschöpfung in seiner Bauchgegend nach. Dann schlüpfte er wieder in seinen Pyjama, zog alle Vorhänge zu, vergrub sich in sein Bett und war bereit, den ganzen Tag zu verschlafen.

Keine zehn Minuten später wurde er durch ein Hämmern an der Tür aufgeschreckt.

Es erschrak ihn nicht nur, weil es so plötzlich kam. Es machte ihm Sorgen, da seit einer Weile schon niemand mehr an die Tür hämmerte. Grace und Rayleen benutzten ihr Klopfsignal, Felipe klopfte ganz leise, Jesse klopfte wie ein Gentleman, Mr Lafferty war tot und Mrs Hinman kam nicht vorbei. Und Grace' Mom war immer noch nicht ansprechbar, zumindest soweit er wusste.

»Wer ist da?«, rief er, seine Stimme klang beschämend zitternd. Er hatte keine Energie mehr übrig für … nun, für alles.

»Rayleen.« Es war Rayleens Stimme. Billy öffnete.

»Heute kein Klopfsignal?«

»Oh. Sorry. Stimmt, das hatte ich vergessen. Also, ist er weg?«

»Ist wer weg? Oh. Du meinst Jesse.«

»Und ob ich Jesse meine.«

»Er ist oben in seiner Wohnung. Warum?«

Aber Rayleen stand einfach da und gab keine Antwort.

»Willst du reinkommen?«, fragte Billy. Und sie trat ein.

»Du scheinst aufgebracht zu sein«, sagte er, weil jemand etwas sagen musste.

»Denkst du wirklich, dass er das getan hat, weil er sich um dich kümmert?«, fragte sie schließlich und ließ sich in seinem großen Sessel nieder.

Billy fragte sich, ob sie ihre Katzenallergie vergessen hatte oder einfach zu aufgebracht war, um ihre Zeit mit einem solchen Thema zu vergeuden.

»Ja«, sagte Billy, »absolut.«

»Du meinst nicht, dass er mitgekommen sein könnte, um sich an mich ranzumachen?«

»Nein, das glaube ich nicht. Als er zum ersten Mal angeboten hatte, mir zu helfen, hatte er keine Ahnung, dass ich nicht allein rausgehen würde.«

»Oh«, sagte Rayleen nur.

Billy beobachtete, wie sich eine unangenehme Änderung in ihr vollzog. Sie war wütend hereingekommen, aber der Ärger hatte ihr eine gewisse Sicherheit gegeben. Billy konnte dies sehen und spüren. Jetzt hatte er ihr diesen Ärger weggezogen wie ein Betttuch, auf dem sie geschlafen hatte. Sie kämpfte darum, die Situation wieder in den Griff zu bekommen, und es fiel schwer, ihr dabei zuzusehen.

Er setzte sich an das äußerste Ende der Couch.

Rayleen vergrub ihr Gesicht in den Händen.

»Ich hoffe, was ich jetzt sagen werde, ärgert dich nicht. Aber es fällt mir schwer zu verstehen, weshalb du so aus der Fassung gerätst. Ich meine, wenn du nicht mit ihm ausgehen willst, warum sagst du nicht einfach Nein?«

Eine lange Stille entstand, in der Rayleen die Hände nicht von ihrem Gesicht nahm.

Schließlich sagte sie: »Aber was ist, wenn »nein« die falsche Antwort ist?«

»Ah«, sagte Billy und stand auf. »Ich mache uns einen Kaffee.«

•••

Als er mit zwei Tassen Kaffee in sein Wohnzimmer zurückkam, sah er sie mit angezogenen Knien zusammengerollt in seinem großen Sessel sitzen, ihr Gesicht in den Händen vergraben.

Sie weinte.

»Hey«, sagte er leise und setzte sich in ihre Nähe. »Hey, hey. Was ist los? Du machst mir Angst. Mach mir keine Angst. Vergiss nicht, dass *ich* hier das emotionale Wrack bin.«

Rayleen schaute hoch und lächelte traurig. Es war nur der Anflug eines kleinen Lächelns. Ihr Make-up war völlig verschmiert, und ihre Wimperntusche lief ihre Wangen herunter.

»Du hast aber nicht das Monopol darauf«, sagte sie.

»Nein, aber ich spiele immer noch die Hauptrolle, wenn es um emotionale Wracks geht. Erzähl mir, was los ist.«

»Ich habe einfach Probleme mit Männern, das ist alles. Ich vertraue niemandem. Es ist ein sehr altes Überbleibsel aus der Zeit, als ich neun Jahre alt war und in das Pflegesystem geworfen wurde. Und das ist alles, was ich darüber sagen werde, weil … na ja, weil das alles ist, was ich darüber sagen werde. Ich rede nicht über diese Zeit.«

Billy konnte hören, wie sich die Heiserkeit in ihrem Hals aufbaute. Vielleicht kam es vom Weinen, aber wahrscheinlich nicht. Wahrscheinlich war es die Katze. Er fragte sich, ob er sie daran erinnern sollte, so wie sie und Grace ihn netterweise daran erinnert hatten, dass er im Hausflur gestanden hatte, als er zu wütend gewesen war, um das zu bemerken. Oh, aber das war in der guten alten Zeit gewesen, oder? An diesem Morgen hatte er vor Grace' Schule gestanden, wenn auch nur kurz.

Er blieb einen Moment ruhig sitzen und wärmte seine Hände an der Tasse. Nicht, weil sie kalt waren, sondern weil es sein eigener Kaffee war, seine eigene Sahne und seine eigene Tasse. Diese Dinge hatten sich nicht verändert und waren auch nicht mal im Begriff, sich zu ändern. Daher blieb er diesen Dingen so nahe wie möglich.

»Du kommst gut mit Felipe und mir aus«, sagte er, weil er wusste, dass er etwas sagen musste.

»Ihr versucht auch nicht, mir näherzukommen.«

»Das ist wahr.«

»Ich glaube nicht, dass ich das tun kann.«

»Dann tu es nicht.«

»Aber ich denke immer an das, was Jesse gesagt hat. Über Lafferty. Dass er uns eine Erinnerung sein soll, weniger Furcht zu haben. Und ich denke immer wieder … o mein Gott, kannst du dir vorstellen, so wie Lafferty zu enden?«

»Das würdest du nicht. Mach dir deswegen keinen Stress. Es könnte nicht passieren, weil du nicht so gemein bist.«

»Aber ich bin genauso ausgeschlossen von allen.«

»Nein. Das stimmt überhaupt nicht. Guck mal, was du allein für Grace tust.«

Rayleen lachte kläglich und schniefte. Billy sprang auf und brachte ihr Taschentücher.

»Ich meinte, dass ich so sehr ausgeschlossen war, bis sie kam. Und jetzt stecke ich in dieser Art Niemandsland dazwischen. Und es ist äußerst unangenehm.«

»Ich verstehe, was du meinst.«

»Oh. Stimmt«, sagte Rayleen. »stimmt, du weißt es. Ich hatte es vergessen. Hier sitze ich und denke, dass du keine Vorstellung davon hast, wie furchteinflößend das ist. Aber ich nehme an, du weißt es. Ich nehme an, du weißt, dass es für mich ungefähr so furchteinflößend ist, wie für dich ist, zu Grace' Schule zu laufen. Großer Gott, Billy. Was soll ich machen? Was würdest du an meiner Stelle tun?«

Nur für den Bruchteil einer Sekunde erlaubte sich Billy, in die imaginäre Rolle des glücklichen Menschen zu schlüpfen, der mit Jesse ausgehen durfte. Dann schlüpfte er aus Selbstschutz wieder aus der Rolle heraus.

»Na ja, ich bin gerade bis zu Grace' Schule gegangen. Beantwortet das die Frage? Schau, es geht nicht um alles oder nichts. Versuch nicht zu entscheiden, ob du ihn heiraten wirst. Geh mit ihm nur einen Kaffee trinken. Geh mit ihm nur einmal aus. Unterhaltet euch. Und erstmal nicht mehr.«

»Oh. Ja, okay. Das könnte ich tun, was?«

Billy trank seinen Kaffee und beruhigte seine angespannten Nerven, die darauf drängten, allein zu sein. So viele Belastungen an einem Tag. Er antwortete ihr nicht, da er annahm, dass sie sich die Antwort schon selbst gegeben hatte.

»Oh, warte. Nein. Ich kann nicht,« sagte Rayleen plötzlich laut und klang erleichtert. »Grace ist abends bei mir.«

Billy runzelte die Stirn.

»Ach so. Du kannst sie nicht drei oder vier Stunden bei mir lassen, um zu einer Verabredung zu gehen?«

»Scheiße«, sagte Rayleen und vergrub ihr Gesicht wieder in den Händen.

»Mein Gott, Rayleen, du bist ja genauso schlimm wie ich. Sieh mal, wenn ich zu Grace' Schule gehen kann, dann kannst du auch eine Verabredung mit einem sehr netten Mann haben.«

Sie schaute auf. »Weißt du was? Das stimmt eigentlich.«

»Und hier ist noch etwas, das du beachten solltest. Jesse kann wirklich gut Leute beruhigen, die Angst haben.«

Rayleen lachte, und dieses Lachen hatte einen wunderbaren Klang, natürlich und ungezwungen. Es klang so leicht wie etwas, das bis zur Zimmerdecke schweben könnte, und so klar wie Jesses Klangschale, wenn man dagegen schlug.

Sie lehnte sich vor, warf ihre Arme um Billy und hielt ihn fest. Zwar zu fest, aber er beschwerte sich nicht.

»Du bist so verdammt süß, Billy«, sagte sie.

»Danke«, sagte er. »Du weißt, dass du in einer Wohnung mit einer Katze bist, oder?«

»Oh, Scheiße. Was habe ich mir dabei gedacht? Ich dachte, es käme nur vom Weinen. Ich muss gehen. Kann ich den Kaffee mitnehmen? Ich könnte ihn gebrauchen. Ich bringe die Tasse zurück.«

Sie küsste ihn auf die Wange und eilte hinaus.

Billy seufzte und ging wieder ins Bett.

Vielleicht war er kurz eingenickt, es war schwer zu sagen.

•••

Etwa um halb eins klopfte Mrs Hinman an seine Tür.

Es war ein leises Klopfen, nicht viel lauter, als wenn man eine Maus hinter einer Wand hört. Aber sie sprach gleichzeitig durch die Tür zu ihm. Sie ist eine verwandte Seele, dachte Billy. Sie würde es genauso hassen wie ich, wenn jemand unangekündigt an ihre Tür kommt.

»Es ist nur Mrs Hinman von oben«, sagte sie.

Billy seufzte, erhob sich und zog seinen Bademantel über, bevor er die Tür öffnete.

»Oh, tut mir leid«, sagte sie. »Habe ich Sie von einem Nickerchen aufgeweckt? Entschuldigung. Aber … da Sie jetzt auf sind, darf ich vielleicht hereinkommen?«

Dahinter steckt eine Absicht, dachte Billy. Es ist einfach nicht üblich für Mrs Hinman, meine Gesellschaft zu suchen. Und noch dazu so bescheiden. Irgendwas muss los sein.

»Bitte«, sagte Billy und öffnete die Tür weit.

Er hatte entschieden, dass sich Diskussionen nicht auszahlten. Man darf beklagen, dass der eigene, einstmals friedliche Zufluchtsort sich in eine belebte menschliche Straßenkreuzung verwandelt hat, aber man kann nicht viel dagegen tun. Einfach seufzen, die Tür öffnen und sie reden lassen, bis sie fertig sind. So ist es einfacher.

Mrs Hinman humpelte in sein Wohnzimmer und hatte irgendein gefaltetes Kleidungsstück bei sich.

Billy zeigte auf den Stuhl, aber sie nahm seine Einladung nicht an.

»Ich habe das für Grace gemacht«, sagte sie und faltete das Kleidungsstück auf.

Es schien ein Wickelkleid zu sein, in Grace' Lieblingsblau, mit einer Schärpe, die um die Taille gebunden wurde.

»Das wird ihr gefallen«, sagte Billy.

»Meinen Sie wirklich? Oh, das hoffe ich … Sie hat es sich nicht direkt ausgesucht. Aber es schien so … passend für Grace zu sein. Es kann als ein Kleid getragen werden oder zu Jeans. Und es würde mit Strumpfhosen schön aussehen. Ich dachte, es könnte ein gutes Tanzoutfit für sie sein, vielleicht sogar etwas, das sie für ihren großen Auftritt tragen kann, aber ich weiß es nicht. Vielleicht muss sie dafür ein besonderes Kostüm tragen. Wissen Sie das? Hat sie darüber mit Ihnen gesprochen?«

»Tut mir leid, nein«, antwortete Billy. »Sie spricht mit mir nur über die Tanzaspekte.«

»Ich stricke ihr auch einen Pulli, um diesen alten Pulli zu ersetzen, den sie fast jeden Tag trägt. Er ist in einem furchtbaren Zustand. Ich weiß nicht, ob Sie das bemerkt haben.«

»Es ist schwer, das nicht zu bemerken«, sagte Billy. »Man kann ihre Ellenbogen durch den Stoff sehen.«

Eine kurze Gesprächspause entstand und Billy bemerkte, dass sie sich immer noch nicht hingesetzt hatte oder ihm sagte, warum sie ihm dies alles erzählte.

»Warum bringen Sie ihr das Kleid nicht nach der Schule vorbei?«

»Okay, in Ordnung. Das könnte ich tun.«

Mrs Hinman bewegte sich nicht zur Tür, und gerade, als die Stille unbehaglich wurde, sagte sie: »Ich hatte gehofft, dass ich eine kleine Unterhaltung mit Ihnen führen könnte.«

»Okay«, sagte Billy. »Nehmen Sie Platz. Möchten Sie einen Kaffee?«

»Oh, nein. Nicht für mich, danke. Ich gehe sehr früh zu Bett, und wenn ich nachmittags Kaffee trinke, hält mich das nur wach.«

»Nehmen Sie zumindest Platz«, sagte Billy und fühlte die Anspannung ihres geteilten Unbehagens.

»Hmm. Ich habe ein Problem mit dem Sitzen. Meine Knie machen mir zu schaffen, und manchmal, wenn ich mich hinsetze, ist es sehr schwierig und mühsam, wieder aufzustehen.«

»Ich helfe Ihnen gerne wieder hoch«, sagte Billy.

»Oh, in Ordnung«, sagte sie und ging zögernd zur Couch. »Ich bitte nicht gern um Hilfe, ich bin nicht sehr geschickt darin. Aber ich denke, ich habe in diesem Fall nicht gefragt. Sie haben Ihre Hilfe angeboten, stimmt's?«

Sie ließ sich vorsichtig auf der Couch nieder, und Billy zuckte zusammen, weil er ihre Schmerzen förmlich spüren konnte.

»Ich wollte Sie etwas über all die Jahre fragen, die Sie nicht ausgegangen sind«, sagte sie. »Ich glaube, ich muss das besser verstehen lernen.«

Billy setzte sich auf der Couch instinktiv zurück, um auf Abstand zu ihr zu gehen. Die Katze kam ins Zimmer geschlendert, und Mrs Hinman schrak zurück.

»O je«, sagte sie, »können Sie sie wegtun? Ich mag Katzen überhaupt nicht.«

»Sie wohnt aber hier«, sagte Billy und wusste, dass sich diese Worte ehrlicher anfühlten als seine übliche Kommunikation. Er musste zu erschöpft sein, um diese Schranke verschlossen zu halten. »Ich kann sie aber halten, wenn Sie sich dadurch besser fühlen.«

Er schnippte seine Finger in Richtung der Katze, und sie kam zu ihm. Er nahm sie hoch und setzte sie auf seinen Schoß.

»So, wo waren wir?«, fragte Mrs Hinman, obwohl Billy bezweifelte, dass sie es vergessen hatte. »O ja. Sie gehen nicht aus.«

»Die Sache ist die, dass dies mehr oder weniger der Vergangenheit angehört«, sagte Billy. »Ich arbeite daran. Ich bin sogar gerade heute Morgen draußen gewesen. Ich bin den ganzen Weg zu Grace' Schule gegangen.«

»Wunderbar«, sagte Mrs Hinman, »das ist sehr gut. Aber ich muss Sie trotzdem nach der Zeit fragen, in der Sie überhaupt nicht ausgegangen sind.«

Billy atmete tief ein und rüstete sich innerlich dafür, etwas zu tun, das für ihn sehr selten war – einen unsanften Ton anzuschlagen.

»Ich glaube, ich möchte lieber nicht darüber reden«, sagte er. »Es ist etwas persönlich, und ich möchte nicht für eine Sache beurteilt werden, die ich mit allen Mitteln überwinden will. Wenn Sie mich nun entschuldigen wollen …«

Er stand auf, mit der Katze im Arm und streckte eine Hand nach Mrs Hinman aus.

»Bitte«, sagte sie und schaute absichtlich nicht auf die ihr entgegengestreckte Hand. »Bitte lassen Sie es mich noch einmal versuchen. Ich habe es offensichtlich verpfuscht und Sie beleidigt. Aber das war das Letzte, was ich tun wollte. Bitte lassen Sie es mich noch einmal sagen, damit Sie mich besser verstehen können. Meine Knie funktionieren nicht mehr richtig, und ich wohne drei Stockwerke höher. Und eines Tages, ziemlich bald, werde ich einfach nicht mehr in der Lage sein, die Treppen zu steigen. Vielleicht schaffe ich es noch ein oder zwei weitere Jahre, vielleicht schaffe ich es aber schon übermorgen nicht mehr. Wahrscheinlich ist eher das Letztere der Fall, fürchte ich. Und dann, habe ich gedacht, was werde ich tun? Werde ich sterben? Ich muss doch essen. Wie bekomme ich das Essen in mich hinein? Wie werde ich meine Post kriegen, meine Rechnungen? Den Müll rausbringen? Und dann dachte ich, nun, dieser junge Mann unten hat das auch jahrelang gemacht, und er ist noch am Leben. Also dachte ich, dass Sie mir vielleicht ein paar Tipps geben könnten. Für mich geht es um Leben oder Tod, wissen Sie.«

Billy setzte sich dieses Mal näher zu ihr, als er sich wieder auf der Couch niederließ.

»Ich bin kein so junger Mann«, sagte er leise. »Ich bin siebenunddreißig.«

»Das ist jung«, sagte sie nun entspannter. »Sie wissen nur nicht, wie jung das ist. Wie bekommen Sie Ihre Lebensmittel in die Wohnung?«

»Ich bekomme sie geliefert. Es gibt Lieferdienste in L.A., die einfach alles überallhin liefern. Das Problem ist, dass nicht alle in Gegenden wie diese kommen wollen. Und selbst diejenigen, die dazu bereit sind, verlangen einen Aufschlag auf den Preis.«

»Das klingt teuer.«

»Das ist es auch. Ich muss weniger essen, um es wieder auszugleichen.«

»Große Güte«, sagte Mrs Hinman. »Ich würde es hassen, weniger zu essen. Ich weiß, dass es mich überhaupt nichts angeht, und Sie haben natürlich das Recht, mich hier rauszuwerfen, weil ich das frage …«

»Meine Eltern. Meine Eltern schreiben mir jeden Monat einen kleinen Scheck aus. Das Geld wandert direkt auf mein Bankkonto.«

»Ah. Das beantwortet gleich zwei Fragen. Jetzt weiß ich auch, wie Sie darum herumkommen, zur Bank zu gehen. Ich dachte, Sie bekommen vielleicht die Hilfe von der Regierung, die Leute bekommen, die zu … nervös … zum Arbeiten sind.«

»Ich bin sicher, dass ich dazu berechtigt wäre. Aber meine Eltern haben mir die Erniedrigung erspart, es herauszufinden. Oder vielleicht ist es auch ihre eigene Erniedrigung, die sie vermeiden wollen.«

»Wie bringen Sie Ihren Müll raus?«

»Ich gebe den Lieferanten ein Trinkgeld, damit sie das für mich tun.«

»Ah. Aber Sie werden doch manchmal auch einen Arzt benötigen.«

»Nein, ich habe Glück gehabt. Ich war immer gesund.«

»Ich würde aber einen Arzt brauchen.«

Dagegen konnte Billy nichts einwenden. Stattdessen legte er ein Geständnis ab.

»Es ist nicht der Arzt, der einen drankriegt. Zumindest in meinem Fall. Es ist der Zahnarzt. Ich bekomme etwas Zahnschmerzen. Ich bin sicher, dass es schlimmer werden wird. Selbst wenn man heutzutage einen Arzt finden kann, der Hausbesuche macht, ich wette doch, dass man keinen Hausbesuch von einem Zahnarzt bekommen kann.«

»Hmm«, sagte sie. »Was ist mit den Rechnungen?«

»Welche Rechnungen? Alle Nebenkosten sind in der Miete eingeschlossen. Und die Miete kann mit einer monatlichen Einzugsermächtigung gezahlt werden.«

»Nicht die Telefonrechnung.«

»Ich habe kein Telefon. Ich hatte früher mal ein Telefon, aber dann wurde es mir zu teuer. Meine Lebensmittel bestelle ich bei jeder Lieferung persönlich.«

»Große Güte«, sagte Mrs Hinman und klang wieder ängstlicher. »Ich glaube, ich müsste ein Telefon haben. Ich rufe zwar nie jemanden an, aber was ist in einem Notfall?«

»Sie vergessen eine Sache, Mrs Hinman«, sagte Billy, der ihre Hilflosigkeit bemerkte. »Sie haben Nachbarn. Denken Sie nicht, dass Felipe oder Jesse oder Rayleen für Sie zum Supermarkt gehen würden? Denken Sie nicht, Sie könnten in einem Notfall einfach auf den Fußboden klopfen, und es käme jemand zu Ihnen gerannt? Vielleicht würde sogar jemand die Wohnung mit Ihnen tauschen, damit Sie ein paar Jahre länger unabhängig sein können.«

Mrs Hinman wrang die gefleckten Hände in ihrem Schoß und zerknitterte das blaue Kleid. »Warum in aller Welt sollten sie so etwas für mich tun?«

»Vielleicht weil wir Nachbarn sind?«

Mrs Hinman lachte skeptisch. »Wir waren das auch vorher«, sagte sie. »Unsere Nachbarschaft ging aber nicht so weit, dass wir uns umeinander gekümmert hätten.«

»Aber jetzt ist das so«, sagte Billy.

Mrs Hinman schien dieses Konzept von Nachbarschaftshilfe perplex zu machen.

»Nun, ich sollte Sie weiter Ihr Nickerchen machen lassen«, sagte sie schließlich, »aber ich kann Ihnen nicht sagen, wie viel besser ich mich nun fühle. Ich war außer mir vor Sorge, und jetzt scheint das alles albern zu sein. Ich hätte wissen sollen, dass Grace sich genug kümmern würde, um sicherzustellen, dass jemand nach mir schaut. Es ist immer noch überraschend, dass noch jemand anders sich kümmern würde, aber ich denke, ich kann mich an die Idee gewöhnen. Hören Sie, sagen Sie bitte den anderen nicht, dass wir diese kleine Unterhaltung hatten, in Ordnung? Es ist sehr schwierig für mich zuzugeben, dass ich Hilfe brauche, oder es jemanden sehen zu lassen, also behalten wir dies zunächst besser für uns.«

»In Ordnung«, sagte Billy.

Er stand auf und streckte ihr eine Hand hin. Sie hievte sich mit einem tiefen Grunzen auf ihre Beine und zog ihn dabei fast zu sich hinunter.

Als sie zur Tür gingen, sagte Mrs Hinman: »Grace hat alles verändert, was?«

»Das wäre eine Untertreibung«, antwortete Billy.

»Gehen Sie zurück ins Bett.«

»Das tue ich.«

»Danke. Danke vielmals. Sie sind ein sehr netter junger Mann.«

Sie watschelte in Richtung Treppe.

»Brauchen Sie Hilfe, um die Stufen hochzukommen?«, fragte Billy.

»Noch nicht. Aber danke, dass Sie gefragt haben. Die Zeit wird bald genug kommen.«

Billy schloss die Tür, setzte die Katze ab und legte sich wieder ins Bett.

•••

Grace kam wie üblich um halb vier angesprungen.

»Oh, du bist im Pyjama«, sagte sie. »Ich bin jetzt so daran gewöhnt, dich angezogen zu sehen. Alles mit dir in Ordnung? Ich ziehe sofort meine Steppschuhe an und arbeite an meinem Tanz. Ich muss diese Dreifachdrehungen wirklich mehr üben. Wie nennst du sie?«

»Buffalo Turns«, sagte Billy.

»Glaubst du, sie wurden nach dem Tier benannt oder nach der Stadt?«

»Ich weiß es nicht mit Bestimmtheit«, sagte Billy und fühlte sich von ihrer Energie erschlagener als sonst. »Aber es scheint eine komplizierte Bewegung für einen Bison zu sein. Daher tippe ich auf die Stadt.«

»Für mich ist es auch kompliziert«, sagte sie und schnürte bereits ihre Steppschuhe. »Ich ende immer wieder auf dem Teppich. Wenn ich nur das schaffen könnte, hätte ich die ganze Figur ziemlich gut im Griff.«

»Es gibt zwei weitere Sachen, an denen du arbeiten solltest.

»Oh«, sagte sie. »Es gibt immer noch mehr, was?«

»Nur, wenn du gut sein möchtest. Glänzen willst.«

»Okay, was ist es?«

»Ich will, dass du deinen Oberkörper mehr entspannst, damit deine Haltung nicht so steif aussieht. Und du musst lächeln.«

»Muss ich das?«

»Absolut. Es ist de rigueur.«

»Was?«

»Unerlässlich.«

»Was?«

»Du musst es tun! Aber arbeite zuerst an den Drehungen. Ich bereite mir nur ein schönes Bett hier auf der Couch und schaue dir zu.«

Grace ging in Billys Schlafzimmer und schnappte sich die dünne Decke, die auf dem Bett lag. Sie ging zurück, deckte Billy damit zu und gab ihm einen Kuss auf die Stirn.

»Sag mir, ob ich so aussehe, als ob ich lächele«, sagte sie.

Das sehr zufriedenstellende Geräusch des Steppens ließ Billy schließlich sanft einschlafen.

•••

»Rayleen kommt zu spät«. Grace' Stimme schreckte Billy aus seinem Schlaf auf.

»Vielleicht war einer ihrer Kunden spät dran«, murmelte er und versuchte so zu klingen, als hätte er nicht wirklich geschlafen.

»Ich glaube nicht«, sagte Grace und setzte sich auf die Couch. »Ich bin mir ziemlich sicher, dass ich gehört habe, wie sie um die übliche Zeit reinkam. Aber das war vor etwa zwanzig Minuten.«

»Oh. Vielleicht redet sie grad mit Jesse.«

»Warum sollte sie mit Jesse reden? Sie hasst Jesse.«

»Hmm«, meinte Billy. »Da bin ich nicht sicher. Alles ändert sich.«

Grace zog ihre Augenbrauen hoch und starrte ihn an. »Ist was passiert, von dem ich nichts weiß?«

»Ich hatte vielleicht eine Unterhaltung mit Rayleen darüber.«

»Du hast es in Ordnung gebracht«, schrie sie aufgeregt. »Du bist magisch, Billy. Du hast es in Ordnung gebracht!«

»Ich habe überhaupt nichts getan«, sagte er. »Sie musste es nur besprechen.«

»Oh, jetzt kann ich nicht warten. Jetzt bin ich ganz aufgeregt und kann nicht erwarten herauszubekommen, wie es ausgeht. Ich muss jetzt tanzen, ich muss tanzen, wenn ich aufgeregt bin. Schau zu. Ich mache jetzt diese Buffalo Turns. Schau zu und sieh, ob ich an der richtigen Stelle lande und ob ich lächele. Schlaf dieses Mal nicht wieder ein.«

Billy setzte sich auf, um sich eher wie ein richtiges Publikum zu verhalten.

Grace nahm ihre Position auf der Tanzfläche ein, aber noch bevor sie einen Fuß heben konnte, klopfte es an der Tür.

»Rayleen ist da!«, schrie sie, rannte zur Tür und rutschte dabei fast aus.

»Oh, es ist nicht Rayleen!«, hörte Billy sie von der Tür aus rufen. »Es ist Jesse!« Dann, nach einer kurzen Pause: »Billy, er will mit dir reden!«

»Ich bin im Pyjama«, sagte Billy, aber es nützte nichts.

Grace hatte ihn schon am Ellenbogen gegriffen und begonnen, ihn in Richtung Tür zu zerren. Er kämmte seine Haare so gut es ging – mit den Fingern seiner freien Hand. So wollte er nicht gesehen werden, aber es war zu spät. Plötzlich stand er vor der geöffneten Tür und blickte in Jesses Gesicht, das jetzt sogar noch offener und weicher aussah als sonst.

Billy erwartete, dass Jesse etwas sagte, stattdessen aber warf Jesse seine Arme um ihn und umarmte ihn fest. Er drückte ihn, und Billy spürte, wie Tränen in seinen Augen aufstiegen, als würden sie aus ihm herausgepresst. Dann ließ Jesse ihn ebenso plötzlich wieder los.

»Ich muss los«, sagte er. »Muss mich fertigmachen. Vielen Dank!«

Dann sprang er die Treppe hoch, zwei Stufen auf einmal, und war verschwunden.

»Was war denn das?«, fragte Grace und zupfte an seinem Pyjama.

»Ich bin mir nicht sicher.«

»Er schien glücklich zu sein.«

»Ja.«

»Meinst du, das bedeutet, dass er eine Verabredung mit Rayleen hat?«

»Das könnte sein.«

»Ich hoffe es. Aber du musst trotzdem noch meine Drehungen sehen.«

Billy schloss die Tür und setzte sich wieder auf die Couch, erneut bereit, ein dankbares Publikum zu spielen. Grace hob einen Fuß und setzte ihn sofort ab, als es wieder klopfte.

»Verdammt«, rief Billy. »Es hört wohl niemals auf. Anscheinend kann ich nicht einfach mein altes, ruhiges Leben wiederbekommen.«

»Bist du wirklich sicher, dass du das willst?«, fragte Grace. »Ich glaube nicht, dass es Rayleen ist. Es war nicht das Klopfsignal.«

»Manchmal, wenn ihr viel im Kopf herumgeht, vergisst sie es.«

Grace öffnete die Tür und rief: »Es ist Rayleen! Billy! Sie will mit dir reden!«

Billy seufzte – wahrscheinlich zum hundertsten Mal an diesem Tag. Er hatte kaum die Energie aufzustehen, aber er tat es trotzdem.

»Ich muss schnell sprechen«, sagte Rayleen. »Ich muss mich fertigmachen. Ich komme auf dein Angebot zurück, auf Grace aufzupassen. Hier, nimm diesen Zwanziger.«

Sie drückte ihm einen Geldschein in die Hand.

»Du musst mich nicht bezahlen, damit ich nach Grace schaue.«

»Nein. Ich weiß. Das ist es auch nicht. Ich weiß, dass deine Essensvorräte etwas begrenzt sind, und ich dachte, ihr zwei könntet euch eine Pizza bestellen.«

Wow, dachte Billy. Wenn Rayleen sagte, dass sie schnell sprechen werde, machte sie keine Witze. Er hatte noch nie so viele Wörter pro Sekunde aus ihrem Mund kommen hören.

Im Hintergrund hörte er Grace über die Pizza jubeln.

»Grace kann in meine Wohnung kommen und sie mit meinem Telefon bestellen«, beeilte sich Rayleen zu sagen. »Falls ich dann schon weg bin, hat sie ja den Schlüssel. Aber ich gebe dir einen Rat. Sag ihr nicht, dass sie sich bestellen kann, was immer sie will. Sag ihr, dass sie Käse und Pepperoni bestellen soll, Ende. Sonst reicht der Zwanziger nie aus. Ihre Schlafenszeit ist neun Uhr. Ich bin dann wahrscheinlich zu Hause, aber falls ich es aus irgendeinem Grund doch nicht sein sollte, könntest du sie vielleicht auf deiner Couch schlafen lassen, und ich komme und hole sie am Morgen ab, okay?«

Bevor Billy ihr überhaupt sagen konnte, ob es okay wäre oder nicht, hatte sie ihn ungestüm umarmt und auf die Wange geküsst.

»Ich muss los«, sagte sie. »Ich danke dir. Glaube ich.«

»Alles wird gut«, sagte er, als sie in ihrer Wohnung verschwand.

Billy nahm einen großen, tiefen Atemzug und schloss die Tür. Grace schaute erwartungsvoll zu ihm hoch.

»Haben sie eine Verabredung?«

»Anscheinend.«

»Yeah, yeah, yeah«, sang Grace, während sie auf- und niedersprang und ihre Arme wie bei einem Tanz über ihrem Kopf schwang. »Wir bekommen Pizza und sie eine Verabredung, und ich bin glücklich, und das ist mein glücklicher Grace-Tanz«, sang sie, bevor sie ausrutschte und auf ihr Hinterteil fiel.

»Und diese letzte Bewegung war dein trauriger Grace-Tanz, oder?«

»Das stimmt«, sagte sie, während sie immer noch auf dem Boden saß und ihr Hinterteil rieb. »Du bist wirklich magisch, Billy. Nicht magisch magisch, aber so magisch wie Jesse. Weil du dafür sorgst, dass Dinge geschehen. So wie diese Verabredung.«

»Ich habe überhaupt nichts getan. Ich habe nur zugehört. Sie musste es einfach nur besprechen.«

»Und? So hast du eben dafür gesorgt, dass es passierte. Es ist trotzdem magisch.«

•••

»Wir haben in der Schule die Sterne durchgenommen«, sagte Grace. »Den Weltraum, das Sonnensystem, schwarze Löcher und solche Sachen. Das war irre. Wirklich schräg.«

Sie lagen auf Billys winziger Terrasse auf dem Rücken und betrachteten die Sterne, beziehungsweise das Dutzend Sterne, das trotz des Smog und der Großstadtlichter zu sehen war.

»Was war daran schräg?«

Seine Erschöpfung hatte Billy aufgeweicht, jetzt fühlte er sich wunderbar müde und fast sicher. Er kostete das Gefühl der Nachtluft auf seinem Gesicht und die Abwesenheit der Panik genussvoll aus.

»Also, erstens hat mein Lehrer gesagt, dass der Weltraum unendlich ist. Aber das ist unmöglich.«

»Woher weißt du, dass es unmöglich ist?«

»Das ist es einfach.«

»Vielleicht ist es möglich, aber eins von den Dingen, die unser Hirn nicht gut erfassen kann. Betrachte es doch so: Du bist in einem Raumschiff und reist immer weiter und weiter und weiter. Du suchst nach der Grenze des Alls, nach der Stelle, an der es aufhört.«

»Ja, und da muss eine Grenze sein. Irgendwo.«

»Was ist also auf der anderen Seite? Wenn du die Stelle findest, an der das All aufhört, was ist dann auf der anderen Seite davon?«

Sie blieben einen Moment lang still Seite an Seite liegen.

»Nichts«, sagte Grace ungefähr in dem Moment, in dem Billy dachte, sie wäre vielleicht eingenickt.

»Aber das ist alles, was der Weltraum ist. Nichts. Wenn also nichts ein Ende hat und nichts auf der anderen Seite davon ist, dann ist auf der anderen Seite wirklich nur noch mehr Weltraum.«

»Aaaah!«, rief Grace. »Billy, ich glaube, du hast mein Hirn zerbrochen. Okay, lass uns annehmen, der Weltraum ist unendlich, auch wenn das nicht wirklich einen Sinn ergibt. Mein Lehrer hat gesagt, dass es angeblich Milliarden von Sternen gibt. Oder Billionen oder so etwas. Also, schau dort hoch. Wo sind die alle?«

»Die Stadtlichter lassen die Sterne verblassen. Wenn du draußen in der Wüste bist oder oben auf einem Berg, kannst du eine Menge mehr Sterne sehen.«

»Ich war noch nie aus der Stadt raus – draußen. Und du? Warst du schon mal auf einem Berg oder in der Wüste?«

»Ja«, sagte Billy, »beides.« Er konnte in der Entfernung Musik hören. Er realisierte, dass er sie schon immer gehört hatte, aber erst in diesem Moment war ihm die Musik bewusst geworden. Sie klang fernöstlich. Irgendwo machte jemand eine Party. Jeder lebte ein Leben, überall. Selbst er, selbst Billy. »Als ich noch getanzt habe, bin ich überall im Land umhergereist.«

Billy hörte der Musik zu, und ihm war warm, obwohl es eine kühle Nacht war.

Schließlich fragte Grace: »Was ist passiert, Billy? Was ist mit dir passiert?«

Er hatte nicht einmal das Verlangen, dagegen anzukämpfen. Es hätte ihn zwangsläufig früher oder später eingeholt, und die heutige Nacht war so gut wie jede andere Nacht.

Trotzdem lagen sie noch eine Weile in der Stille, bevor Billy sprach.

»Es ist etwas schwierig zu erklären«, sagte er schließlich. »Aber ich will es versuchen. Ich versuch's. Ich hatte einfach schon immer Panikattacken. Und ich weiß, dass du erfahren willst, warum. Aber ich weiß einfach nicht, warum ich Panikattacken habe und andere Leute nicht. Ich bin nicht sicher, ob irgendjemand das weiß. Ich bin in einem merkwürdigen, unheimlichen Haus aufgewachsen, aber andere Leute sind auch so aufgewachsen, und sie haben nicht alle Panikattacken. Aber ich hatte sie schon seit … ach, ich weiß nicht … ich war vielleicht in deinem Alter. Vielleicht schon in der ersten oder zweiten Klasse. Aber dann wurden sie immer schlimmer. Jahrelang konnte ich sie durch mein Tanzen von mir weghalten. Oder sie zumindest unter Kontrolle bringen. Solange ich regelmäßig getanzt habe. Aber dann, nach einer Weile, musste ich wortwörtlich am Tanzen sein, um sie aufzuhalten. Also hatte ich Panikattacken, wenn ich gereist bin und auch auf dem Weg zum Theater. Und dann nach der Vorstellung. Also ging ich seltener zum Vortanzen. Aber sobald ich drinnen war, ging es mir immer gut. Also habe ich irgendwann einfach angefangen, drinnen zu bleiben. Wie ich dir vorher schon erzählt habe, es wird zu einer Sucht. Du willst, dass du dich im Moment in Ordnung fühlst, also tauschst du das für ein gutes Leben auf lange Sicht ein. Es ist ein schlechtes Geschäft, aber die Leute machen es die ganze Zeit. Das ist genau das, was eine Sucht wirklich ist. Du tauschst deine Zukunft ein, damit du dich im Moment in Ordnung fühlen kannst. Das ist das, was deine Mom tut. Und das hat auch mich gepackt. Es passiert wirklich oft.«

Billy fragte sich, ob Grace etwas davon verstanden hatte. Aber sie war ein cleveres Kind, also nahm er an, dass sie vermutlich genug verstand, so viel, wie sie zu verstehen brauchte.

Billy hörte sie leise schnarchen, also nahm er sie hoch und trug sie hinein, wo er sie auf die Couch legte und mit einer dünnen Decke zudeckte.

Er sah zur Uhr. Viertel nach zehn.

Es verursachte ihm einen kleinen stechenden Schmerz in der Bauchgegend, wenn er daran dachte, wie Jesse und Rayleen jetzt zusammen aus waren, sich unterhielten, sich tief in die Augen sahen oder … was auch immer taten. Aber er wischte das

Gefühl wieder weg. Sie hatten ein Recht darauf, ihr Glück zu finden, wenn es tatsächlich für sie bereitstand. Billy hätte nichts davon, wenn es mit den beiden nicht gut liefe.

Gerade, als er die Bettdecke über sich ziehen wollte, sprach Grace aus dem Wohnzimmer zu ihm.

»Billy?«

»Alles in Ordnung?«

»Ja, ich wollte dir nur etwas sagen.«

»In Ordnung. Was?«

»Du darfst es niemandem weitererzählen.«

»Okay.«

»Wenn ich erwachsen bin, werde ich eine Tänzerin.«

Billy machte bewusst drei tiefe Atemzüge. Auch wenn er nicht direkt an Gebete glaubte, schickte er ein Stoßgebot zum Himmel, in der Hoffnung, das Leben werde sie nicht irreparabel verwunden.

»Warum willst du nicht, dass es jemand erfährt?«

»Weil sie mir nicht glauben würden. Sie würden denken, dass ich nur ein dummes Kind sei. Aber du glaubst mir, oder? Du glaubst, dass ich es wirklich tun kann, oder?«

»Ja, das glaube ich. Aber wie ich letztes Mal schon gesagt habe, du wirst unglaublich hart arbeiten müssen. Aber ich glaube, dass du es schaffen kannst, wenn du es nur genug willst.«

»Ich will es, ich will es sehr. Und es ist alles wegen dir. Du hast mir beigebracht zu glänzen.«

»Es gehört noch viel mehr dazu als das, was ich dir bisher beigebracht habe.«

»Ich weiß. Aber du bist mit meinem Unterricht noch nicht fertig, oder?«

»Nein«, sagte Billy, »das bin ich noch nicht.«

Grace

»Jemand klopft an Rayleens Tür«, sagte Grace. »Billy, kannst du das hören?«

Grace machte eine Pause bei ihren Tanzübungen, um zuzuhören und blieb auf einem Bein balancierend stehen. Ihr Gleichgewicht hatte sich sehr verbessert, seit sie mit dem Tanzen begonnen hatte. Trotzdem hoffte sie, dass sie nicht zu sehr wie diese Vogelhunde aussah, die Fasanen jagten und die Grace in Filmen und im Fernsehen gesehen hatte. Andererseits waren das aber wirklich schöne Hunde.

»Vielleicht sollten wir nachsehen, wer es ist, damit wir sagen können, dass Rayleen vor halb sechs nicht zu Hause sein wird.«

»Ich gehe mit«, sagte Billy und nahm die Katze von seinem Schoß.

»Warum? Ich kann eine Tür auch allein öffnen.«

»Aber wir wissen nicht, wer auf der anderen Seite ist.«

»Du bist mir ein Beschützer«, sagte sie.

»Hey.«

Er klang verletzt.

»Sorry.«

Diese kleinen Sticheleien waren so natürlich, Billy war immer da, und Grace musste sich immer wieder in Erinnerung rufen, dass es leicht war – zu leicht –, seine Gefühle zu verletzen.

Als sie öffneten, sahen sie eine Frau vor Rayleens Tür stehen. Grace erinnerte sich an sie, aber im allerersten Moment wusste sie nicht, woher sie sie kannte. Dann drehte sich die Frau um, lächelte sie an und Grace' Bauch machte einen kleinen Flipflop. Es war die Frau vom Jugendamt, die schon einmal dagewesen war, um nach ihr zu sehen.

»Oh, da bist du, Grace«, sagte die Frau. »Erinnerst du dich an mich?«

»Ja.« Grace war überrascht, wie klein ihre Stimme klang. »Nur nicht an Ihren Namen.«

»Ms Katz.«

»Stimmt. Ich frage mich, wie ich das vergessen konnte. Denn ich mag Katzen sehr.«

»Mein Name wird ein bisschen anders geschrieben«, sagte die Frau und lächelte immer noch dieses Lächeln, das nicht echt aussah. Es sah eher wie etwas aus, das sie an diesem Morgen zusammen mit ihrem Make-up aufgetragen hatte.

»Das macht nichts«, sagte Grace.

Aus dem Augenwinkel sah sie, wie Billy an einem Daumennagel kaute, aber sie war sich nicht sicher, wie es aussehen würde, wenn sie Billy vor Ms Katz auf die Finger klopfte. Sie war sich überhaupt nicht sicher, welche Dinge man vor einer Frau vom Jugendamt tun sollte und welche nicht, und genau das war das Problem. Jemand hätte ihr das beibringen sollen, aber das war nicht passiert, und jetzt war es zu spät.

»Ich glaube nicht, dass ich Sie kennengelernt habe«, sagte Ms Katz und sah Billy an.

Grace dachte, dass es eine gute Sache sei, dass Billy gerade jetzt richtig angezogen war und nicht seinen schäbigen alten Pyjama trug. Andererseits war er in diesen Tagen fast immer angezogen, es sei denn er versuchte, ein Nickerchen zu machen. Grace bekam ein schlechtes Gewissen, dass sie das erst jetzt bemerkt hatte.

»Billy … Feldman«, sagte er und hielt Ms Katz seine Hand hin.

Was für ein Pech, dass es die Hand war, an deren Daumen er gerade gekaut hatte und die daher jetzt etwas blutig war. Grace hoffte, dass Ms Katz es nicht bemerkte.

Er öffnete weit die Tür und bat die Frau vom Amt in seine Wohnung. Grace wünschte, er hätte das nicht getan. Andererseits vermutete sie, dass Billy auch wünschte, er hätte es nicht getan, aber wahrscheinlich nahm er einfach an, dass er keine andere Wahl hatte. Grace fragte sich, ob Billy wusste, welche Dinge man vor jemandem vom Jugendamt machen sollte und welche nicht, oder ob er es sich einfach so ausdachte. Er sah ängstlich aus.

Ms Katz setzte sich auf die Couch, und Mr Lafferty, die weibliche Katze, sprang direkt auf ihren Schoß.

»Sie mag Sie«, sagte Grace.

»Das ist schön«, sagte Ms Katz.

Sie strich mit einer Hand über Mr Laffertys Fell, und die Katze machte diese kleine Lift-Bewegung, die manche Katzen machen und hob ihr Hinterteil an. Grace mochte die Frau vom Jugendamt ein wenig mehr, als sie sah, wie sie die Katze streichelte anstatt sie zu verscheuchen oder so was.

»Das ist meine Katze«, sagte Grace. »Sie gehörte Mr Lafferty von oben, aber dann hat er sich erschossen und jetzt ist sie meine Katze.«

Aus den Augenwinkeln sah Grace, wie Billy wieder an demselben armen Daumennagel kaute.

»Sie kommt also mit dir, wenn Mr Feldman auf dich aufpasst?«

»Mr … wer? Oh. Ach so, Billy. Ich vergesse immer, dass sein Name Feldman ist. Ich nenne ihn einfach Billy. Oder Billy Schein, wenn ich einen Nachnamen brauche. Nein. Die Katze kommt nirgendwo mit mir hin. Sie wohnt hier.«

»Deine Katze wohnt hier?«

»Ja. Meine Mom will nicht, dass ich eine habe. Eine Katze, meine ich. Aber ich habe sie doch schon. Also wohnt sie hier.«

Billy sprang auf.

»Kaffee!«, rief er viel zu laut und sah deswegen verlegen aus. »Soll ich uns Kaffee machen? Ich habe Sahne da.«

»Nein danke«, sagte Ms Katz. »Ich werde nicht so lange bleiben. Also, Grace. Wohnst du hier?«

Billy war gerade dabei sich hinzusetzen, aber als Ms Katz diese Frage stellte, erstarrte er auf der Stelle, weder stehend noch sitzend, mit gebeugten Beinen.

»Ähm, nein«, sagte Grace, und Billys Zauber war gebrochen, und er setzte sich hin. »Nein. Ich wohne nicht hier. Ich komme nur nach der Schule für zwei Stunden hierher.« Sie sah, wie Ms Katz nickte und sich in einem Ordner Notizen machte. »Es sei denn, Rayleen hat eine Verabredung, was sie seit einer oder zwei Wochen fast jeden Abend hat. Dann bin ich viel länger hier. Aber größtenteils wohne ich bei Rayleen.«

Eine lange Stille setzte ein – lang und … nicht gut. Grace ging in Gedanken alles durch, was sie gerade gesagt hatte, schnell und panisch versuchte sie herauszufinden, an welcher Stelle sie etwas Falsches gesagt hatte. Alles war ihr vernünftig erschienen, aber irgendetwas war schiefgelaufen, sie konnte es spüren. Und irgendwie war das ihre Schuld.

»Du wohnst bei Ms Johnson? Du lebst jetzt überhaupt nicht mehr bei deiner Mutter?«

Grace spürte, wie sich ihr Hals zuschnürte, was das Reden erschwerte.

»Es ist nur für eine kurze Zeit«, sagte sie. »Nur, bis es ihr besser geht.«

Ihre Worte kamen etwas quieksend hervor, was Grace sehr peinlich war.

»Wegen ihrer Rückenverletzung«, sagte Ms Katz – und ließ es nicht wie eine Frage klingen.

»Ihrer was?«

»Ms Johnson hat mir gesagt, deine Mutter hätte eine Rückenverletzung gehabt, und deshalb müsste sie so viele Medikamente nehmen.«

»Stimmt! Die Rückenverletzung! Ja!«

Ms Katz seufzte, legte ihren Ordner ab und sah Grace direkt ins Gesicht. Grace spürte, wie all ihr Blut und wahrscheinlich auch die Farbe aus ihrem Gesicht wich, das sich kribbelnd und kalt anfühlte.

»Hier geraten wir in ernste Schwierigkeiten, Grace«, sagte Ms Katz. Sie sprach mit ihr auf die Art, wie Erwachsene es tun, wenn sie Kinder wissen lassen wollen, dass sie sich Sorgen machen. »Ich hatte gerade ein Gespräch mit deiner Mom. Also, ich habe sie gesehen. Und ich habe sie nach der Verletzung gefragt. Doch sie schien nicht zu wissen, worüber ich redete.«

Grace sah zu Billy hinüber, dessen Gesicht so weiß war, dass es aussah, als sei er gestorben. Eine schrecklich lange Zeit sprach niemand.

»Das andere Problem«, sagte Ms Katz, die jetzt als Einzige reden wollte, »ist, dass mir gesagt wurde, dies sei eine Babysitter-Abmachung. Aber wenn du hier oder bei Ms Johnson wohnst, ist das eine ganz andere Situation, da keiner von deinen Nachbarn als Pflegefamilie registriert ist. Wann kommt Ms Johnson nach Hause?«

Grace öffnete den Mund, um zu antworten, brachte aber keinen Ton heraus.

»Um etwa halb sechs«, sagte Billy. »Es sei denn, ein Kunde verspätet sich etwas.«

Er klang normal und Grace staunte darüber, denn es musste äußerst schwer sein, in einem Moment wie diesem etwas vollkommen Normales und Vernünftiges zu sagen.

»In Ordnung«, sagte Ms Katz, sammelte ihre Ordner ein und schwang den Gurt ihrer Aktentasche über die Schulter. »In Ordnung, das ist gut. Ich habe noch einen anderen Besuch zu machen und komme danach wieder. Sagen Sie ihr einfach, dass ich wiederkomme.«

Billy stand auf, um sie zur Tür zu begleiten.

»Grace blüht hier auf«, sagte er.

Er klang verzweifelt, und es erinnerte Grace daran, dass er sich fürchtete. Sie fürchteten sich beide und hatten dafür eine Menge Gründe.

Ms Katz lächelte, als mache ein Lächeln sie traurig. Sie wollte etwas sagen, aber Grace gab ihr keine Chance dazu. Es war die Zeit zum Betteln, und sie wusste es. Sie hatte verstanden, was Billy gemeint hatte, es war laut und deutlich bei ihr angekommen.

Grace sprang auf und bettelte.

»Bitte, Sie können mich nicht mitnehmen«, sagte sie. »Sie können mich nicht von hier wegnehmen. Es ist gut hier. Ich kann in der Nähe meiner Mom sein, sodass ich erfahre, wenn sie clean wird – ich meine, wenn es ihr besser geht. Und außerdem werde ich in der Schule tanzen, in etwa zwei Monaten, und wenn Sie mich jetzt wegnehmen, werde ich nicht tanzen können. Das ist aber die wichtigste Sache überhaupt. Und ich bin auch eine gute Tänzerin, und bevor ich jeden Tag hier bei Billy war, konnte ich überhaupt nicht tanzen, nicht mal einen kleinen Schritt. Ich war ganz pummelig, und alles war furchtbar. Und sehen Sie mich jetzt an. Hier, ich zeig's Ihnen.«

Sie schlurfte schnell zu ihrem Sperrholz-Tanzboden.

»Ich fürchte, ich muss …«

Aber Grace ließ es nicht zu, dass sie den Satz beendete. Hier stand zu viel auf dem Spiel, um jetzt aufzugeben.

»Nein, Sie müssen das sehen«, sagte sie. »Sie müssen mich tanzen sehen, damit Sie wissen, wie wichtig das ist.«

Sie steppte ihren Weg in die Mitte der Tanzfläche.

»Schauen Sie zu. Sie werden beeindruckt sein, wirklich.«

Sie schloss die Augen. Stellte sich die ersten Schritte vor, wie Billy es ihr beigebracht hatte. Sie zählte bis drei und begann mit einem Time Step.

Es war großartig. Billy hatte recht. Du beginnst mit etwas Einfachem und Perfektem, und es beruhigt deine Nerven für den Rest des Tanzes. Aber die Buffalo Turns kamen als Nächstes, und sie mussten auch gut sein. Die ganze Zukunft der Welt hing davon ab, dass diese Drehungen ausgezeichnet liefen.

Und die Drehungen waren perfekt. Die besten, die sie je gemacht hatte.

Sie sah zu der Frau vom Jugendamt hinüber, die wirklich zuschaute und beeindruckt zu sein schien. Vielleicht funktionierte es! Wie könnte Ms Katz das ansehen und sie dann genau von den Leuten wegnehmen, die das ermöglicht hatten?

Sie beendete ihre Drehungen an dem geeigneten Ort, genau in der Mitte der Tanzfläche, dort wo sie begonnen hatte. Und sie drehte sich zu ihren Dreifachsprüngen und zählte in Gedanken mit. Und Lächeln!

Eins, zwei, drei, vier, fünf, sechs, sieben, hopp … eins, zwei, drei, vier, fünf, sechs, sieben, hopp … eins, zwei, drei, vier … eins, zwei, drei, vier … eins und zwei, und eins und zwei, und eins und zwei, und drei. Und stopp!

Stolz blieb sie stehen, ein Bein noch in der Luft, strahlend. Es war der beste Tanz, den sie je getanzt hatte. Jemals. Es hatte der beste sein müssen, und das war er auch.

Ms Katz klemmte ihre Ordner unter einen Arm und applaudierte.

»Sehr schön«, sagte sie. »Ausgezeichnet. Du bist eine gute Tänzerin. Du hast all das in nur zwei Monaten gelernt?«

»Ja«, sagte Grace und keuchte noch vor Anstrengung. »Ich übe viel.«

»Also, ich finde es wunderbar, dass Mr Feldman und deine anderen Nachbarn dir so geholfen haben. Und ich wünschte wirklich, es würde die rechtlichen Fakten ändern. Aber … sag einfach Ms Johnson, dass ich nach sechs Uhr wiederkomme.«

•••

»Du musst aufstehen«, sagte Billy. »Du musst tanzen.«

»Ich kann zu einem Zeitpunkt wie diesem nicht tanzen«, sagte Grace.

Sie saß zusammengesackt auf der Couch und hielt ihre Katze fest im Arm. Vielleicht zu fest, aber die beste Sache an Mr Lafferty, der weiblichen Katze, war, dass sie sich nie beschwerte. Grace vermutete, dass es daran lag, dass es schlimmere Dinge auf der Welt gab, als zu sehr festgehalten zu werden. Mr Lafferty hatte damit nicht ganz Unrecht.

»Du musst vor allem zu einem Zeitpunkt wie diesem tanzen. Darum geht es ja. Das Tanzen bringt dich zurück in den Augenblick. Es ist der Tanz, der dich retten wird.«

»Wie spät ist es?«

Billy lehnte sich zurück, um auf seine Küchenuhr zu sehen. »Zehn nach sechs.«

»Nichts wird mich retten.«

»Das darfst du nicht sagen, wenn du es nicht versucht hast.«

Grace seufzte. Sie setzte die Katze auf die Couch, zog sich hoch und fand heraus, dass nur das warme Fell von Mr Lafferty, der weiblichen Katze, und ihr behagliches Schnurren zwischen ihr und dem Panikgefühl gestanden hatte. Sie fühlte sich plötzlich, als hätte sie keine Luft zum Atmen.

Sie sah zu Billy hinüber, der seine eigenen Steppschuhe schnürte.

»Ich glaube, ich habe eine Panikattacke«, sagte sie.

Er sprang auf und rannte zu ihr, einer seiner Schuhe war noch ungebunden.

»Nein!«, brüllte er. »Lös dich davon! Nein, du hast keine. Gib der Sache nicht mal einen Namen. Gib ihr nicht einmal so viel Macht. Annulieren«, sagte er und wedelte mit den Händen um Grace' Kopf herum, als könne er ihre Gedanken löschen. »Vergiss diesen Gedanken, sofort. Komm. Ich tanze mit dir.«

Er nahm ihre Hand und zog sie in die Mitte der Küche, ihre vier Steppschuhe hallten rhythmisch wider. Er bückte sich schnell, um seinen Schuh zuzubinden.

»Billy. Du hast gesagt, wir dürften in der Küche nicht tanzen.«

»Ich kann nur hoffen, dass deine Mutter hier hochkommen wird, um uns anzubrüllen«, sagte er. »Ich würde gern ein Wörtchen mit ihr reden.«

Unwillkürlich lächelte Grace ein wenig. Sie hatte sich immer noch nicht richtig daran gewöhnt, ihn solche Sachen sagen zu hören.

»Richte dich jetzt nach mir aus«, sagte er. »Nein, ein wenig weiter weg. Wir müssen Platz für die Drehungen haben. Jetzt will ich, dass du siehst, wie all die Angst wegfliegt, wenn du tanzt.«

Da sie also nichts zu verlieren hatte, ging Grace mit ihm den Tanz durch, während sie ihn aus den Augenwinkeln beobachtete. Ihr Tanz war dieses Mal nicht perfekt, und außerdem vergaß sie zu lächeln, aber es war so interessant zu sehen, wie ihre Bewegungen aufeinander abgestimmt waren, und plötzlich war sie ganz in der Gegenwart, tanzend, wie Billy gesagt hatte.

Da fühlte sie, dass sich die Dinge irgendwie regelten. Weil … nun, sie würden es einfach.

»Du bist der beste Tänzer«, sagte sie nach den Drehungen.

»Ich bin nicht zehn Prozent von dem, was ich einmal war.«

»Dann musst du sehr gut gewesen sein.«

»Ja. Das bin ich«, sagte er und brauchte offensichtlich seine Dreifachsprünge nicht einmal zu zählen. »›Muss gewesen sein‹. Das ist wie ›ehemals gewesener‹ oder ›unter ferner liefen‹, nur noch schlimmer.«

»Ich habe kein Wort davon verstanden.«

»Macht nichts«, sagte er, und dann gaben sie ihr großes Finale.

Und danach hörten sie das Klopfen an Rayleens Tür.

Billy

Grace schniefte. In Rayleens Arme gekuschelt, hockte sie mit ihr auf Billys Couch. Billy gab ihr ein paar Taschentücher.

»Wenigstens habe ich sie dazu gebracht, uns noch einen Monat zu geben«, sagte Rayleen zu Grace. Sie klang künstlich optimistisch und gleichzeitig so, als würde es ihr das Herz brechen. Und das gerade in dem Augenblick, in dem sie stark sein sollte, dachte Billy.

»Aber das ist nicht genug!«, jammerte Grace. »Mein Tanz für die Schule ist in mehr als einem Monat! Wenn sie mich also in einem Monat mitnehmen, dann verpasse ich den Tanz in der Schule, und selbst wenn alles gut wird und du meine Pflegemutter sein kannst und mich später wieder dort abholst, dann wird es trotzdem zu spät für meinen großen Tanz gewesen sein!«

Billy beugte sich vor, um die Tränen aus ihrem Gesicht zu wischen. Dabei gerieten versehentlich Blutspuren von seinen Fingerspitzen auf das Taschentuch.

»Aber zumindest ist das noch ein Monat, in dem deine Mom clean werden kann«, sagte er, »und wenn sie das schafft, dann gibt es kein Problem. Also müssen wir daran arbeiten. Wir müssen uns überlegen, was wir tun können, damit sie clean wird.«

»Wir brauchen Yolanda«, sagte Grace und schien sich etwas zu beruhigen.

»Wir können versuchen …«

»Nein«, sagte Grace bestimmt. »Wir können nichts versuchen. Yolanda muss uns helfen. Denn meine Mom will nicht mit euch reden, weil sie so wütend auf euch ist. Und ich kann nicht wieder zu ihr hingehen, weil wir gesagt haben, dass sie mich nicht sehen kann, bevor sie clean ist.«

»*Wieder* zu ihr hingehen?«

»Überhaupt zu ihr hingehen, überhaupt meinte ich.«

»Dies könnte eine Ausnahme wert sein«, sagte Rayleen.

Ihre Stimme klang in Billys Ohren flach und sehr ruhig, so wie die glasklare Oberfläche des Meeres, wenn der Wind plötzlich nicht mehr weht. Wie die Segelschiffe, die gestrandet liegen bleiben, bis der Wind wieder weht. Sie klang auch so, als hätte sie wieder Atemprobleme.

»Nein«, sagte Grace. »Es war ein Versprechen, und ein Versprechen wird nicht gebrochen. Außerdem haben wir alle versucht, mit ihr zu reden, und es hat nichts genutzt. Wir brauchen Yolanda. Yolanda kann einem Angst machen. Nicht immer, aber sie kann's, wenn es nötig ist. Sie ist eine dieser Furcht einflößenden Sponsoren.«

Die tödliche Ruhe erfasste sie wieder, und keines ihrer Schiffe bewegte sich. Nicht ein einziges ihrer Segel schien zu flattern.

»Ich muss hier raus, oder ich kann nicht mehr atmen«, sagte Rayleen. »Grace, renn nach Hause … ich meine, renn in meine Wohnung und ruf Yolanda an, während ich hier mit Billy rede. Du hast doch noch ihre Nummer, oder?«

»Ich weiß nicht, wo ich sie hingetan habe«, sagte Grace und stand auf, »aber ich glaube, ich kann sie auswendig.«

Nachdem Grace hinausgerannt war, schaute Rayleen Billy an, und eine Mischung aus Niedergeschlagenheit und Panik spiegelte sich in ihren Augen. Billy hätte niemals gedacht, dass diese beiden Gefühle zur gleichen Zeit existieren könnten.

»Gerade jetzt, wo als alles so gut lief«, sagte sie.

»Ja, da muss man vorsichtig sein. Manchmal denke ich, dass Gott mit dem dicken Ende nur auf uns wartet.«

Rayleen seufzte und sagte dann: »Ich muss aus diesem Katzenland raus, ich bekomme Probleme mit dem Atmen. Komm rüber … nein, Grace ist da. Ich muss allein mit dir reden, begleite mich in den Hausflur.«

Billy folgte ihr in den düsteren Hausflur, während sein Herz hämmerte. An der hinteren Wand befand sich ein deprimierend kleines Fenster, und Billy fragte sich, ob er überhaupt je gewusst hatte, dass es dort war. Es war mit Dreck verkrustet, und Billy konnte durch das Fenster nur unscharf sehen, wie die toten Äste eines ehemals blühenden Baumes leicht aneinander schabten.

Rayleen schien ihr Gleichgewicht zu verlieren und stürzte plötzlich vornüber auf den Boden. Billy streckte seine Arme aus um sie zu fangen, aber er verpasste sie. Als sie auf dem Boden hockte und mit dem Rücken an der fleckigen Wand lehnte, verstand Billy, dass wahrscheinlich einfach ihre Knie nachgegeben hatten.

Abbilder von mir, dachte er. Reagierten andere Leute auch so heftig, wenn sie von ihren Gefühlen überwältigt wurden? Das war neu für ihn. Er hatte sein Leben mit der Gewissheit gelebt, dass er der Einzige sei, der solche Reaktionen hatte.

Billy hockte sich zu ihr und drückte in dem kläglichen Versuch, emotionalen Halt zu gewinnen, seinen Rücken gegen die Wand. Natürlich half es nicht.

»Ich habe Grace nicht angelogen«, sagte Rayleen, und ihre Stimme klang dabei unnatürlich und ungewohnt. »Ich habe ihr alles erzählt, was Ms Katz gesagt hat. Nein, das stimmt nicht. Alles, was ich ihr von Ms Katz gesagt habe, ist wahr. Ich habe nicht gelogen, wenn es darum geht, was sie gesagt hat. Ich habe nur ein paar Sachen ausgelassen. Da gab es ein paar Dinge, die ich Grace einfach nicht erzählen konnte.«

»Sag es einfach«, meinte Billy. »Je schneller desto besser. Das macht mir Angst.«

»Das sollte es.«

»Sag es einfach.«

»Grace denkt, ich könnte mich als Pflegemutter bewerben und sie sofort zurückbekommen. Aber wahrscheinlich ist es nicht so einfach.«

Die Neuigkeit traf auf eine leere Stelle in Billy, als wäre sie im Nirgendwo gelandet und auf keine Resonanz gestoßen. Er antwortete nicht.

»Ich habe lange mit Ms Katz darüber gesprochen. Ich kann den Papierkram machen, aber das dauert. In der Zwischenzeit, wenn es viele freie Pflegeplätze gibt, kann Grace schon einem anderen Pflegeplatz zugewiesen worden sein. Oder falls sie nicht viele Pflegeplätze haben, wenn die Genehmigung durch ist, dann wird mir wahrscheinlich ein schwarzes Mädchen zugeteilt, das schon viel länger als Grace gewartet hat. Es gibt nur eine sehr geringe Chance, dass es funktioniert. Die Aussichten sind nicht gut. Wenn sie erst einmal im System ist, haben wir sie wahrscheinlich verloren. Wir haben keine rechtlich anerkannte Bindung. Wir sind keine Blutsverwandten. Wir haben keine Berechtigung, sie zurückzubekommen. Wir können uns noch nicht einmal erkundigen, wie es ihr geht.«

Billy versuchte, ob sein Mund funktionierte. Er tat das zwar überraschend gut, arbeitete aber scheinbar abgeschnitten und unabhängig von dem Rest von ihm.

»Man sollte denken, dass die Bindung, die sie zu uns hat …«

Aber dann erkannte er, dass er sich nicht sicher war, was diese Verbindung ausrichten konnte, oder warum. Schließlich war es das Jugendamt von LA und nicht eine weise und sich sorgende Einzelperson, die diese Entscheidung treffen würde.

»Ja, man sollte denken, dass die Bindung zu einem Elternteil auch ziemlich unzerbrechlich sein müsste, aber diese Bindungen werden andauernd gebrochen. Ms Katz sagte, dass eine familiäre Umgebung *etwas* Berücksichtigung findet. Aber im Verhältnis zur Wartezeit und zu ›anderen Eignungsfaktoren‹ sieht es nicht gut aus. Das war ihr Begriff. Ich glaube, es ist rassisch gemeint, aber ich habe nicht nachgefragt.«

Sie blieben eine Weile schweigend sitzen und Billy hätte nicht sagen können, ob es zwei Minuten waren oder fünfzehn.

»Vielleicht nehme ich sie einfach«, sagte Rayleen. »Ich nehme sie einfach mit und gehe …«

Billy warf ihr einen Blick zu, aber Rayleen erwiderte ihn nicht.

»Das ist nicht dein Ernst, oder?«

»Vielleicht doch.«

»Sie werden dich kriegen. Und dann werden sie Grace zu einer Pflegestelle schicken und dich ins Gefängnis, und deine Chance, sie zurückzubekommen, wird damit von ›gering‹ auf ›nie‹ sinken.«

Rayleen sagte nichts und biss einen Moment auf ihrer Lippe herum. Billy konnte überhaupt nicht abschätzen, was in ihrem Kopf vor sich ging.

»Du hast recht«, sagte sie, »es ist verrückt.«

Billy atmete erleichtert tief ein.

»Aber vielleicht werden wir auch nicht erwischt«, fügte Rayleen hinzu.

Billy spürte ein seltsames Kribbeln auf der Kopfhaut.

»Schau«, sagte er. »Ich hasse es, dies zu sagen und versteh mich bitte nicht falsch, aber du wirst nicht in der Lage sein, dich optisch zu integrieren. Schwarze Frau, weißes Kind … Die Leute werden nicht einfach annehmen, dass es dein Kind ist, wenn sie dich sehen. Tut mir leid, aber …«

»Nein. Du hast recht, es braucht dir nicht leid zu tun. Ich habe Unsinn geredet. Ich weiß nicht, was ich gedacht habe. Es war ein verrückter Gedanke.«

Grace' laute Stimme schallte plötzlich durch den Flur. »Hey!«, rief sie aus Rayleen's Tür. »Gute Neuigkeiten! Yolanda sagt, dass sie herkommen wird, um einer Süchtigen in den Hintern zu treten!«

Rayleen schaute Billy wie einen guten alten Freund an.

»Kann man eine Süchtige heilen, indem man ihr in den Hintern tritt?«, fragte sie flüsternd.

»Ich weiß nicht«, flüsterte Billy zurück. »Aber wir wollen es hoffen. Denn im Moment sieht es so aus, als sei dies unsere einzige Chance.«

•••

Nach einer vollständig schlaflosen Nacht roch und schmeckte Billys Morgenkaffee sogar noch besser als sonst. Er hatte gerade genug gemacht, um sicherzustellen, dass ihm der Kaffee vor dem Monatsende nicht ausgehen würde.

Als er zusah, wie der Kaffee durch den Filterbeutel tropfte, hörte er plötzlich ein hartes Hämmern an der Tür zur Souterrainwohnung unter sich.

Eine kurze Stille folgte, und dann sagte jemand: »Mach auf, Dornröschen, hier ist deine Sponsorin.«

Einen Augenblick später hörte er, wie die Tür geöffnet wurde. Dies stellte etwas klar, das er im Hinterkopf behalten hatte. Ein Teil von ihm hatte sich immer gefragt, ob Grace' Mutter wirklich hören konnte, wenn Leute an ihre Tür klopften. Und jetzt wusste er es.

Er stand da und kaute nervös an seinen Nägeln, dann schlug er gegen seine eigene Hand. So hätte es auch Grace getan, wenn sie jetzt bei ihm wäre anstatt bei Rayleen, nur etwas sanfter.

Er nahm den Kaffee mit ins Wohnzimmer, und während er ihn auf der Couch trank, betrachtete er durch den dünnen Vorhang, wie die Autos auf der Straße vorbeifuhren.

In weniger als einer halben Stunde wäre es wieder Zeit, mit Grace zur Schule zu gehen.

Billy setzte sich gerade auf und traf eine plötzliche Entscheidung.

Er marschierte in die Küche und machte einen weiteren Kaffee, eine ganze Kanne davon. Er überprüfte seinen Sahnevorrat, schüttelte den Sahnebecher und sah ihn eine Weile stirnrunzelnd an, bis er bemerkte, dass der Kühlschrank immer noch geöffnet war. Er schloss ihn, den Sahnebecher immer noch in der Hand, der sich kühl und wertvoll anfühlte. Es gab keinen Zweifel daran, dass sein Vorrat nicht bis zur nächsten Lieferung ausreichen würde.

Manche Dinge muss man einfach tun. Also tut man sie.

Billy zog seinen Bademantel zu.

Mit der Kaffeekanne in der Hand und dem Sahnebecher unter den Arm geklemmt, machte er sich auf den Weg hinaus aus seiner Wohnung und die Treppen hinunter.

Er klopfte an die Tür der Souterrainwohnung.

Die Tür wurde von Yolanda aufgerissen. Von einer der Versammlungen her konnte sich Billy gut an sie erinnern. Genauer gesagt, er würde sie nie vergessen.

»Ja?«, fragte sie.

Billy widerstand dem Verlangen, einfach wegzurennen und sagte: »Ich bin einer von Grace' Nachbarn.«

»Stimmt, ich erinnere mich. Der Nervöse. Was riecht hier so gut? Oh, das sind Sie. Sie halten eine Kaffeekanne in der Hand.«

»Es ist noch früh, und ich dachte, Sie wollen vielleicht etwas Kaffee.«

»Oh, Sie sind ein Schatz. Kommen Sie doch rein.«

Zum ersten Mal in seinem Leben trat Billy vorsichtig in diese Wohnung, sein Herz hämmerte, er blickte sich nervös um und fragte sich, wo Grace' Mutter sein konnte. Er sah sie schließlich auf der Couch, sie rauchte eine Zigarette und schaute ihn böse an. Als sich ihre Augen kurz trafen, sprang sie auf, marschierte in ihr Schlafzimmer und schlug die Tür laut hinter sich zu.

»Sie hasst mich«, sagte er und stellte den Kaffee und die Sahne auf die ekelerregend dreckige Arbeitsplatte in der Küche.

»Ja«, sagte Yolanda. »Sie glauben, Sie übertreiben, um lustig zu sein, aber so übertrieben ist es nicht. Lassen Sie mich eine saubere Tasse holen. Sie retten mir das Leben. Es ist früh am Morgen, und sie hat rein gar nichts zu Hause. Keinen Kaffee, keine Sahne, kein Essen. Es ist erstaunlich, dass sie noch nicht verhungert ist. Ich glaube, sie stolpert alle zwei Tage zu einer Imbissbude. Oh, hier ist … nein, ich suche nach einer *sauberen* Tasse. Okay, ich spüle einfach eine ab. Jedenfalls sind Sie ein Schatz. Soll ich zwei Tassen spülen? Trinken Sie auch eine?«

»Ich hatte schon Kaffee«, sagte er.

Yolanda brüllte plötzlich, und Billy schrak auf.

»Eileen? Willst du Kaffee?«

Keine Antwort.

Yolanda ging zur Schlafzimmertür, öffnete sie und steckte den Kopf hinein. Dann kam sie heraus und schloss die Tür wieder hinter ihr zu.

»Zwei Tassen. Sie trinkt eine.«

Zeit für das ultimative Opfer, dachte Billy.

»Sahne?« Er hielt den wertvollen Karton hoch.

»Nein danke, ich trinke meinen Kaffee schwarz. Ich glaube, Eileen trinkt ihren auch schwarz, aber mit Zucker. Und ich glaube, ich habe irgendwo Zucker gesehen … Sie öffnete eine Schranktür und Billy sah, dass sich im Schrank nichts weiter als eine Packung Zucker und eine Flasche Sirup befand. »Jep.

Wissen Sie, warum noch Zucker da ist? Weil sie nichts hat, in das sie den Zucker tun könnte, oder *auf* das sie den Zucker tun könnte. Ist das wirklich der ganze Grund, weshalb Sie hier vorbeigekommen sind, um meinen Morgen mit einer Kanne Kaffee etwas genießbarer zu machen?«

»Ich wollte damit ausdrücken, dass wir es sehr schätzen, dass Sie hier sind«, sagte Billy. »Wir machen uns alle große Sorgen darüber, was mit Grace passieren wird. Und wahrscheinlich wollte ein Teil von mir hören, wie es bisher läuft.«

Yolanda brach in lautes Lachen aus.

»Ich bin gerade mal seit zehn Minuten hier. Ich habe ihr Leben noch nicht völlig umgekrempelt, wenn Sie das meinen.«

Billy spürte, wie die Hitze in sein Gesicht stieg, und er bewegte sich rückwärts in Richtung Tür.

»Entschuldigung«, sagte er. »Ich lasse Sie einfach allein, damit Sie … tun können, was Sie … tun.«

»Sehen Sie, ich möchte nicht unwirsch sein, aber so etwas dauert, wissen Sie?«

»Ja, natürlich, tut mir leid.«

Billy eilte hinaus, aber gerade als er die Tür hinter sich zuziehen wollte, hielt ihn plötzlich etwas auf. Yolanda stand neben ihm.

»Sehn Sie, es ist so. Als Erstes muss ich ihre ganze Wohnung durchsuchen und alles, was sie hat, das Klo hinunterspülen. Dann muss ich zur Arbeit gehen. Danach komme ich zurück und schaue nach, ob sie aufgehört hat oder rausbekommen hat, wie sie an mehr kommen kann. Das Gute ist, dass sie keinen Pfennig mehr hat. Das Schlechte ist, dass Süchtige immer Wege finden, wie sie an das kommen, was sie brauchen. Wir werden sehen. Wie wäre es, wenn ich später bei Ihnen vorbeikomme, Ihre Kaffeekanne zurückbringe und Ihnen dann erzähle, wie es bisher gelaufen ist? Ich kann sehen, dass Sie sich Sorgen machen, was gut ist. Sie wohnen im ersten Stock?«

»Ja, gegenüber von Rayleen.«

»Okay. Geben Sie der Sache nur Zeit, ihren Lauf zu nehmen.«

Billy beeilte sich, zurück in die Wohnung zu kommen, stellte die Sahne in den Kühlschrank und setzte sich auf die Couch, wo er bewusst ein- und ausatmete, bis seine Herzfrequenz wieder auf einem normales Level war.

•••

»Ich meine es ernst«, sagte Grace. »Ich habe eine Panikattacke. Ich habe wirklich eine Panikattacke.«

Sie waren drei oder vier Straßen von ihrem Zuhause entfernt, als sie dies sagte. Grace war an Rayleens Hand gegangen, aber dann war sie plötzlich stehen geblieben und hatte sich losgemacht. Jesse eilte ein paar Schritte auf sie zu und hockte sich vor sie hin, womit er Billy allein und ungeschützt in der großen Welt zurückließ.

Billy ging auch zu Grace und hockte sich neben Jesse.

»Lösch das aus deinen Gedanken«, sagte er zu Grace. »Erinnerst du dich daran, wie wir das löschen?«

»Tanzen«, sagte Grace atemlos. »Aber ich habe meine Steppschuhe nicht dabei.«

»Das ist alles meine Schuld, ich hätte dir nie erzählen sollen, dass ich Panikattacken bekomme.«

»Das hast du auch nicht«, sagte Grace. »Ist das wahr? Du bekommst Panikattacken?«

Sie sah ihn neugierig an und wirkte zumindest einen Moment lang tatsächlich verwirrt.

»Der Abend auf meiner Terrasse, als wir die Sterne anschauten und du mich gefragt hast, was mit mir passiert sei.«

»Aber du hast mir nie geantwortet, Billy.«

»Doch, ich habe dir geantwortet«, sagte er und legte eine Hand auf ihre Schulter, wie es Jesse immer bei ihm tat. »Aber vielleicht hast du da schon geschlafen. Woher wusstest du überhaupt, wie man das nennt, wenn du es nicht von mir gehört hast?«

»Ich weiß nicht. Vielleicht habe ich es irgendwo gehört, aber ich glaube, das ist einfach so, wie es sich anfühlt. Ich bin bloß die Straße entlanggegangen und habe wie jeden Tag diese Häuser angeschaut, weil ich hier jeden Tag meines Lebens bin, und dann habe ich ganz plötzlich gedacht, dass ich das nach dem nächsten Monat vielleicht nie wieder sehen werde, und dann bin ich richtig panisch geworden und konnte nicht mehr atmen.«

»Ich helfe dir, es zu löschen.«

»Wie? Ich kann hier draußen auf dem Gehweg nicht tanzen.«

»Warum nicht?«

»Ich habe meine Schuhe nicht dabei!«, rief sie, und ein Mann, der im Garten seine Hecken bewässerte, schaute auf und starrte sie an.

»Und? Glaubst du nicht, dass es noch irgendeinen anderen Tanz als den Stepptanz gibt? Es gibt alle möglichen Arten zu tanzen, Grace. Ich zeige dir ein paar neue Tanzschritte, und du kannst den ganzen Weg zur Schule tanzen.«

»Die Leute werden mich anstarren.«

»Na und? Lass sie starren.«

»Tanzt du mit mir?«

Billy schluckte. Großer Gott, dachte er. Die Leute werden mich anstarren.

Er sah Jesse an, der ihn beobachtete und auf seine Antwort wartete.

»Ja, mach ich. Lass uns anfangen. Ich zeige dir einen wirklich einfachen lateinamerikanischen Salsaschritt. Du zählst einfach immer bis sechs. Eins, zwei, drei … vier, fünf, sechs.«

Mit einer theatralischen Bewegung machte er ein paar Schritte vorwärts und wieder zurück, warf am Ende seinen Oberkörper nach hinten und schwang seine gebeugten Arme in einem lateinamerikanischen Rhythmus. »Vergiss nicht, hier deine Arme einzusetzen. Versuch's.«

Grace kopierte seine Bewegungen und zählte flüsternd die Schritte.

»Arme«, rief Billy.

»Okay. Arme.«

»Lächeln«, rief Billy.

»Okay. Lächeln. Also, wie lange muss ich hier auf der Straße stehen und das tun?«

»Sei kein Klugscheißer«, sagte Billy und synchronisierte weiter seine Schritte mit ihren. »Wir kommen noch dorthin. Jetzt musst du nur noch sehr lange Schritte vorwärts machen und sehr kurze Schritte rückwärts. Und dann bewegen wir uns vorwärts.«

Das taten sie. Sie tanzten langsam an dem Vorgarten des Mannes vorbei, der immer noch seine Hecke bewässerte. Er hatte damit aufgehört, um ihnen zuzusehen, und ein Wasserstrahl spritzte aus seinem Gartenschlauch ins Nichts. Als sie das Ende seines Grundstücks erreicht hatten, hatte er sich den Gartenschlauch unter den Arm geklemmt und klatschte Beifall.

»*Muy bonita!*«, rief er und klang dabei kein bisschen sarkastisch. »*Miradas buenas!*«

Billy erkannte, dass es Komplimente waren, aber er war neugierig, um welche Komplimente es sich genau handelte.

»Was hat er gesagt?«, flüsterte er Grace zu.

»Nun … *bonita* bedeutet hübsch. Und *bueno* …«

»*Bueno* kenne ich. Siehst du? Er lacht nicht über uns. Es gefällt ihm. Dein erster Applaus.«

»Rayleen applaudiert mir. Und die Frau vom Amt hat mir auch applaudiert.«

»Dein erster öffentlicher Applaus. Wie fühlt sich das an?«

»Merkwürdig. Noch merkwürdiger, als ich dachte. Ich glaube, ich hatte mir nicht vorgestellt, dass ich auf der Straße Salsa tanzen würde.«

Etwa eine Straße später schaute Billy über seine Schulter und sah, dass Rayleen und Jesse etwa zehn Schritte hinter ihnen liefen.

Und sie gingen Hand in Hand.

•••

Es war nach sechs Uhr, nicht lange, nachdem Grace zum Übernachten zu Rayleen gegangen war, da kam Yolanda zu Billy.

Er ließ sie herein, obwohl er sich etwas vor ihr fürchtete.

Er nahm die Kaffeekanne und stellte sie neben die Spüle, während er darüber nachsann, wie oft er die Kanne wohl waschen müsste, bis er ihr verzeihen könnte, dass sie in dieser dreckigen, furchtbaren Wohnung gewesen war.

Er ging ins Wohnzimmer, wo Yolanda auf der Couch saß und die Katze streichelte.

»Das ist also Grace' Katze, was? Ich muss mir ganz schön viel über diese Katze anhören. Von beiden Seiten. Also, ich möchte Ihre Zeit nicht verschwenden. Es ist so. Ich habe keine Ahnung. Sie läuft herum und redet und sagt, sie hätte nichts genommen, während ich bei der Arbeit war, weil sie es nicht konnte, da ich all ihre Verstecke gefunden hatte. Also weiß ich es nicht. Vielleicht hat sie morgen genug davon, clean zu sein, oder übermorgen, und dann findet sie einen Weg, sich etwas zu besorgen. Oder vielleicht bin ich mit dem, was ich über Grace gesagt habe – nämlich dass Grace kurz davor ist, in das System geworfen zu werden –, zu ihr durchgedrungen. Das war der Hauptpunkt, zumindest jetzt, sie so clean zu bekommen, dass ich ihr das sagen konnte. Aber ich bezweifle, dass es Erfolg hat. Und ich sage Ihnen auch, warum.«

Billy saß am anderen Ende auf dem äußersten Rand des Sofas, und sein Gesicht fühlte sich blutlos und kalt an.

»Das liegt daran, dass sie denkt, es würde nicht schlimmer sein«, fuhr Yolanda fort. »Sie hält euch für den Teufel in Person und glaubt, dass Pflegeeltern, wen auch immer Grace zugeteilt bekommen wird, besser sein würden als die jetzige Situation.«

Billy bemerkte, dass Yolanda mit einer schnappenden Bewegung Kaugummi kaute, seiner Meinung nach eine irritierende Angewohnheit.

Er räusperte sich, um seine Stimme zu testen.

»Aber wir lieben Grace über alles«, sagte er leise. »Und sie liebt uns. Und sie blüht hier auf.«

»Die Logik einer Süchtigen«, sagte Yolanda ohne Zögern. »Das Leben wird aus einer verbitterten Sicht betrachtet. Es kann sein, dass größtenteils noch die Drogen aus ihr sprechen und wir in zwei Tagen von der wirklichen Eileen hören. Wissen Sie, ich habe sie über zwei Jahre lang gesponsert, und ihr Zustand hatte sich einigermaßen gebessert. Irgendwo in ihr steckt eine vernünftige Person. Es ist nur eine Weile her, dass ich sie zuletzt gesehen habe.«

»Was hat sie genommen? Was haben Sie gefunden?«

»Vor allem Oxy. Etwas Hydrocodon.«

»Damit kenne ich mich nicht aus.«

»Gottseidank. Machen Sie sich damit auch nicht vertraut. Es sind sehr starke Schmerzmittel. Großes Suchtpotential. Oxycodon wird auch als ›Heroin für Arme‹ bezeichnet. Dafür, dass es ein legales, rezeptpflichtiges Medikament ist, macht es Leute schnell abhängig.«

»Oh, sie bekommt es legal?«

»Nein, *sie* nicht. Ärzte verschreiben es, aber sie wissen, dass sie es ihr nicht verschreiben sollten. Nein, sie bekommt es auf der Straße. Wenn ich wüsste wo, wäre das hilfreich. Aber ich weiß es nicht, es könnte überall sein. Das ist nicht gerade ein seltener Stoff.«

»Grace denkt, dass Rayleen sie sofort wieder zurückholen kann, wenn das Amt sie uns wegnimmt«, sagte Billy tonlos.

»Dann muss ihr jemand die verdammte Wahrheit sagen. Wenn sie einmal im System ist, dann ist sie weg. Oh, ihre Mutter könnte sie zurückbekommen, das ja. Aber sie müsste beweisen, dass sie seit langer Zeit clean ist. Wahrscheinlich mindestens ein Jahr lang. Es ist kein schneller Prozess. Das Mädchen verdient es, die Wahrheit zu erfahren. Es geht um ihre Zukunft. Vielleicht aber nicht genau jetzt, weil wir womöglich noch eine Chance haben. Aber wenn wir wissen, dass sie kommen werden, um sie zu holen, dann sollte sie wissen, was auf sie zukommt.«

»Sie glauben also, wir haben noch eine Chance«, sagte Billy und klammerte sich an den letzten Strohhalm.

Yolanda wickelte eine Strähne ihres langen Haares um den Finger, wahrscheinlich eine nervöse Angewohnheit.

»Ich habe noch einen kleinen Trick in der Hinterhand. Ich habe fünf Urlaubstage, die ich nehmen kann. Also werde ich an dem Tag hier sein, wenn diese Frau vom Amt wiederkommen soll und zusätzlich noch zwei Tage davor und danach. Ich werde dort unten sitzen und sicherstellen, dass sie clean ist.«

»Das ist fantastisch!«, rief Billy und erschrak selbst vor seiner Lautstärke.

»Hey«, sagte Yolanda. »Der Plan ist schwächer, als Sie denken. Ich kann mich nicht auf sie setzen, wenn sie versucht rauszugehen und etwas zu kaufen. Ich kann versuchen, es ihr auszureden, aber ich kann sie nicht anbinden. Nicht legal. Ich kann nur hoffen, dass es ihr zu peinlich wäre, das direkt vor mir zu tun. Und es gibt noch eine weitere Schwachstelle. Nein, eigentlich zwei. Erstens, die Frau vom Amt hat gesagt, sie gäbe der Sache noch einen Monat. Aber vielleicht meint sie sechsundzwanzig Tage oder vielleicht auch fünfunddreißig Tage. Bei denen weiß man nie Genaues, und das ist auch Absicht, da bin ich mir sicher. Sie hat uns nicht gerade geholfen, dadurch, dass sie einen Termin gemacht hätte. Aber nehmen wir an, sie taucht genau dann auf, wenn ich bei Eileen bin. Sie ist also clean, und das ist gut, und niemand steckt Grace in das System. Fantastisch, was? Aber denken Sie, das Amt belässt es dabei? Denken Sie, diese Frau ist so dumm und weiß nicht, dass eine Süchtige an einem Tag clean sein kann und am nächsten so richtig drauf? Denken Sie, dass das die erste Süchtige ist, die sie je getroffen hat? Nein, sie wird zurückkommen, um die Sache zu überprüfen. Regelmäßig. All diese Anstrengung, und ich weiß wirklich nicht, was wir erreichen werden. Vielleicht nur ein paar Wochen mehr. Falls Eileen ihren Hintern nicht hochbekommt und das Programm durchzieht, ist das alles umsonst. Falls sie nicht wieder mitmacht, gibt es wirklich nur eine Richtung, in die das gehen kann.«

Billy blieb eine lange Zeit nur still sitzen und konzentrierte sich auf seinen Atem. Irgendwo in ihm steckte eine Frage fest, die sich durch sein aufgewühltes Inneres durchkämpfen wollte, aber er konnte seine Kraft noch nicht zusammennehmen, um sie zu stellen.

»Tut mir leid«, sagte Yolanda und stand auf, um zu gehen.

»Warten Sie«, sagte Billy. »Ich habe noch eine Frage. Wie sind die Chancen? Ich meine, nicht in diesem spezifischen Fall, weil das offensichtlich niemand weiß, was ich meine, ist … was glauben Sie, wie die Chancen im Allgemeinen stehen? Wie viel

Prozent der Süchtigen werden wirklich clean und bleiben es? Wissen Sie das?«

Mit der Hand auf dem Türgriff blieb Yolanda kurz stehen. »Ungefähr drei von Hundert«, sagte sie.

•••

Mitten in einem Traumzyklus stand Billy da und sah sich unsicher um, nichts außer Flügeln war auf allen Seiten zu erkennen. Weite, weiße, prächtig gefederte Flügel. Und sie blieben völlig still.

Es verunsicherte ihn, dass sie so still waren. Er fühlte sich verspottet.

»Flattert!«, brüllte er die Flügel an, als er die Spannung nicht länger ertragen konnte.

Aber die Flügel blieben still.

»Flattert, verdammt nochmal! Ihr wisst, dass ihr es wollt! Ihr wisst, dass ihr es tun werdet! Nun flattert schon und bringt es zum Teufel nochmal hinter euch!«

Doch die Flügel blieben weiter bewegungslos hängen. Aber irgendetwas machte ein klopfendes Geräusch.

»Billy!«, sagten die Flügel, und es klang weit entfernt.

Nein. Es waren nicht die Flügel, die gesprochen hatten, es war Grace.

Billy öffnete die Augen. Er blieb einen Moment still liegen und starrte in dem trüben Licht an den abgeblätterten Putz an seiner Zimmerdecke. Er versuchte, einen klaren Kopf zu bekommen und von seinem Traum zurückzukehren.

»Billy!«

Jetzt wusste er es. Es war ohne Zweifel kein Traum. Es war die zischende Stimme von Grace, ein lautes Bühnenflüstern, das durch seine Tür drang.

Er zog seinen Bademantel an und stolperte zur Tür, um sie hereinzulassen.

»Warum bist du wach?«, fragte er.

Sie stand barfuß auf dem kalten Holzboden des Hausflurs. Sie trug ein neu aussehendes, blaues Nachthemd und trat von einem Fuß auf den anderen.

»Was ist los?«, fragte sie, »warum hast du gebrüllt?«

»Oh. Habe ich das? Es war nichts. Nur ein schlechter Traum. Du kannst jetzt zurück ins Bett gehen. Alles in Ordnung.«

»Nein, ist es nicht! Warum sagst du so was, Billy? Du solltest nicht sagen, dass alles in Ordnung ist, wenn es nicht so ist.«

Sie drängte sich an ihm vorbei in sein Wohnzimmer und setzte sich auf die Couch. Billy schloss die Tür und seufzte.

»Willst du nicht mal, dass jemand bei dir ist, bis du keine Angst mehr hast und wieder einschlafen kannst? Wenn ich einen schlechten Traum habe, renne ich ins Bett zu Rayleen, und sie streicht mir über die Stirn und fragt mich, worum es in dem Traum ging und dann sagt sie: ›Arme Grace, mach dir nichts draus, Grace, es war nur ein Traum, und Träume können dir nichts tun.‹ Willst du nicht, dass jemand das für dich tut?«

Tränen stiegen in Billys Augen, obwohl er versuchte, sie so gut es ging zurückzuhalten. Ja, das wollte er. Er hatte es sein Leben lang gewollt. Er hatte es bis zu diesem Moment nur nie gewusst.

»Okay«, sagte er und setzte sich zu ihr auf die Couch.

»Was hast du geträumt?«

»Ich habe geträumt, dass diese Flügel überall um mich herum wären, diese wirklich riesigen, weißen Flügel.«

»Wie Vogelflügel?«

»Aber wie Flügel, die ich noch nie gesehen habe.«

»Wie Engelsflügel?«

»Ich weiß es nicht. Ich habe noch nie einen Engel gesehen. Ich glaube jedenfalls nicht. Weil ich annehme, dass Engelsflügel beruhigend wären, aber diese Flügel sind es nicht. Ich träume andauernd von ihnen, aber normalerweise flattern sie. Und die Art, wie sie flattern, ist sehr verstörend. Dies war das erste Mal, dass sie still geblieben sind.«

»Oh«, sagte Grace. »Warum hast du sie dann angebrüllt, dass sie flattern sollten?«

»Das hast du gehört? Na, weil … ich bin nicht sicher. Ich kann es nicht wirklich erklären. Es ist, wie wenn du vorher weißt, dass etwas Schlechtes passieren wird und die Spannung zu groß ist. Aber ich weiß nicht, ob du verstehst, was ich meine. Vielleicht hättest du dabei sein sollen.«

»Macht nichts«, sagte Grace. »Träume sind so. Sie sind normalerweise nicht sehr verständlich.«

Grace kniete sich auf die Couch und streichelte über Billys Stirn.

»Armer Billy. Es war nur ein Traum, Billy. Mach dir nichts aus dem Traum, weil Träume dir nichts tun können.«

»Danke«, sagte er und kämpfte wieder mit den Tränen.

»Gern geschehen. Ich glaube, ich gehe ins Bett zurück. Kann ich auf deiner Couch schlafen? Oh, nein, warte. Rayleen würde sich Sorgen machen, wenn ich weg bin. Ich gehe lieber zurück.«

»Ich werde mich schon wieder besser fühlen«, sagte Billy.

»Ich weiß, weil Träume dir nichts tun können.«

Sie tappte zur Tür, öffnete sie und blieb stehen, beide Hände noch immer am Türgriff.

»Ich will dir nur etwas sagen«, begann sie. »Ich will dir nur sagen, dass ich dich immer finden werde. Du wirst mich vielleicht nicht finden können, aber ich weiß, wie ich dich finden kann. Also, wo auch immer ich hingehe … aber ich hoffe, dass ich nirgends hingehe. Nur, falls ich es doch tue und Rayleen mich nicht zurückbekommen kann, weil … weißt du, ich sage immer, dass sie es kann, aber jedes Mal, wenn ich es sage, machen alle so ein komisches Gesicht, also falls das vielleicht nicht klappt, dann denk einfach daran, dass ich dich immer finden werde, selbst wenn ich erst größer und älter werden muss, bis ich achtzehn bin. Weil du mein allerbester Freund bist.«

Billy blieb die restliche Nacht über wach, sah fern und hatte alle Lichter angeschaltet. Denn er wusste, dass die Flügel dort draußen waren und auf ihn warteten. Und sie würden flattern – oder vielleicht nicht.

Grace

Es war etwa Viertel nach sieben am Abend, und Grace saß im Schneidersitz auf dem Teppich in Rayleens Wohnzimmer und sah fern. Sie saß gern nahe vor dem Fernseher, fühlte sich dadurch mehr wie ein Teil der Welt, die sie betrachtete, so als könne sie wirklich in das Leben von jemand anderem treten. Sie sah die Serie, die sie am liebsten mochte, mit den vier erwachsenen Typen, die versuchten, einen kleinen Jungen großzuziehen, der es immer schaffte, den Haushalt allein zu führen, obwohl er nur etwa einen Meter groß war. Es war eine lustige Serie, und normalerweise lachte sie laut, wenn sie die Serie sah, aber etwas war heute Abend anders. Sie verpasste die meisten Dialoge, wenn sie mit ihren Gedanken abschweifte, aber später, als Rayleens Lachen sie wieder zurückbrachte, konnte sie sich nicht mehr daran erinnern, wo sie mit ihren Gedanken gewesen war.

Sie drehte sich um und sah Jesse und Rayleen auf der Couch Händchen halten. Aber sobald Grace sie ansah, ließen sie ihre Hände los.

»Ihr könnt ruhig vor mir Händchen halten, wisst ihr. Es muss nicht so ein großes Geheimnis sein.«

Rayleen und Jesse tauschten einen Blick, als würden sie ohne Worte bestimmen, wer als Nächstes etwas sagte.

»Es ist nur …«, begann Rayleen.

Aber sie schaffte es nicht weit, bevor ihr irgendwie … die Batterie ausging.

»Weil ich ein Kind bin«, ergänzte Grace.

»Nein. Es ist nur so, dass es so neu ist.«

»Und? Zumindest entwickelt sich eure Geschichte gut.«

»Aber wir wissen nicht, wie es sich weiterentwickeln wird. Darum geht es. Wenn es neu ist, will man es irgendwie für sich behalten, bis …«

Aber Grace unterbrach sie, indem sie ihre Hand hochhielt.

»Wartet! Ich glaube, ich höre Yolanda!«

Grace rannte zur Tür und presste ihr Ohr dagegen, dann rannte sie in die Küche und legte sich auf den Boden, mit einem Ohr auf dem kühlen Linoleum.

»Ich kann nichts hören«, sagte sie.

Rayleen stand über ihr und hielt ihr eine Hand hin.

»Sie wird hochkommen, mein Schatz«, sagte Rayleen, »wie immer.«

»Aber das dauert«, jammerte Grace.

»Ich weiß. Komm, wir warten zusammen.«

Grace nahm Rayleens Hand und zog sich daran hoch. Sie gingen ins Wohnzimmer und setzen sich.

»Es ist übermorgen«, sagte Grace, »und ich mache mir immer mehr Sorgen.«

»Genau genommen nimmt Yolanda übermorgen ihren ersten Urlaubstag«, sagte Rayleen. »Dann haben wir noch zwei Tage, bevor Ms Katz kommt. Und wer weiß? Vielleicht kommt sie ja auch später.«

»Oder früher«, sagte Grace.

»Mach dir nicht so viele Sorgen, dass du dich heute wieder übergibst, okay? Ich meine, wenn du es vermeiden kannst.«

»Sorry«, sagte Grace. »Ich versuch's. Aber es ist schwer.«

•••

Als Yolanda schließlich fast eine Stunde später da war, hatte Grace sich schon zwei Mal übergeben.

Yolanda kam herein und setzte sich, anstatt nur im Hausflur zu bleiben und den Kopf zu schütteln, wie sie es üblicherweise tat. Grace wusste nicht, ob dies ein gutes oder ein schlechtes Zeichen war.

Sie sah, wie Yolanda die Hände auf die Knie legte und sich vorlehnte. Alles dauerte zu lange.

»O mein Gott, Yolanda, wenn du jetzt nicht sofort etwas sagst, explodiere ich!«

Die Worte brachen nur so aus Grace heraus und purzelten übereinander, als wollten sie in die Freiheit kommen.

»Tut mir leid«, sagte Yolanda. »Es ist nur so, dass ... ich hasse es immer, wenn sich Leute wegen mir zu große Hoffnungen machen. Wenn es schlechte Neuigkeiten wären, na ja, das wäre schlecht, aber zumindest würde ich wissen, dass die Sache wahr ist. Diese hier scheinen allerdings eher gute Neuigkeiten zu sein, andererseits bin ich nicht davon überzeugt, dass die Sache wahr ist. Zumindest ist es nichts, auf das man sich verlassen kann. Deshalb bin ich so langsam gewesen. Jedenfalls war sie heute clean, als ich bei ihr war. Einfach nur clean, ganz von allein. Das erste Mal seit einer Woche, dass ich zu ihr kam und sie auf der Couch saß und mich anschaute. Sie weiß, dass die Frau vom Jugendamt bald wieder zurückkommen wird, und ich denke, das hat sie in Angst und Schrecken versetzt.«

»Ich dachte, das wäre ihr egal«, sagte Grace und wusste nicht, ob sie erleichtert oder wütend sein sollte oder ob ihr in diesem Moment sogar noch andere Möglichkeiten zur Verfügung standen.

»Das dachte ich auch. Als ich es zum ersten Mal zur Sprache brachte, schien es sie allerdings nicht zu kümmern. Aber ich glaube, zu der Zeit war es alles irgendwie theoretisch.«

»Wie meinst du das?«, fragte Grace und wusste, dass sie mürrisch klang, aber es kümmerte sie nicht genug, um etwas daran zu ändern.

»Es war eher diese Idee einer Frau vom Jugendamt, so wie etwas, über das man nur redet. Jetzt wird es jedoch wirklich passieren, und sie weiß es. Also … auf die nächsten zwei oder drei Tage kommt es tatsächlich an. Wenn ich es ändern und meine freien Tage jetzt bekommen könnte, würde ich es tun, aber dafür ist es zu spät. Es kommt darauf an, ob sie den Druck spürt und clean bleibt. Nach ein paar Tagen kann ich vielleicht richtig mit ihr reden, so wie früher. Vielleicht können wir etwas erreichen. Jedenfalls komme ich morgen wieder. Ich weiß nicht, was ich sonst noch tun kann.«

Grace fühlte sich, als sei sie am Boden angewachsen, wie ein aus Zement gegossenes Abbild ihrer selbst. Sie merkte, wie Rayleen und Yolanda zur Tür gingen und etwas sagten, aber sie sah noch nicht einmal auf.

Dann spürte sie Jesses Hand auf ihrer Schulter.

»Hey, Kleine«, sagte er. »Guck nicht so niedergeschlagen. Es waren gute Neuigkeiten, weißt du?«

»Ich weiß«, sagte sie. »Ich weiß schon. Aber vorher fühlte ich mich ganz deprimiert deswegen, jetzt fürchte ich mich, und das ist sogar noch schlimmer. Weil es sich nicht wirklich wahr anfühlt, wie Yolanda sagte. Du kannst dir nicht vorstellen, wie oft ich schon gedacht habe, dass sie clean ist. Vorher. Aber dann hielt es nicht an. Ich kann mich darüber nicht freuen. Noch nicht. Ich kann es einfach nicht. Ich fürchte mich zu sehr und habe das Gefühl, dass ich es vermassele. Ich will morgen nicht zur Schule gehen. Rayleen, darf ich zu Hause bleiben?«

»Wäre das nicht noch schlimmer?«, fragte Rayleen, als sie sich zu ihr setzte. »Nur zu Hause zu bleiben und sich Sorgen zu machen?«

»Ich habe Angst, dass ich mich in der Schule übergeben werde.«

Rayleen seufzte.

»Vielleicht kann ich helfen«, sagte Jesse. »Ich kann etwas Reiki für deinen verstimmten Magen machen. Das ist Energiearbeit, die dem Körper hilft, eigenständig zu heilen.«

»Aber du wirst nicht da sein, wenn ich morgen in der Schule bin.«

»Aber ich kann dir beibringen, wie du es selbst machen kannst.«

Jesse rieb seine Hände aneinander, um sie zu wärmen, und vielleicht auch, um sie mit einer Art von Energie zu füllen. Dann hielt er sie in die Nähe von Grace' Bauch, aber nicht darauf. Es erschien Grace merkwürdig, dass er ihren Bauch nicht berührte. Und das sagte sie auch.

»Machst du das, weil ich ein Kind bin, und Männer Kinder nicht anfassen sollen?«

»Nein, das wird so gemacht.«

»Aber du fasst nicht dort an, wo es wehtut.«

»Aber die Energie kommt dorthin. Sie überspringt die Lücke.«

Also wartete Grace ab, fühlte und versuchte, daran zu glauben.

»Ich spüre ein kleines bisschen was«, sagte sie, weil es der Wahrheit entsprach oder zumindest nahe daran war. Oder vielleicht, weil sie es wirklich wollte. »Aber vielleicht spürt man immer was, wenn die Hand von jemandem so nahe ist.«

»Ja«, sagte Jesse. »Du fühlst die Energie des Anderen.«

»Aber es hilft nicht immer.«

»Weil es nicht immer Reiki ist. Es ist nicht immer eine heilende Energie. Warum versuchst du nicht einfach, deine Augen zu schließen und zu spüren, was in deinem Bauch vor sich geht?«

»Okay«, sagte Grace.

Das bedeutete, dass sie zu viel geredet hatte. Grace wusste das, aber sie wollte keine Zeit damit verschwenden, deshalb beleidigt zu sein. Es schien ihr zu viel Mühe zu machen.

Nach einer Weile entschied sie sich, dass sie sich innerlich wahrscheinlich ein wenig ruhiger fühlte, aber vielleicht lag das auch nur daran, dass sie dachte, sie solle sich so fühlen. Aber dann dachte sie, dass wenn sie sich besser fühlte, es egal war, weshalb das passierte.

»Ach, das ist nur mein Bauchweh«, sagte sie. »Vielleicht solltest du die Stelle behandeln, von der das Problem kommt. Vielleicht solltest du mein Hirn oder so was behandeln, weil ich nur Bauchweh habe, wenn ich nervös bin.«

»Dein Hirn hat damit nichts zu tun«, sagte Jesse.

Seine Stimme klang sehr beruhigend, und Grace mochte sie sehr.

»Gar nichts?«

»Sehr wenig. Die Gefühle, die dich krank machen, leben in deinem Bauch.«

»Wirklich?«

»Deshalb fühlst du sie dort. Schließ einfach die Augen und denke eine Minute an gar nichts.«

Also versuchte Grace es.

»War das eine Minute?«, fragte sie ungefähr eine Minute später.

»Es waren sieben«, sagte er mit seiner ruhigen Stimme, die sie so sehr mochte. »Lass mich dir zeigen, wie du das morgen selbst in der Schule machen kannst.«

Er zeigte ihr die Übungen. Dann stimmte Grace ihm zu, dass es wahrscheinlich das Beste sei, am nächsten Tag zur Schule zu gehen, damit sie nicht nur zu Hause bliebe, sich übergeben müsste und sich Sorgen machte. Was hätte sie am Ende schließlich davon? Sie hätte nur weitere Tage vor sich, die genauso aussehen und sich genauso anfühlen würden.

Es musste eine gute Entscheidung gewesen sein, denn Jesse und Rayleen waren sehr erfreut, dass sie zur Schule gehen wollte.

•••

Auf ihrem Nachhauseweg von der Schule am folgenden Tag, als sie neben Felipe herging und die spanischen Wörter für »Glück« und »Freude« lernte, sah Grace sie. Ms Katz. Was Grace' Meinung nach weder *suerte* noch *felicidad* bedeutete.

Sie waren nur eine Straße von ihrem Haus entfernt. Ms Katz fuhr in einem silbernen Auto vorbei, einem kleinen Honda vielleicht. Das war nicht die Art von Auto, die einem wirklich auffällt, und Grace hatte keine Ahnung, warum sie überhaupt hineingesehen hatte. Aber sie hatte es getan, und es war Ms Katz. Daran gab es keinen Zweifel. Grace' Bauch meldete sich sofort, wenn sie Ms Katz sah.

»Sie ist früh gekommen«, sagte Grace zu Felipe und rieb ihre Hände gegeneinander, um ihren armen Bauch zu heilen, falls sie das schaffte. »Diese Frau vom Jugendamt. Sie ist früh gekommen.«

»Oh. Warum hältst du deine Hände so auf dem Bauch? Ist dir schlecht?«

»Ich versuche es zu verhindern.«

»Vielleicht ist es gut, dass sie früh gekommen ist. Deine Mom war gestern clean. Also ist es vielleicht ganz gut.«

»Aber wie kann ich das herausfinden, Felipe? Ich muss wissen, wie es war. Ich kann nicht warten, bis Yolanda da ist, das sind noch Stunden! Ich werde vorher sterben!«

»Ich nehme an, du könntest sie fragen.«

»Nein, das kann ich nicht. Sie darf mich nicht sehen, bis sie es dreißig Tage lang geschafft hat. Du fragst sie, Felipe, okay? Bitte.«

»Ich weiß nicht, *mi amiga*. Sie hasst mich so sehr.«

»O mein Gott, ich muss es wissen. Felipe, bitte?«

»Okay, *mi amiga*. Okay. Ich kann nichts garantieren, weil ich nicht einmal weiß, ob sie mit mir sprechen wird. Aber ich werd's versuchen.«

•••

»Warum hältst du deine Hände so auf dem Bauch?«, fragte Billy. »Ist dir schlecht?«

»Nein, ich versuche es zu verhindern«, sagte Grace ungeduldig. »Das ist Reiki. Jesse hat es mir beigebracht. Sonst würde ich explodieren, weil Felipe zu lange braucht.«

»Ich denke aber, dass das gut ist. Vielleicht bedeutet es, dass sie mit ihm redet«, sagte Billy, und dann änderte sich seine Stimme. »Grace Eileen Ferguson! Kaust du an deinen Nägeln?«

Grace wachte wie aus einem Traum auf, und als sie herunterschaute, sah sie, dass sie tatsächlich an ihrem rechten Daumennagel gekaut hatte.

»O je, Billy. Ich werde dir jeden Tag ähnlicher. Ich glaube, du färbst auf mich ab, und nicht unbedingt auf eine gute Art. O mein Gott, er kommt! Ich kann seine Schritte hören!«

Sie rannte zur Tür, und es war wirklich Felipe.

»Sie wollte nicht mit mir sprechen«, sagte er.

Grace' Hände fanden automatisch wieder zurück in ihre Reiki-Position.

»Überhaupt nicht?«

»Nein, gar nicht. Aber ich habe ihr gesagt, dass es wegen dir ist, nicht wegen mir. Ich habe ihr gesagt, dass du dir wirklich Sorgen darüber machst, wie es mit der Frau vom Amt gegangen ist. Also sagte sie, wenn ich wartete, würde sie mir eine Nachricht schreiben. Hier ist sie.«

Felipe hielt Grace ein gefaltetes Stück Papier hin, und sie erkannte gleich, dass es einer der Zettel von dem Notizblock war, den ihre Mom neben dem Telefon liegen hatte. Grace hatte jetzt über ein Jahr lang gedacht, dass es unsinnig sei, einen Notizblock neben dem Telefon liegen zu haben, da sie niemand mehr anrief. Noch nicht einmal Yolanda, die immer sagte, dass es nicht die Aufgabe des Sponsors sei, ihrer Mom hinterherzujagen, und dass ihre Mom Yolandas Nummer hätte. Wenn sie die Nummer nicht benutzte, würde es bedeuten, dass sie keine Hilfe brauchte.

»Was steht drauf?«, fragte Grace und fürchtete sich, den Zettel anzufassen.

»Ich weiß nicht. Ich hatte angenommen, es sei privat.«

»Oh«, sagte Grace, »stimmt.«

Sie nahm den Zettel so vorsichtig, als könnte sie sich daran verbrennen.

»Hier, ich lese vor«, sagte sie, denn Billy sah so aus, als könnte sein Bauch auch etwas Reiki vertragen. »Liebe Grace, ich war clean, als die Frau vom Amt heute kam. Ich bin seit zwei Tagen clean. Ich habe es für dich getan, Baby. Noch achtundzwanzig Tage, dann habe ich dich wieder. Deine Mom.«

Eine lange Stille trat ein.

»Das ist gut, oder?«, fragte Billy.

»Nun. Ja, sicher.«

»Du siehst aber nicht glücklich aus«, sagte Felipe.

»Ich fürchte mich, es zu glauben.«

»Aber die Frau vom Amt war hier, und sie hat dich nicht mitgenommen«, sagte Billy.

Er versuchte, die Stimmung im Zimmer aufzuhellen, Grace konnte es sehen. Aber plötzlich stellte sie fest, dass er auch recht hatte. Was immer in den nächsten achtundzwanzig Tagen passieren mochte, Ms Katz war gekommen und gegangen und Grace war noch immer hier.

Sie hatte erwartet, außer sich zu sein vor Freude, wenn das passierte. Sie hatte es sich so oft vorgestellt. Und in ihrer Fantasie hatte sie getanzt und Lieder über Glück gesungen. Aber jetzt, in der Wirklichkeit, fühlte sie sich nur ein wenig wackelig und musste sich hinsetzen.

•••

Yolanda kam zur üblichen Zeit vorbei, und Jesse öffnete die Tür, da Rayleen gerade ein Bad nahm.

»So«, sagte Yolanda, bevor sie überhaupt eingetreten war, »wollt ihr zuerst die guten Neuigkeiten hören?«

»Die Frau vom Amt war früh da, und meine Mom war clean und die Frau holt mich nicht ab«, rief Grace.

Sie hatte nicht vorgehabt zu rufen. Sie wollte die Worte in einer normalen Lautstärke aussprechen, aber dann waren sie ihr entschlüpft und hatten sich selbständig gemacht.

»Oh. Du weißt es schon. Okay. Hast du von den Folgebesuchen gehört?«

»Den was?«

»Oh. Okay. Also nein.«

Yolanda nahm Grace' Hand und ging mit ihr zur Couch. Grace wusste, dass man ziemlich dumm sein musste, wenn man nicht verstand, dass dies auf schlechte Nachrichten hindeutete. Ihr Magen zog sich zusammen, und sie wusste nicht, ob Reiki dagegen helfen würde.

»Okay, Grace, es ist *so*: Ms Katz wird zwei bis vier Mal im Monat wiederkommen, um zu sehen, wie es deiner Mom geht. Um sicherzustellen, dass sie clean bleibt.«

»Zwei bis vier Mal *im Monat*?«

»Sie ist nicht dumm. Sie weiß, dass man eine Süchtige gut im Auge behalten muss.«

»Oh«, sagte Grace nur, weil ihr nichts dazu einfiel.

»Aber hey, wir haben den ersten Besuch geschafft. Das ist doch ganz gut, oder?«

»Stimmt«, sagte Grace. »Gut. Das ist gut. Ich werde meinen Freund Billy besuchen. Und meine Katze.«

Als sie zur Tür ging, drehte sie sich um und sah, dass Yolanda nicht sehr glücklich aussah.

»Jetzt brauchst du keine Urlaubstage zu verschwenden«, sagte Grace. »Hey, mir ist gerade eingefallen, dass du jetzt zu meiner Schule kommen kannst, wenn ich tanze. Weißt du noch, wie ich dich gefragt habe und du gesagt hast, dass du dann keinen Urlaub mehr übrig hast? Und jetzt hast du Urlaub übrig.«

»Ja«, sagte Yolanda abwesend. »Okay.«

»Du kommst? Wirklich?«

»Ja, ich komme wirklich.«

»Gut. Danke. Wenn meine Mom macht, was sie in der Nachricht versprochen hat, kann sie auch kommen. Aber warten wir's ab.«

Sie tappte durch den Hausflur und klopfte das Signalklopfen an Billys Tür.

»Ich bin's nur, Billy, lass mich rein.«

»Was ist los, Kleines?«, fragte Billy, als er öffnete. »Gehen die beiden aus?«

»Nein. Ich weiß nicht. Ich weiß nicht, was sie machen. Ich will nur reinkommen.«

»Okay, komm rein.«

»Du siehst gut aus«, sagte sie, als sie sich setzte. »Ich vergesse immer, dir das zu sagen. Jedes Mal, wenn ich dich jetzt sehe, siehst du wirklich gut aus. Du trägst schöne Sachen und hast deine Haare gekämmt und das alles. Ich hätte dir das schon viel früher sagen sollen.«

Mr Lafferty, die weibliche Katze, sprang auf die Couch, und Grace hielt sie in ihren Armen.

»Was ist denn los, Kleine?«, fragte Billy.

»Diese Frau vom Amt will zwei oder vielleicht sogar vier Mal jeden Monat kommen, um nach meiner Mom zu sehen.«

»Oh«. Billy setzte sich zu ihr. »Wie lange?«

»Ich weiß nicht. Wahrscheinlich für immer. Oder bis sie sie findet, wenn sie drauf ist, glaube ich.«

»Oh«, sagte Billy.

»Ja. Oh.«

Sie blieben eine lange Zeit still sitzen. Grace sah durch den dünnen Vorhang, wie es draußen langsam dunkel wurde. Sie hatte bemerkt, dass es in diesen Tagen viel später dunkel wurde. Die Tage zogen sich nur so dahin.

Billys Stimme ließ sie plötzlich aufschrecken.

»Willst du jetzt also einfach jeden Tag unglücklich sein? Weil nächstes Mal etwas schiefgehen könnte, obwohl dieses Mal nichts schiefgegangen ist?«

»Welche Wahl habe ich, Billy?«

»Ich glaube, das ist die einzige Sache, bei der wir wählen können«, sagte Billy. »Ms Katz kam vorbei, deine Mom war clean, und ich habe nicht gesehen, dass du auch nur eine Minute lang darüber glücklich warst.«

»Hmm«, sagte Grace.

Das ergab auf eine merkwürdige Weise Sinn. Ms Katz konnte sie jetzt jederzeit mitnehmen. In einer Woche – oder zwei – oder nächsten Monat. Aber sie hätte es auch heute tun können, und sie hatte es nicht getan. Grace könnte jetzt fort sein, aber sie war es nicht.

»Okay, du hast recht«, sagte sie. »Yeah yeah yeah, Grace wurde heute nicht geholt. Jeden Tag von Neuem will ich mich darüber freuen. Hey, das reimt sich. Yeah yeah yeah, Grace wurde heute nicht geholt. Jeden Tag von Neuem will ich mich darüber freuen. Siehst du? Selbst dieser zweite Teil reimt sich.«

»Man kann es aber nicht skandieren«, sagte Billy.

»Was ist skandieren?«

»Nichts. Sorry, ich sollte nicht so kritisch sein. Es ist ein toller Spruch. Sehr gute Einstellung.«

»Nein, wirklich. Sag mir, was skandieren heißt.«

»Das ist, wenn es vom Rhythmus her funktioniert.«

»Oh. Verstehe. Wie ein richtiges Gedicht. Ich könnte es mit mehr Yeahs verbessern. Yeah yeah yeah yeah, Grace wurde heut nicht geholt. Ich muss ›heut‹ sagen statt ›heute‹, aber dann funktioniert es ziemlich gut. Billy, bring mir noch einen anderen Tanz bei, okay?«

»Was für ein Tanz?«

»Ich weiß nicht. Irgendwas. Ich will einfach tanzen, und ich kenne meinen Stepptanz für die Schule schon in- und auswendig, das hast du selbst gesagt. Also lass uns was anderes machen.«

Also brachte ihr Billy, geduldig wie er war, einen Walzer bei.

Sie zählten bis drei, standen sich gegenüber und hielten sich an den Händen, was irgendwie schön war, denn es war ein Tanz, den sie gemeinsam tanzen konnten. Und nach ein paar Schritten brachte Billy Grace bei, wie man zurücktritt und sich dreht. Er hielt eine ihrer Hände über ihrem Kopf, und sie wirbelte herum. Dann brachte Grace Billy dazu, einen Schritt zurückzutreten und herumzuwirbeln, obwohl das der Schritt der Frau war. Sie musste sich hoch nach oben strecken, und Billy musste sich ducken – was sie beide zum Lachen brachte.

Dies war ein guter Tag gewesen.

Billy

Dreiundzwanzig Tage waren vergangen. Dreiundzwanzig Tage mit täglich einem ›Grace wurde heut nicht geholt‹-Reim, Billy hatte mitgezählt.

Mitten am Tag hörte er das Signalklopfen an seiner Tür. Grace sollte in der Schule sein, Rayleen bei der Arbeit und außer ihnen kannte niemand das Signalklopfen. Billy eilte zur Tür und öffnete.

Es war Rayleen.

»Hey«, sagte er. »Was machst du mitten am Tag zu Hause?«

»Es ist wegen Jesses Mutter«, sagte sie. »Ihr Zustand hat sich verschlechtert. Sie wurde vom Pflegeheim ins Krankenhaus gebracht. Sieht so aus, als würde es nun nicht mehr lange dauern. Kann ich reinkommen? Ich muss mit dir reden. Es ist wichtig.«

Billy ließ sie ein.

»Kaffee?«

»Nein danke. Ich muss schnell reden, damit sich mein Hals nicht zuschnürt. Ich bin letztes Mal viel zu lange geblieben. Es dauerte Tage, bis es wieder wegging. Also, ganz schnell. Jesse will, dass ich bei ihm bin. Du weißt schon, wenn seine Mutter stirbt. Also gehe ich mit ihm.«

»Oh. Gut. Also willst du fragen, ob Grace heute Nacht hierbleiben kann?«

»Vielleicht nicht nur heute Nacht. Ich habe keine Ahnung, wie lange es dauern wird. Es könnten mehrere Tage sein.«

Es traf Billy hart, dass Jesse weg war. Er würde nicht mit ihnen am Morgen zur Schule gehen. Das war der beste Teil von Billys Tag. Wie würde er sich fühlen, wenn Jesse für immer wegginge? Er schob den Gedanken wieder beiseite und wusste, dass er ihn im Moment nicht verarbeiten konnte.

»Das ist in Ordnung. Sie kann so lange hierbleiben, wie es nötig ist. Aber … oh, du wirst auch weg sein. So … wie wird sie morgens zur Schule kommen?«

»Ja. Darüber muss ich mit dir sprechen. Ich habe gehofft, dass sie … mit dir gehen kann.«

»Mit mir?«

»Das habe ich gehofft.«

»Nur ich? Ganz allein?« Seine Stimme stieg besorgniserregend an.

»Na, du und Grace.«

»Aber nicht auf dem Rückweg.«

Billy spürte, wie mit den Wörtern die Panik in ihm aufstieg.

»Aber du hast dich so sehr verbessert. Du bist jeden Morgen mit uns gegangen. Es muss sich inzwischen doch ein wenig natürlicher anfühlen.«

»O ja«, sagte Billy. »Sehr sogar. Es fühlt sich sehr natürlich an. Wahrscheinlich, weil ich es nicht mehr ganz alleine machen muss.«

»Okay. Schau, im Endeffekt muss ich mit Jesse gehen. Aber ich weiß, dass es viel von dir verlangt ist. Ich wusste das. Daher habe ich auch schon Felipe gefragt. Er sagt, er kann es machen, wenn es wirklich keine andere Möglichkeit gibt. Aber seine Arbeit ist nicht vor ein Uhr morgens zu Ende. Also wird es ihn wirklich einen Teil seines Schlafs kosten. Aber wenn ihr zwei es irgendwie regeln … Vielleicht könnte er morgen mit dir gehen, und den Tag danach könntest du es allein versuchen?«

Billy zwang sich, tief einzuatmen.

»Ich weiß nicht«, sagte er, »aber wir werden es irgendwie hinbekommen. Geh schon los, uns wird was einfallen.«

Rayleen machte einen Schritt auf ihn zu und umarmte ihn. Billy spürte die Wärme ihrer Lippen auf seiner Wange. Die Wärme war auch kurz darauf noch nicht weg. Es fühlte sich an, als blieben ihre Lippen längere Zeit auf seiner Wange. Und viel später, als sie aus der Tür geeilt war, konnte Billy noch immer die Wärme dort spüren.

•••

»Hier, bring das zu Felipe hoch«, sagte Billy zu Grace. »Er kann es bestimmt brauchen.«

Grace nahm die Tasse aus seiner Hand und trug sie vorsichtig.

»Armer Felipe. Er kommt erst nach zwei ins Bett. Keine Sahne? Warum hast du keine Sahne reingetan?«

»Weil Felipe seinen Kaffee schwarz trinkt.«

»Bist du sicher?«

»Sehr sicher.«

»Moment«, sagte sie und hielt an. »Wann hast du jemals mit Felipe Kaffee getrunken?«

»Eines Tages, als du in der Schule warst. Jetzt renn aber los und hol ihn ab, okay? Wir müssen gehen.«

Billy erkannte, dass sie in Wahrheit äußerst pünktlich waren und es keinen Grund gab, sich zu beeilen. Es war nur sein Stress, der ihn so eilig handeln ließ.

Ein paar Minuten später kam Grace mit Felipe die Treppe herunter. Felipe hielt die Tasse mit dem Kaffee in der einen Hand und rieb sich mit der anderen Hand die Augen.

Als er Billy sah, lächelte er müde und gähnte dann.

»Okay, ich bin hier, mein Freund. Ich bin soweit!«

Sein Akzent war stärker als sonst, was wahrscheinlich daher kam, dass er fast noch schlief.

Dann umarmte er Billy mit einem Arm ganz schnell. Es glich fast Jesses Fehlen aus, soweit überhaupt etwas das Fehlen seiner Anwesenheit ausgleichen konnte.

•••

Er stand Schulter an Schulter neben Felipe, und gemeinsam sahen sie Grace hinterher, die über den Schulhof ging.

»Na, das ist wirklich etwas«, sagte Felipe.

»Worum geht's?«

»Oh, sorry. Ich glaube, ich denke laut, wenn ich verschlafen bin. Ich hatte daran gedacht, dass du nicht mal durch den Hausflur gegangen bist, als ich dich das erste Mal getroffen habe. Und jetzt bist du hier und stehst vor Grace' Schule.«

»Erinnere mich nicht daran«, sagte Billy. »Noch sechs Tage bis zu ihrem großen Tag. Der schwerste Teil wird sein, tatsächlich in die Schule hineinzugehen. Und ich habe es noch nicht einmal probiert.«

Billy seufzte. Sie drehten sich um und machten sich auf den langen Weg nach Hause.

»Du wirst das schaffen«, sagte Felipe. »Schau dir an, wie weit du schon gekommen bist.«

»Wenn Jesse dabei ist, kann ich es. Aber er wird vielleicht nicht da sein.«

»Was ist so besonders an Jesse?«, fragte Felipe. »Nein, lass mal gut sein. Ich glaube, ich weiß es. Ich kann es nicht genau ausmachen, aber ich weiß, was du meinst. Wenn Leute Probleme haben, ist er derjenige, den man fragt. Vielleicht kommt er rechtzeitig zurück.«

»Ich hoffe es wirklich. Tut mir leid, dass du so früh aufstehen musstest.«

»Meine eigene Schuld«, sagte Felipe. »Ich bin letzte Nacht besonders lange aufgeblieben. Ich wusste, dass es ein Fehler war und ich dafür zahlen würde, aber ich habe es trotzdem gemacht. Weißt du … ich habe eine Frau getroffen.«

»Wirklich? Das ist toll.«

»Na ja, nicht wirklich. Ich habe sie nicht getroffen. Also, ich meine … irgendwie schon. Sie ist eine Frau und ich habe sie getroffen. Aber ich weiß noch nicht viel. Ich habe sie einfach getroffen. Sie hat bei meiner Arbeit als Köchin angefangen. Sie heißt Clara. Also sind wir schließlich auf das Dach des Restaurants gegangen und haben bis drei Uhr geredet. Es ist verrückt, ich weiß. Aber sie ist so anders als meine letzte Freundin. Ganz ruhig und schüchtern. Meine letzte Freundin war wirklich hübsch, zu hübsch, und sie wusste das ganz genau. Sie wusste, was sie hatte, und das ließ sie mich nie vergessen. Verstehst du? Also, was hat Jesse getan, das dir geholfen hat, als er mit dir gegangen ist? Irgendwas Besonderes? Oder war es nur, weil er Jesse ist?«

»Na, mal sehen. Es ist ein wenig von beidem, nehme ich an. Er legt immer eine Hand auf meine Schulter. Aber du musst das nicht tun, wenn du nicht willst. Es könnte komisch aussehen. Aber ich glaube, Jesse kümmert es nicht sehr, was die Leute denken.«

Einen Augenblick später spürte Billy, wie sich Felipes Hand entschieden auf seiner Schulter niederließ.

»Danke«, sagte Billy.

»Als Kind hatte ich Angst vor der Dunkelheit«, sagte Felipe. »Wer weiß schon, warum Leute Angst vor Dingen haben. Wenn du Angst hast, dann ist es eben so. Und mein Vater war irgendwie streng mit solchen Sachen, weißt du. Ganz unabhängig sein und dafür sorgen, dass er stolz auf mich ist, indem ich alles genau richtig mache. Ich sollte immer ein Mann sein, weißt du. Aber wenn du fünf bist, ist das ziemlich schwer. Also habe ich nur so getan, als hätte ich keine Angst. Nur, es ist leichter, wenn man nichts vortäuschen muss. So viel weiß ich. Ich weiß, wie es sich anfühlt, Angst zu haben.«

Billy hörte das Rumpeln eines Automotors, rau und ohne merklichen Schalldämpfer. Sein Blut gefror zu Eis, als das Auto neben ihnen verlangsamte.

Er schaute zur Seite und sah einen hart aussehenden Mann spanischer Herkunft, der sich aus dem geöffneten Autofenster lehnte. Er machte Kussgeräusche in ihre Richtung.

Felipe ließ seine Hand von Billys Schulter fallen.

»*Maricones!*«, brüllte der Mann fröhlich. »*Es tan en amor, maricones!*«

Er trat aufs Gaspedal und offensichtlich gleichzeitig auf die Bremse, sodass sich die Reifen mit einem schrillen Geräusch drehten. Der beißende Geruch von verbranntem Gummi stieg in Billys Nase. Zum Glück fuhr das Auto schnell weiter, aber der Fahrer zeigte ihnen beim Wegfahren noch den Mittelfinger.

»Tut mir leid«, sagte Billy leise.

»Nein, es braucht dir nicht leid zu tun. Ich sollte mich entschuldigen. Ich weiß nicht, warum ich meine Hand entfernt habe. Ich bin nur dein Freund. Ich hätte dem Typen sagen sollen, dass er mich mal kann. Zum Teufel mit ihm. Zum Teufel mit ihnen allen!«

Felipe legte seine Hand zurück auf Billys Schulter, dieses Mal bestimmter und mit mehr Gefühl, und sie gingen weiter.

»Verstehst du jetzt, warum ich es so hasse, nach draußen zu gehen?«

»Ja, ich glaube. Aber man muss es trotzdem tun, oder? Ich meine, so ist das Leben. Man muss doch am Leben teilnehmen, oder?«

»Nicht unbedingt«, sagte Billy. »Man muss es nicht. Viele Leute nehmen nicht mehr am Leben teil. Sie hören einfach irgendwann auf. Und wenn man einmal aufgehört hat, ist es wirklich schwer, wieder damit anzufangen. Aber dann, sobald man wieder einmal damit angefangen hat, ist es irgendwie schwer, wieder aufzuhören. Was hat dieser Typ zu uns gesagt?«

»Frag lieber nicht.«

Ein oder zwei Straßen liefen sie schweigend weiter, und die beruhigende Hand blieb auf Billys Schulter liegen.

»Ich kann sie morgen alleine hinbringen«, sagte Billy plötzlich.

»Wirklich?«

»Wirklich. Ich habe keine Ahnung wie, aber ich werde es schaffen. Du bleibst nach der Arbeit dort und unterhältst dich mit Clara. Ich werde es schon irgendwie hinkriegen.«

•••

»Ich halte deine Hand«, sagte Grace.

Als ob er es nicht selbst wüsste.

Sie standen in der geöffneten Haustür ihres Gebäudes, die morgendliche Frühlingsluft wehte Billy ins Gesicht. Er rief sich in Erinnerung, dass der Morgen des Vortags ganz ähnlich gewesen war, ebenso wie unzählige Tage zuvor. Allerdings war es auch anders, denn heute musste er allein nach Hause laufen. Er schluckte und spürte das Hämmern in seinem Brustkorb und in seinen Schläfen.

»Du musst es tun«, sagte Grace. »Du hast Felipe gesagt, er könnte besonders lang aufbleiben, und jetzt musst du mich zur Schule bringen.«

Behutsam zog sie an seiner Hand, die sie fest zwischen ihren beiden Händen hielt.

»Ja«, sagte Billy. »Die Unumgänglichkeit dieses Augenblicks ist mir bekannt.«

»Du bist so ulkig, Billy. Los, hör auf, darüber nachzudenken und mach es einfach.«

Sie zog ihn vorwärts, und er zwang seine Füße zum Gehen, um etwas in Schwung zu kommen. Bevor er sich versah, war er die Treppe hinuntergegangen und stand auf dem Fußweg.

»Ich würde meine Augen schließen«, sagte er, »aber dann werde ich wahrscheinlich stolpern oder so was.«

»Du kannst deine Augen schließen. Ich werde dich führen, als ob du ein Blinder wärst, genau so, wie ein Blindenhund es macht.«

»Ich bin nicht sicher, ob das helfen würde.«

»Versuch's.«

Billy schloss seine Augen und machte vier Schritte vorwärts. Sofort stellte er sich wütende Männer in vorbeifahrenden Autos und Räuber vor, die am Ende der Straße auf sie warteten. Alle Arten von Übeltätern, über die Grace nicht genug wusste, um ihn vor ihnen warnen zu können.

Er öffnete seine Augen wieder.

»Das hilft nicht.«

»In Ordnung«, sagte Grace. »Ich habe gerade gedacht, dass du deine Augen auf dem Heimweg sowieso nicht schließen kannst.«

»Oh, vielen Dank, dass du mich an den Heimweg erinnerst.«

Er kam auf dem Fußweg zum Stillstand. Grace zog an seiner Hand, konnte ihn aber nicht zum Weitergehen bringen.

»Ich glaube, ich werde ein kleines bisschen panisch«, sagte Billy.

»Ich lasse deine Hand jetzt los, aber wag es nicht, nach Haus zu rennen.«

Sie ließ ihn los, und Billy blieb wie angewurzelt auf der Stelle stehen. Er blickte über seine Schulter.

»Nicht zurückschauen!«, rief sie. »Du weißt das. Was, wenn Jesse hier wäre? Was würde er dir sagen?«

»Nicht zurückschauen, glaube ich.«

»Du glaubst es nicht, du weißt es.«

»Sind deine Hände kalt? Warum reibst du deine Hände so gegeneinander?«

»Ich will mit dir Reiki machen.«

»Direkt hier vor allen Leuten?«

»Hast du einen besseren Plan?«

Also blieb Billy einen Augenblick lang still stehen, während Grace ihre Hände über seinen Bauch hielt. Er schaute, ob sie von jemandem beobachtet wurden. Es schien allerdings nicht viel zu helfen, doch er nahm an, dass er auch nicht sehr kooperierte. Anstatt seine Furcht loszulassen, nahm er neue Furcht auf, weil er in der Öffentlichkeit von einer Neunjährigen Reiki erhielt.

»Lass uns weitergehen«, sagte er.

Sie nahm seine Hand und zog ihn.

Mit reiner Willenskraft schaffte er es, zwei Straßen zu laufen, bevor er wieder anhielt.

»Du musst das machen, Billy. Ich kann nicht den ganzen restlichen Weg alleine gehen. Ich darf es nicht.«

Er öffnete seinen Mund, um zu antworten, aber seine Stimme versagte.

»Okay, es gibt nur noch eine Sache, die wir tun können. Wir müssen zur Schule tanzen.«

Billy versuchte verzweifelt, seine Stimme wiederzubekommen.

»Ich kann es nicht«, sagte er schließlich.

»Du hast gesagt, es würde bei mir gehen, und du hattest recht. Also los. Salsa.«

»Ich kann es nicht. Die Leute werden mich anstarren.«

»Und? Lass sie starren. Das hast du zu mir auch gesagt.«

»Ich wünschte, du würdest nicht immer alles wie ein Papagei wiederholen, was ich dir gesagt habe. Das ist irritierend.«

»Warum? Weil es wahr ist?«

»Ja, so in der Art.«

»Los, Salsa, jetzt sofort. Es sei denn, du möchtest Walzer tanzen.«

»Ich glaube nicht, dass Walzer auf einer geraden Strecke möglich ist. Er bewegt dich mehr im Kreis.«

»Dann fang an, Salsa zu tanzen, Billy.«

Da ihm alle anderen Möglichkeiten ausgegangen waren, tat er, was sie ihm sagte.

Wunderbar, dachte er, als sie zusammen die Straße hinuntertanzten. Das Einzige, was schlimmer war, als in der Öffentlichkeit zu sein, war in der Öffentlichkeit zu sein, sich merkwürdig zu verhalten und die Aufmerksamkeit anderer Leute auf sich zu ziehen. Er rief sich in Erinnerung, dass er dies zuvor schon mit viel weniger Ängsten getan hatte. Aber er fragte sich nicht einmal, worin der Unterschied lag, denn das war offensichtlich: Jesse.

Ein älteres Ehepaar kam auf die Veranda und sah ihnen zu. Vier Autos verlangsamten ihre Fahrt, und ein Fahrer schüttelte ein bisschen den Kopf, bevor er wieder beschleunigte. Er hörte jemanden rufen: »Hey, Frankie, komm und schau dir das an«, aber er konnte nicht sagen, aus welcher Richtung es gekommen war.

Schließlich kamen sie an Grace' Schule an, und Billy musste sich innerlich eingestehen, dass die Straßen nur so vorbeigeflogen waren.

Er lehnte sich hinunter und küsste Grace auf die Stirn.

»Wirst du einfach zurückrennen?«, fragte sie.

Er nickte. Seine Stimme schien er wieder irgendwo verlegt zu haben.

»Okay. Wir sehen uns nach der Schule. Du kannst mir erzählen, wie es war.«

Billy nickte ein zweites Mal und sprintete los.

Er baute ein Tempo auf, das er zuvor noch nie geschafft hatte – soweit er sich erinnern konnte. Die Häuser und Wohnblöcke, die an ihm vorbeizogen, schienen sich auszudehnen, als könne er die Zeit ändern, indem er durch sie hindurchraste. Das Kratzen seines angestrengten Atmens klang künstlich und weit entfernt. Dann schien die Welt um ihn herum weiß zu werden, und ihm dämmerte plötzlich, dass er wahrscheinlich gerade einen heftigen Sauerstoffmangel bekam und ohnmächtig werden könnte, falls er nicht sein Tempo drosselte. Aber trotzdem konnte er sich nicht dazu bringen, langsamer zu rennen.

Und dann, genau in diesem Augenblick, hatte er eine Einbildung. Es war keine Halluzination. Er sah es nicht buchstäblich vor sich, es kam einfach in seinen Kopf, mit einem starken Bild.

Flügel.

Weder flatterten sie noch reizten sie ihn, indem sie still blieben. Sie umhüllten ihn und wickelten sich wie eine warme Decke um ihn.

Billy verlangsamte sein Tempo zu einem Traben und joggte den restlichen Weg nach Hause.

•••

»Au weia, du bist hier. Gottseidank«, sagte Grace. »Ich hab mir den ganzen Tag in der Schule Sorgen um dich gemacht. Also scheinst du gut heimgekommen zu sein. Wie war es?«

»Es war in Ordnung«, sagte Billy. »Ich bin einfach gerannt.«

»Das ist alles? Das ist alles, was du mir darüber sagst?«

»Zumindest fürs Erste.«

•••

Als er hörte, wie Grace von ihrem Bett auf der Schlafzimmercouch seinen Namen flüsterte, wachte Billy aus einem traumlosen Schlaf auf.

»Billy? Bist du wach?«

»Gewissermaßen.«

»Hab ich dich aufgeweckt?«

»Gewissermaßen.«

»Oh. Sorry. Ich kann nicht schlafen. Weißt du, morgen ist Mittwoch.«

»Okay.«

»Und dann ist Donnerstag und dann Freitag, und dann kommt das Wochenende und dann der große Tag. Es wird einfach jede Nacht schwerer und schwerer zu schlafen.«

»Bist du nervös wegen dem Tanz? Du kennst ihn in- und auswendig.«

»Ein wenig, ja. Einfach, weil es groß und aufregend ist. Nicht, weil ich denke, ich wäre nicht gut. Vor allem bin ich nervös, weil ich wissen will, ob meine Mom wirklich kommen wird und ob sie tatsächlich dreißig Tage lang clean bleiben wird. Stell dir nur vor. Ich könnte zurückgehen und wieder bei ihr wohnen. Aber je näher das kommt, desto mehr Sorgen mache ich mir.«

»Yolanda sagt, dass sie es wirklich tut.«

»Ja, ich weiß. Deshalb mache ich mir ja Sorgen. Weil ich immer sage, dass ich mir keine Hoffnungen machen will, aber dann tue ich's doch. Ich kann einfach nicht anders, weil ich wirklich wieder bei ihr wohnen möchte.«

Billy sagte nichts und absorbierte nur das emotionale Echo der Vorstellung, dass Grace bald nach Hause ginge.

Als könnte sie seine Gedanken lesen, sagte sie: »Weißt du, ich werde auch dann immer noch ständig vorbeikommen und dich besuchen.«

»Ich weiß.«

»Ich mache mir auch Sorgen, weil es jede Nacht schwerer und schwerer wird zu schlafen. Und was, wenn ich Sonntagnacht überhaupt nicht schlafen kann? Ich werde meinen großen Tanz aufführen müssen und total müde sein.«

»Wenn Jesse zurück ist, kann er bestimmt Reiki für deine Schlaflosigkeit machen.«

»Aber was, wenn er nicht zurück ist? Das ist nämlich auch so eine Sache. Was, wenn Jesses Mom am Montag immer noch am Sterben ist? Vielleicht kommt er nicht in meine Schule, um mir beim Tanzen zuzusehen. Vielleicht kommt nicht einmal Rayleen.«

»Du steigerst dich zu sehr in die Sorgen hinein, um schlafen zu können. Hier, versuch das. Schließe deine Augen und stell dir mit mir etwas vor. Stelle dir große Flügel mit weißen Federn vor. Sie sind alle um dich gewickelt. Sie kümmern sich um dich.«

»Flügel? Wie die Flügel aus deinen Albträumen?«

»Aber sie sind nicht unheimlich. Weil … du solche Dinge umkehren kannst. Erinnerst du dich daran, wie ich Angst vor Katzen hatte? Aber dann habe ich eine kennengelernt. Es gibt alle möglichen Sachen, vor denen wir irgendwann in unserem Leben einmal Angst haben, aber dann – später – finden wir heraus, dass sie uns ohnehin nie etwas getan hätten.«

»Wie bist du darauf gekommen, Billy?«

»Versuch es einfach. Bitte.«

Es blieb still, und schließlich, etwa gute fünf Minuten später, stand er auf und sah nach ihr. Grace war wieder eingeschlafen.

Grace

Es war Freitag, der letzte Schultag vor dem großen Ereignis.

Billy war jeden Morgen mit ihr zur Schule getanzt, und jeden Morgen hatten mehr Leute aus ihren Fenstern geschaut oder waren vor die Tür gegangen, um ihnen zuzusehen. Die Leute schienen sie jetzt schon zu erwarten, als sei dies der morgendliche Teil einer großen Show, und jeder wollte einen guten Sitzplatz. Mit der Ausnahme, dass ihre Zuschauer meistens standen.

Am Donnerstag hatten sie Tango getanzt, und die Leute schienen es wirklich zu mögen.

Und mit Billy schien alles in Ordnung zu sein.

Am Freitag hatte Grace die Idee, einen Walzer zur Schule zu tanzen, weil es Spaß gemacht hatte, in Billys Wohnzimmer Walzer zu tanzen und sie viel gelacht hatten.

Billy wiederholte, was er bereits gesagt hatte, dass der Walzer die Tänzer eher im Kreis bewegt als vorwärts. Aber Grace war sich sicher, dass sie einfach längere Schritte in Richtung Schule machen konnten, genauso wie sie es beim Salsa getan hatten. Und sie war in einer dieser Launen, in denen sie ein Thema nicht fallen ließ.

Sie waren etwa den halben Weg zur Schule getanzt, als es passierte.

Billy hatte sie gerade in einer Drehung herumwirbeln lassen, und die nette, spanischsprachige Familie in dem blauen Haus sah ihnen zu und klatschte. Und so dachte Grace, dass es gut wäre, wenn auch Billy eine Drehung machen würde, der Familie würde das sicher gefallen.

Also streckte sie sich hoch und er bückte sich tief hinunter und wirbelte wild herum. Er kam richtig in Fahrt, mit vielen Vorwärtsbewegungen, und dann verfing sich sein Fuß an einer Stelle, wo der Fußweg uneben war, in einer großen Betonplatte. Grace sah, wie es passierte, aber sie konnte nichts tun, weil alles so schnell geschah.

Er fiel um wie die Bäume, die in Filmen gefällt wurden, kurz nachdem jemand »Vorsicht!« gerufen hatte. Er fiel sehr schnell nach unten und landete direkt auf seinem Gesicht. Seine ausgestreckten Handflächen konnten es nicht aufhalten. Grace hörte, wie die Luft aus ihm entwich und dann das Geräusch, als die Mitglieder der netten Familie erschrocken einatmeten.

»Oh, mein Gott! Billy!«

Grace half ihm sich umzudrehen und aufzusetzen. Eine Menge Blut kam aus seiner Nase. Eine erschreckende Menge Blut.

»Alles in Ordnung«, sagte er. »Ich bin okay.«

Er sagte es jedoch, wie es Leute sagen, die nur so tun, als ginge es ihnen gut, auch wenn es überhaupt nicht so war. Die Familie kam angerannt, um ihnen zu helfen. Ein netter, älterer Mann, ein kleiner und dicklicher Großvater-Typ, brachte ihnen eine Handvoll Taschentücher. Ihm folgten eine Frau im mittleren Alter, die vielleicht seine Tochter war und ein Mädchen im Teenageralter.

Alle sprachen gleichzeitig, aber überwiegend auf Spanisch. Es war zu schwierig für Grace, aber sie verstand den Teil, wo sie immer wieder fragten, ob alles mit ihm in Ordnung sei.

Billy nahm die Taschentücher und hielt sie sich vorsichtig an die Nase, um die Blutung aufzuhalten. Aber er blutete zu stark, und die Taschentücher waren sofort durchtränkt. Er sagte immer wieder, dass mit ihm alles in Ordnung sei, aber die Familie fragte immer weiter auf Spanisch, und Billy antwortete immer auf Englisch, und Grace konnte sehen, dass mit diesem System niemand etwas erreichen konnte.

Also sagte sie: »*Esta bueno.* Billy *esta bueno.*«

Sie wunderte sich, weshalb sie das überhaupt gesagt hatte, da sie wusste, dass es nur eine große Lüge war.

Die Frau, die Grace nicht einmal weggehen gesehen hatte, kam mit einem sauberen Geschirrtuch zurück und gab es Billy, der es sich an die Nase hielt.

»Ich muss nach Hause gehen«, sagte er zu Grace.

»Ich weiß«, antwortete sie.

»Du kannst nicht allein weitergehen. Du musst mit mir zurückkommen.«

»Ich weiß.«

»Du kannst Felipe wecken. Er wird dich hinbringen.«

»Vielleicht sollte ich heute mit dir zu Hause bleiben.«

»Es ist schon in Ordnung. Das Bluten wird aufhören. Frag sie, ob sie ihr Tuch zurückhaben wollen.«

»Ich weiß nicht, was ›Wollen Sie Ihr Tuch zurückhaben?‹ auf Spanisch heißt.«

»Okay. Egal. Hilf mir hoch, okay?«

Er benutzte immer noch beide Hände, um sich das Tuch an die Nase zu halten, also fasste Grace seinen Ellenbogen und zog, aber er rührte sich nicht. Doch dann nahm der nette Großvater den anderen Ellenbogen, und zusammen bekamen sie Billy auf die Beine, auch wenn er auf halbem Weg schwankte und Grace dachte, er würde ohnmächtig werden. Sie konnte nicht erkennen, ob er wirklich so schwer verletzt war, oder ob es der Anblick der Riesenmenge seines eigenen Bluts war, der ihn schwach werden ließ.

Billy blieb einen Moment lang schwankend auf dem Gehweg stehen, dann hielt er der Frau mit einem fragenden Blick das Tuch hin. Sofort lief mehr Blut auf seine Lippen hinunter, und er musste es wegwischen.

»Nein, nein«, sagte die Frau und wischte die Idee weg. »Ist Ihr.«

»Danke«, sagte Billy.

»*Gracias*«, sagte Grace. »*Muchas gracias.*«

Sie machten sich auf den Weg nach Hause, aber dann schwankte Billy wieder, und der alte Großvater hielt ihn am Ellenbogen und ging weiter mit ihnen.

Grace konnte sehen, dass es Billy peinlich war und er sich wünschte, dass der alte Mann nicht so hilfreich wäre. Aber er half nun einmal, und Billy konnte nichts daran *ändern*.

Der alte Mann ging mit ihnen den ganzen Weg bis zu ihrer Haustür.

»*Gracias*«, sagte Billy.

•••

»Geh und weck Felipe«, sagte Billy.

Er lag mit einem Kissen im Rücken auf seiner Couch und hielt noch immer das Tuch an seine Nase. Die Katze schnupperte um ihn herum, als mache sie sich Sorgen und wolle wissen, was los war.

»Warum? Brauchst du ihn?«

»Nein. *Du* brauchst ihn. Um zur Schule zu kommen.«

»Ich bin sowieso schon zu spät.«

»Und? Dann sei eben zu spät, aber du musst gehen.«

»Ich lass dich nicht allein, Billy. Du brauchst mich. Hier, ich werde dir etwas Eis holen.«

»Hast du heute nicht eine große Probe?«

»Nein«, rief sie aus der Küche. »Dienstags und donnerstags. Gestern war unsere letzte Probe.«

Sie schaufelte zwei doppelte Handvoll Eiswürfel in eine Papierserviette und rannte zu Billy zurück. Er zog langsam das Tuch weg, als fürchtete er sich vor dem, was passieren konnte. Aber nichts passierte. Er blutete nicht mehr. Endlich hatte das Bluten aufgehört.

»Oh, mein Gott, Billy. Du siehst schrecklich aus!«

Irgendwie war es ihr akzeptabel erschienen, dies zu sagen – in dem Moment, als es ihr herausgerutscht war. Sie konnte sich nicht vorstellen, dass er es zu persönlich nehmen würde. Sah nicht jeder schlecht aus, nachdem er voll auf die Nase gefallen war?

»Wie sieht es aus?«, fragte er leise.

Grace hasste es, ihm das mitteilen zu müssen. Sein Nasenrücken war angeschwollen, aber das war nicht das Schlimmste. Die Gegend rund um seine Augen hatte sich verfärbt. Und in der Ecke seines einen Auges zeigte sich das rote Blut der aufgeplatzten kleinen Adern. Es war entsetzlich. Es fiel ihr sogar schwer, ihn einfach nur anzuschauen.

»Ich bringe dir einen Spiegel. Wo ist ein Spiegel?«

»Ich habe keinen.«

»Du hast keinen? Wer hat keinen Spiegel?«

»Ich«, sagte er.

Mit dem Eis berührte er seine Nase und jaulte auf.

»Hast du Aspirin da, das du nehmen kannst?«

»Ich bezweifle es. Wenn ich welches habe, ist es wahrscheinlich mehrere Jahre alt.«

»Ich wette, dass Rayleen Aspririn hat. Ich schau mal nach.«

Sie rannte hinaus und öffnete mit ihrem Schlüssel die Tür zu Rayleens Wohnung. Sie nahm zwei Aspririn aus der Schachtel in Rayleens Arzneischrank. Dann besann sie sich eines Besseren und nahm noch zwei weitere Tabletten. Auf ihrem Weg hinaus kam ihr ein nachträglicher Einfall, und sie schnappte sich Rayleens Handspiegel. Dann schloss sie schnell ab und rannte zu Billy zurück.

»Hier, ich hab dir vier Aspirin mitgebracht«, rief sie.

Unauffällig legte sie den Spiegel umgedreht auf den Couchtisch und hoffte, Billy werde es nicht bemerken. Ihr waren Zweifel gekommen, ob es eine so gute Idee sei, Billy einen Spiegel zu präsentieren.

»Lass mich sehen«, sagte er und zeigte auf den Spiegel.

»Bist du sicher?«

»Lass mich sehen.«

Grace gab ihm den Spiegel und trat zurück. Billy hielt ihn hoch und starrte eine ganze Weile sein Spiegelbild an. Grace fragte sich, was er dachte und wünschte, er würde sich beeilen und es ihr sagen.

»Ach du lieber Gott«, flüsterte er schließlich. »Wie bin ich nur so alt geworden?«

•••

»Ich glaube, ich sollte nachsehen, ob sie gebrochen ist«, sagte Felipe. »Aber ich muss dich warnen. Das wird höllisch wehtun.«

»Kommst du ins Krankenhaus, wenn sie gebrochen ist?«, fragte Grace.

»Nein«, antwortete Billy. »Wenn sie gebrochen ist, muss sie einfach von allein heilen.«

»Vielleicht solltest du ihm dann nicht wehtun«, sagte Grace zu Felipe.

»Es würde schlecht verheilen«, sagte Felipe. »Ein Cousin von mir hatte sich beim Abschleppen eines Autos die Nase gebrochen. Und er wollte nichts machen. Er war genauso stur wie du – nichts für ungut –, aber wahrscheinlich aus anderen Gründen. Jedenfalls sieht es immer noch richtig schlecht aus. Es ist zwar geheilt, aber er hat jetzt eine Hakennase und einen großen Knoten. Das wird nie weggehen.«

»Ich nehme an, du solltest lieber nachsehen.«

»Okay, greif meine Hand und drück richtig fest. Ich nehme meine andere Hand und lege sie auf deinen Nasenrücken und bewege sie nur ein kleines bisschen, um zu sehen, ob sich der Teil, der sich nicht bewegen sollte, doch bewegt.«

Grace schloss ihre Augen, weil sie es nicht über sich bringen konnte zuzuschauen. Sie hörte Billy aufschreien. Dann hörte sie nichts mehr, also öffnete sie ihre Augen wieder. Es war vorbei, Gott sei dank.

»Sie ist nicht gebrochen«, sagte Felipe. »Komm, Grace. Ich werde dich zur Schule bringen.«

»Ich muss hier bei Billy bleiben.«

»Ich komme zurück und bleibe bei Billy. Du musst in die Schule.«

Ein Teil von Grace hatte sich Sorgen gemacht, dass ihr Lehrer denken könnte, sie würde am Montag nicht auftauchen, wenn sie heute ohne Erklärung fortblieb. Und Felipe würde gut für Billy sorgen, während sie weg war.

Aber dann fiel ihr ein wirklich guter Grund ein, ihm zu widersprechen.

»Aber ich kann ihm den ganzen Tag Reiki für seine Nase geben. Du kannst das nicht.«

Und dann hörte Grace diese sanfte, schöne, beruhigende Stimme, die sie so sehr mochte. Die Stimme, die jeder so sehr mochte.

»Oder ich könnte bei ihm bleiben und ihm Reiki geben«, sagte die Stimme.

Grace warf sich herum und sah, dass Billys Wohnungstür noch immer weit offenstand. Und in der Tür standen Jesse und Rayleen.

Grace schrie vor Freude schrill auf und sah aus dem Augenwinkel, dass Billy sich die Ohren zuhielt.

»Ihr seid zurück! Ich dachte, ihr würdet es vielleicht nicht rechtzeitig schaffen! Aber ihr seid zurück!«

Sie warf sich überschwänglich in Rayleens Arme, überrascht, wie sehr sie sie vermisst hatte, und riss sie dabei fast um.

»Ich freue mich so, dass ihr zurück seid!«, schrie sie.

Irgendwo tief in ihren Gedanken fragte sie sich kurz, ob ihre Mutter unten war, ganz clean und wach dasaß und alles mithören konnte, und falls ja, wie sie sich dann *fühl*en mochte. Aber Grace' Neugier war so stark, dass sie diesen Gedanken wieder verdrängte.

Sie rannte zu Jesse, der sie so hochnahm, dass sie genau auf seiner Höhe war, und rieb seinen Bart, als sei er eine Art Glücksbringer.

»Jesse«, sagte sie und dämpfte ihre Stimme respektvoll. »Ist deine Mutter gestorben?«

»Ja.«

»Das ist furchtbar. Das tut mir wirklich leid.«

»Es war nicht so furchtbar«, sagte er. »Es war auf eine Art und Weise, die ich nicht erklären kann, sogar befreiend. Außerdem hatte sie starke Schmerzen. Also war es wie eine Gnade.«

»Also dann … ist es irgendwie ein kleines bisschen okay, dass ich gehofft habe, dass – falls sie stirbt – sie früh genug sterben würde, damit Rayleen und du mich am Montag tanzen sehen könnt? Ich habe mich deswegen nämlich ziemlich schlecht gefühlt.«

»Ich glaube, es ist okay«, sagte Jesse und setzte sie wieder ab. »Aber ich finde auch, du solltest jetzt mit Felipe zur Schule gehen. Ich bleibe hier und kümmere mich um Billy.«

»Okay«, sagte Grace. »Das ist gut genug. Wenn sich Jesse um Billy kümmern kann, dann ist es in Ordnung, dass ich gehe.«

Sie marschierte mit Felipe weg und war zufrieden, dass in ihrer Abwesenheit alles gut laufen würde.

Erst als sie schon fast den halben Schulweg zurückgelegt hatten, bemerkte Grace, dass sie einen großen Blutfleck von Billys Blut auf einem Ärmel ihres Pullis hatte.

Billy

»Erzähl mir, was passiert ist, Nachbar«, sagte Jesse, lehnte sich über Billy und hielt den Eisbeutel vorsichtig erst an Billys linkes Auge, dann an das rechte. »Hat das jemand auf der Straße getan?«

Rayleen war auf der Suche nach besserer, katzenfreier Luft bereits nach Hause gegangen. Es machte Billy nervös, so völlig allein mit Jesse zu sein, aber natürlich gab er das nicht zu.

»Nein«, sagte er mit kaum mehr als einem Flüstern. Er hatte sich in einen Zustand völliger Kapitulation begeben. »Ich habe es mir selbst zugefügt.«

»Aber nicht absichtlich.«

»Nein. Ich bin mit Grace zur Schule getanzt und über eine große Betonplatte auf dem Gehweg gestolpert.«

»Na ja«, sagte Jesse, »gut zu wissen, dass es nur ein Unfall war. So muss ich niemanden vermöbeln, weil er meinem Freund Billy wehgetan hat. Wo bist du sonst noch verletzt? An den Rippen?«

Oh mein Gott, dachte Billy. Er ist wirklich magisch. Er hatte gehört, wie Grace ihn so bezeichnet hatte, aber gedacht, sie hätte nur metaphorisch gesprochen. Denn er spürte tatsächlich Schmerzen in seinen Rippen.

»Woher um Himmels willen hast du das gewusst?«

»Es war nicht schwer. Ich konnte sehen, wie es dich geschmerzt hat, als du vorhin gehustet hast. Also, lass mich mal sehen.«

Er bewegte seine Hand, um Billys Pulli hochzuziehen, und Billy schrak auf.

»Nein!«, rief er. »Nein«, sagte er nochmals und versuchte, ruhiger zu klingen. »Tut mir leid, ich wollte nicht laut werden. Aber nein. So will ich nicht gesehen werden.«

Jesse nahm seine Hand weg, und es war einen Augenblick still.

»Okay, in Ordnung. Hier«, sagte Billy und zog selbst seinen Pulli hoch.

Jesse und Billy sahen beide hin. Billy hatte es sich noch nicht angeschaut. Bisher war immer jemand bei ihm gewesen, der sich bereits genug Sorgen machte. Aber es sah schlecht aus. Schlimmer als er gedacht hatte. Eine Landkarte in Blau und Schwarz. Sein Kopf schmerzte bei der Vorstellung, wie es am nächsten Morgen aussehen würde oder in drei Tagen. Na gut, sein Kopf schmerzte ohnehin.

Inzwischen hatten sich Jesses Hände in die Richtung seines nackten, ungeschützten Oberkörpers bewegt.

»Ich will nur fühlen, ob etwas gebrochen ist.«

»Nein«, sagte Billy, aber diesmal achtete er darauf, es bei einem Flüstern zu belassen. »Nein, bitte fass mich nicht an. Ich meine, deine Hand auf meine Schulter zu legen ist die eine Sache. Aber nicht das, ich könnte es nicht ertragen. Ich liebe dich und könnte es einfach nicht ertragen.«

Er spürte ein kribbelndes Gefühl, das über seine Kopfhaut zog, eine Art spürbares Feedback auf die Worte, die er gerade gesagt hatte.

Er bemerkte, dass er seine Augen zudrückte, aber er konnte sich nicht daran erinnern, dass er sie geschlossen hätte. Er hörte, wie Jesse seine Hände gegeneinander rieb und wartete darauf, dass etwas passierte. Aber nichts geschah. Außer dass er einen Augenblick später eine Art warmes Kitzeln in der Gegend seines lädierten Bauches fühlte.

»Gibst du mir Reiki für meine Rippen?«, fragte er, immer noch mit geschlossenen Augen.

»Ja. Ist das okay?«

»Ja. Es ist gut. Danke.«

Diese wohltuende Behandlung erhielt er noch einige Minuten.

»Es scheint nicht nur gegen die Schmerzen in meinen Rippen zu helfen. Es lindert auch ein wenig meine Ängste. Nicht so, als ob sie nicht mehr da wären. Mehr so, als würden sie gelockert. Als wollte ein Batzen der Ängste hochsteigen und aus mir heraus.«

»Lass es geschehen«, sagte Jesse.

O Gott. Diese Stimme.

»Ich weiß nicht, ob ich am Montag gehen kann«, sagte Billy. Er öffnete immer noch nicht die Augen.

»Aber du musst«, sagte Jesse. »Du musst es für Grace tun. Und das weißt du. Also weiß ich, dass du gehen wirst. Weil du es ihr versprochen hast und sie sich darauf verlässt.«

»Aber wenn ich nicht *kann*?«

»Ich glaube, dann musst du trotzdem hingehen.«

»Ich meine aber, wenn ich es buchstäblich nicht kann.«

»Ich weiß nicht, ob es so etwas gibt«, sagte Jesse.

»Siehst du, dies ist der Grund, weshalb ich all diese Jahre allein war. Denn sobald man Leute zu sich hereinlässt, verlassen sie sich auf dich. Und dann, wenn man nicht all das sein kann, was sie von dir erwarten, hast du sie im Stich gelassen. Es ist leichter, niemanden zu haben.«

»Jetzt ist es aber zu spät. Schließlich hast du Grace bereits. Ob es dir gefällt oder nicht. Also, stell dir Folgendes vor. Sagen wir mal, ich sei magisch, wie Grace meint, und ich könnte meinen Zauberstab schwingen und Grace aus deinem Leben verschwinden lassen. Nachträglich, so als ob sie niemals für dich existiert hätte. Dann musst du am Montag nicht zu ihrer Schule gehen. Willst du, dass ich das tue?«

Er stellte es sich vor. Es war verblüffend. Er war so tief in der Vorstellung versunken und fühlte sich so verzweifelt, dass er es wirklich versuchte. Grace verschwinden lassen.

»Nein«, sagte Billy. »Lass sie nicht verschwinden.« Er seufzte. Jesse hatte recht. Er war gestrandet. »Ich halte es nicht aus, so in der Öffentlichkeit gesehen zu werden.«

»Hut und Sonnenbrille.«

»Ich besitze keinen Hut und keine Sonnenbrille.«

»Ich aber.«

»Und es gibt noch etwas. Ich bin in keiner Schule mehr gewesen, seit ich selbst in der Schule war. Und es war die schrecklichste, traumatischste Zeit meines Lebens, und da gibt es einen harten Wettbewerb. Ich glaube, dass ich ausflippen werde, wenn ich hineingehe. Ich hätte niemals meine Klappe aufreißen und sagen sollen, dass ich es tun könnte. Ich dachte, ich könnte lernen, sie zur Schule zu bringen, aber sieh, was passiert ist. Schau, was passiert, wenn man in die Welt hinausgeht.«

»Ja«, sagte Jesse, »ich sehe es. Die Welt hat dir eine blutige Nase verpasst. Das passiert von Zeit zu Zeit.«

Mit immer noch geschlossenen Augen fühlte Billy, wie sich die Energie, die von Jesses Händen kam, zu seiner Stirn, seinen Augen und seiner Nase bewegte.

»Wie kann es mir wieder besser gehen?«

»Mit Hilfe deiner Freunde. Es hat etwas Gutes, wenn sich Leute auf dich verlassen. Das Leben ändert sich, und dann kannst du dich auf sie verlassen. Du kannst sagen: ›Ich bin der Situation nicht gewachsen und brauche deine Hilfe‹.«

»Ich könnte das niemals zu jemandem sagen.«

»Du hast es bereits getan«, sagte Jesse.

•••

Grace kam drei Mal am Samstag vorbei, einmal am Sonntagmorgen und dann nochmal am Sonntagabend, als sie Billy hausgemachte Hühnerbrühe brachte.

»Hat Rayleen das gekocht?«, fragte er.

»Nein, Jesse«, sagte sie und nahm die Katze hoch. »Also … ich bin vorbeigekommen, um dich etwas zu fragen, das ich dich schon seit Längerem fragen will, aber ich habe mich nicht getraut. Du kommst doch morgen noch, oder? Auch nach dem, was passiert ist?«

»Ich werde wohl einen Weg finden müssen«, sagte er leise von der Küche aus.

»Das klingt nicht wie ein ganz eindeutiges Ja.«

Er nahm einen Löffel von der Suppe, die äußerst gut war. Zusätzlich zu allem anderen war Jesse auch noch ein guter Koch. Verblüffend. Es war schon fast unfair.

»Ich gebe dir die ehrlichste Antwort, die ich dir überhaupt geben kann. Ich habe das Gefühl, dass ich es nicht kann. Als hätte ich es einfach nicht in mir. Aber ich habe dir versprochen, dass ich kommen werde. Also will ich sehen, ob es möglich ist, auch wenn es unmöglich erscheint. Jesse sagt, er würde mir helfen, aber ich bin mir nicht sicher, was er tun kann.«

»Jesse kann es. Jesse kann alles. Also, hier ist der Plan. Die Versammlung ist in der letzten Stunde. Also werdet ihr um kurz vor zwei Uhr dort sein. Ihr müsst zum Büro gehen und einen Besucherausweis holen. Und dann geht ihr einfach in die Aula. Als Erstes kommt dieses wirklich dumme kleine Theaterstück. Weißt du, nicht alle Kinder können ein Talent vorführen, also mussten sie für alle eine Rolle finden. Dann, nach dem Theaterstück, spielt ein Junge, er heißt Fred, Trompete und dann singt Becky ein Lied und dann bin ich dran. Ich bin das große Finale, was ein gutes Zeichen ist, glaube ich. Das Beste für den Schluss aufheben und so weiter. Und dann ist die Schule aus, und ich kann mit euch heimgehen. Ich weiß, dass du dabei sein wirst, Billy. Ich weiß es einfach.«

»Danke für dein Vertrauen. Wirst du heute Nacht schlafen können?«

»Ich hoffe es. Jesse hat gesagt, er würde mir eine Meditation zum Entspannen beibringen. Wirst du schlafen können?«

»Ich bezweifle es«, sagte Billy.

Und selbstverständlich schlief er nicht.

•••

Am Montagmittag kam Jesse zu Billy, der bereits geduscht hatte, fertig angezogen war und bereit loszugehen. Zu früh.

»Hol dir etwas Wasser, um diese hier zu nehmen«, sagte Jesse.

Er ließ etwa zwölf Tabletten aus seiner Handfläche in Billys fallen. Billy starrte die Tabletten an, als würden sie sich selbst vorstellen.

»Keine Chemikalien«, erklärte Jesse. »Pflanzliche Heilmittel. Aber ziemlich starke. Baldrianwurzel und Kava Kava, in großen Dosierungen. Sie sollten einen beruhigenden Effekt haben. Könnten dich etwas benommen machen.«

Billy stieß ein kurzes Lachen aus, es schmerzte in seinen Rippen.

»Alles klar. In der Öffentlichkeit, in einer Schule, entspannt genug, um einzuschlafen. Das möchte ich einmal erleben.«

»Es kann nicht schaden, wenn du sie nimmst.«

»Stimmt. Danke.«

»Geh in einer halben Stunde zu Rayleen, sie möchte etwas Make-up auf deine blauen Augen und die Schwellungen auftragen. Damit du dich vorzeigbarer fühlen kannst.«

»Also, es ist zwar ein netter Gedanke, aber ich glaube kaum, dass wir denselben Hautton haben.«

»Sie war gestern extra in der Drogerie, um eine Abdeckcreme und eine Grundierung zu holen, die zu deinem Ton passen.«

»Oh. Tut mir wirklich leid, dass ich gerade diesen unhöflichen Kommentar gemacht habe.«

»Das braucht es nicht. Verschwende keine Energie für irgendetwas, das nicht vor dir liegt.«

»Guter Rat«, sagte Billy und fühlte sich noch ernüchterter, wenn er an den Schrecken dieses Tages dachte.

Er stellte sich an die Spüle und schluckte alle zwölf Tabletten.

•••

Billy saß an Rayleens Küchentisch und war verlegen und unsicher, wo er hinsehen sollte, als Rayleen das Make-up vorsichtig auf seine Nase und um seine Augen herum auftrug. Hier und da zuckte er zusammen, woraufhin sie sich entschuldigte. Und wieder und wieder sagte er ihr, dass sie aufhören solle sich zu entschuldigen.

»Wo ist Jesse?«, fragte er.

»Er hilft Mrs Hinman die Treppe herunter. Danach bringt er das Auto.«

»Mrs Hinman kommt auch mit? Aber sie kann nicht … Moment, Auto? Jesse hat ein Auto?«

»Natürlich. Was hast du gedacht, wie wir zu seiner Mutter gekommen sind?«

»Aber er kam mit dem Flugzeug hierher.«

»Und dann hat er einen billigen Gebrauchtwagen gekauft, um herumfahren zu können, während er hier ist.«

Billy wollte fragen, was Jesse mit dem Wagen tun würde, wenn er nach Hause flog. Aber er wollte das Thema von Jesse, der nach Hause flog, gar nicht erst anschneiden. Nicht vor Rayleen und auch nicht vor sich selbst.

»Fertig«, sagte Rayleen. »Nicht schlecht, wenn ich das mal so sagen darf. Hier. Schau dich im Spiegel an.«

Billy nahm den Spiegel und betrachtete zum zweiten Mal innerhalb von drei Tagen sein Gesicht. Mit den Schwellungen hatte sie gute Arbeit geleistet. Sie schienen alle verschwunden zu sein. Natürlich konnte sie die Schwellung seiner Nase oder die geplatzte Blutader in seinem Auge nicht in Ordnung bringen. Es war schwierig, sich auf etwas anderes zu konzentrieren, aber er versuchte es. Er versuchte, nur sein restliches Gesicht anzusehen.

»Ich sehe viel weniger verprügelt aus«, sagte er. »Immer noch älter.«

»Wir werden alle nicht jünger.«

»Aber du bist nur einen Tag nach dem anderen älter geworden. Ich habe in einer Sitzung gleich zwölf Jahre dazubekommen.«

•••

Jesse hielt ihm die Eingangstür der Schule auf. Billy betrat den winzigen Flur, seine Sicht verdunkelt von Jesses geliehener Sonnenbrille. Er spürte, wie sich Jesses Schulter rechts an seine Schulter presste und Felipes Schulter von der linken Seite. Sie hatten ihn untergehakt, als würden sie ihn halten. Das war der Transport des Verletzten. In Jesses freier Hand sah Billy eine einzelne, langstielige rote Rose. Billy nahm an, dass sie für Grace bestimmt war, aber er hatte nicht gefragt. Er schaute über seine Schulter, um sicherzustellen, dass Rayleen und Mrs Hinman immer noch hinter ihnen waren. Rayleen zeigte in Richtung des Büros.

»Alles ist so winzig«, flüsterte Billy Jesse zu.

»Erschreckt dich das?«

»Sehr. Ich fühle mich klaustrophobisch. Als wäre ich in einem Puppenhaus. Es erinnert mich an meine Schulzeit. Und ich hatte wirklich gedacht, ich könnte das vergessen.«

»Atmest du richtig?«

»Nicht richtig, nein.«

»Ich würde es aber empfehlen.«

Rayleen hielt die Tür zu dem Büro auf, und sie gingen hinein. Eine junge schwarze Frau mit sehr kurzen Haaren blickte von ihrem Schreibtisch hoch.

»Wir sind hier, um die Tanzvorführung von Grace Ferguson zu sehen.«

Die Frau sah einen Moment lang verdutzt aus. Sie schaute sie genau an, wobei ihr Blick bei Billy innezuhalten schien, den sie besonders aufmerksam musterte. Oder bildete er sich das nur ein? Nein, das glaubte er nicht.

»Sie alle fünf?«

»Ja, wir alle fünf«, sagte Jesse ohne Zögern.

»Und Sie sind …«

»Ihre Nachbarn.«

»Ah, ich verstehe. Sie wissen, dass ihre Mutter bereits hier ist, mit einer Freundin der Familie.«

»Gut«, sagte Jesse.

Billy bewunderte Jesses Fähigkeit, nur die aktuelle Frage zu beantworten und nicht auf die unterschwellige Botschaft einzugehen.

»Also, okay dann«, sagte die Frau und öffnete eine Schublade, während sie Billy einen weiteren verstohlenen Blick zuwarf. »Nochmal fünf Besucherausweise. Ich glaube, das ist ein neuer Rekord.«

»Sie ist ein besonders beliebtes Mädchen«, sagte Jesse.

•••

Billy mühte sich mit der Klammer an seinem Besucherausweis ab und nahm das als Vorwand, nicht die Schließfächer, Wasserspender und Türen zu den Klassenräumen ansehen zu müssen. Als er aufsah, entdeckte er das Schild für die Aula, und sein Herz tat einen Sprung.

»Hab ich mir das nur eingebildet?«, fragte er, »oder hat mich die Frau im Büro komisch angeguckt?«

»O nein«, sagte Rayleen. »Das hast du dir nicht eingebildet. Ich glaube, es war die Sonnenbrille. Und die Tatsache, dass du nervös aussiehst. Aber das ist jetzt egal.«

Sie blieben vor der Aula stehen und Billy konnte den Krawall von hunderten von Grundschülern dort drinnen hören. Jesse nahm Billys Hand und legte etwas in seine geöffnete Handfläche.

»Ohrstöpsel«, sagte Jesse. »Dort drinnen wird es laut sein.«

»Es ist schon hier draußen laut.«

»Ich zeige dir, wie du sie in die Ohren tust.«

Jesse zog sanft an der Außenseite von Billys Ohren, eins nach dem anderen, und drückte die zusammengepressten Schaumzylinder vorsichtig an ihre Stelle.

»Sie dehnen sich noch aus«, sagte er. »Du wirst zwar immer noch hören können, aber alles wird gedämpft sein.«

Dann öffnete er die Tür zur Aula und das Geräusch der Kinderstimmen traf Billy wie eine harte Wand aus Lärm. Er konnte sich nicht vorstellen, wie es ungedämpft klingen mochte. Aber die Ohrstöpsel erzeugten ein Gefühl der Distanz, und es schien fast so, als träumte er die Geräusche nur. Vielleicht waren es auch die Heilkräuter, die ihn ein wenig schläfrig machten. Also entschied er sich für die Vorstellung, dass er die Aula mit den Grundschülern nur träumte.

Sie saßen in einem mit einem Seil abgesperrten Bereich in den ersten beiden Reihen im Mittelteil der Aula. Billy schaute kurz um sich und fand sich plötzlich Auge in Auge mit Grace'

Mutter wieder. Sie saß fünf oder sechs Plätze von ihm entfernt in der Reihe vor ihnen, und zwar neben Yolanda. Sie funkelte Billy böse an und sah dann demonstrativ weg.

»Eileen erdolcht mich mit ihren Blicken«, flüsterte er Rayleen und Jesse zu und fragte sich, ob er wegen der Ohrstöpsel unbewusst zu laut redete.

»Oh«, sagte Rayleen«, »ich nehme an, das war zu erwarten.«

Einen Moment lang war es still – sofern man das Getöse von dreihundert lärmenden Kindern im Hintergrund als still bezeichnen konnte.

Dann fragte Rayleen: »Habe ich schon einmal erwähnt, dass das der Name meiner Mutter war? Eileen?«

Genau gleichzeitig antworteten Jesse mit »Ja« und Billy mit »Nein«.

»Ich meinte eigentlich Billy. Und der Name meines Vaters war Ray. Ray und Eileen.«

»Oh«, sagte Billy.

»Also …«

»Also … oh! Ich verstehe, Ray und Eileen, Rayleen.«

Ein Erwachsener kam auf die Bühne und bat um Ruhe, damit die Show beginnen konnte. Und erstaunlicherweise brachte das die Kinder tatsächlich zum Schweigen, zwar nicht augenblicklich, aber innerhalb einiger Sekunden. Danach wurde Billys Traum leiser.

•••

»Wie lang geht die ganze Sache?«, flüsterte Billy in Jesses Ohr. »Dauert dieser Teil mit dem Theaterstück selbst eine ganze Stunde?«

»Die ganze Veranstaltung dauert fünfzig Minuten. Da ist der Tanz von Grace mit drin.«

»Meine Güte, es sind schon über fünfzig Minuten um, oder?«

Jesse schaute auf seine Uhr.

»Neun Minuten sind um«, flüsterte er.

»Ach du lieber Gott.«

Einen Augenblick später schaute Billy an sich herunter und sah Jesses Hand über – aber nicht auf – seinem nervösen Magen. Billy atmete tief ein und erhielt all die Heilung, die er aufnehmen konnte.

•••

Als Grace die Bühne betrat und alle applaudierten, nahm Billy die Ohrstöpsel aus seinen Ohren und legte Jesses Sonnenbrille ab, denn er wollte keinen Augenblick versäumen – oder akustisch eindämmen.

Grace trug das blaue Kleid, das Mrs Hinman für sie gemacht hatte und dazu eine schwarze Strumpfhose. Billy hatte nicht mal gewusst, dass Grace eine schwarze Strumpfhose besaß und nahm an, dass jemand sie ihr für diesen Anlass gekauft hatte.

Er lehnte sich über Felipe und tippte Mrs Hinman auf die Schulter.

»Ich habe Ihnen gesagt, dass sie es lieben wird«, sagte er, und Mrs Hinmans Gesicht leuchtete freudig auf.

Grace nahm eine Position am hinteren Ende der Bühne ein, und die Welt stand still.

»Mein Gott, sieht sie schön aus«, hauchte Billy.

Rayleen hatte Blumen in Grace' Haare geflochten, und Grace' Charisma schien aus ihr herauszuleuchten. Ob sie nervös war oder nicht geschlafen hatte, konnte man jetzt nicht erkennen.

»Sie ist ein Naturtalent«, hauchte Billy ehrfurchtsvoll. »Ich habe mich geirrt.«

Er fragte sich, wie er diesen Fehler hatte machen können. Vielleicht, weil er nie zuvor jemandem Tanzen beigebracht und nie die ersten Monate des Trainings miterlebt hatte – außer seinen eigenen. Und vielleicht hatte jeder eine ungeschickte Phase, die nur von außen erkennbar ist.

Dabei hatte sie noch nicht einmal mit dem Tanzen begonnen. Die Musik hatte noch nicht angefangen. Das machte nichts. Er hatte sie hunderte Male diesen Tanz tanzen sehen. Jetzt sah er ihr zu, wie sie die Bühne einnahm – und das Publikum.

»Sie ist ein Naturtalent«, wiederholte er.

Die Musik begann, das Lied, das Billy ausgewählt hatte. Grace hielt ihren Kopf ein wenig geneigt, als höre sie zu. Und sie lächelte. Und tanzte.

Und sie war großartig.

Ihr Time Step war großartig. Ihre Buffalo Turns waren großartig. Ihre Arme waren großartig. Ihr Oberkörper sah entspannt aus. Sie hörte nie auf zu lächeln. Und es war ein echtes Lächeln, kein Bühnenlächeln. Selbst ihr Lächeln war ein Naturtalent.

Er zählte mit ihr die Dreifachsprünge, hielt vor Spannung seine Backenzähne fest zusammengebissen, als könne er ihre Emotionen führen. Aber weder konnte er es tatsächlich, noch brauchte sie ihn dazu.

Ihre Dreifachsprünge waren wunderbar.

Ihr Abschluss war brilliant. Straff und präzise. Sie streckte sogar die Arme weit aus, als würde sie den Beifall zu sich einladen, den sie so sehr verdiente und für den sie so hart gearbeitet hatte.

Einen Herzschlag lang war es still. Das Publikum brauchte den Bruchteil einer Sekunde, um die Tänzerin wieder einzuholen. Dann brach der Applaus los, und Billy sprang auf, um ihr zu applaudieren. Seine vier Nachbarn folgten ihm, Mrs Hinman gab sich Mühe und stützte sich auf Felipes Arm ab. Auch

Eileen und Yolanda sprangen auf. Grace machte eine tiefe Verbeugung. Der Applaus setzte sich fort und schien sogar intensiver zu werden. Andere Eltern standen nun ebenfalls auf, und Grace' Lächeln hatte sich in ein Strahlen verwandelt.

»Sie ist geboren dafür«, sagte Billy laut.

Jesse warf die rote Rose auf die Bühne.

Grace rannte zu der Rose hin, nahm sie und machte einen Knicks, während sie die Rose in ihrer Armbeuge hielt. Ein Knicks! Er hatte ihr das nie beigebracht. Er hatte ihr nie beigebracht, wie man eine langstielige Rose hält. Hatte sie diese Sachen in einem Film oder im Fernsehen gesehen? Oder kamen sie ihr einfach auf natürliche Weise?

Das Getöse setzte wieder ein, als die Kinder aus der Aula drängten, aber Billy schenkte der Geräuschkulisse keine Beachtung.

Grace sprang die Stufen von der Bühne hinunter und kam direkt auf ihn zu – und er auf sie. Billy machte sich nicht einmal die Mühe, sich umzusehen, ob Jesse oder eine andere Art moralischer Unterstützung noch in seiner Nähe war.

Sie stand vor ihm, strahlte ihn an und stellte ihm mit ihren Augen eine Frage. Na ja, nicht *eine* Frage. *Die* Frage. Und die Frage lautete nicht »Bist du stolz auf mich?«, denn das war ohnehin selbstverständlich. Die Frage lautete eher »*Wie* stolz bist du auf mich?«

Er nahm ihr Gesicht in seine Hände.

»Ich war gut«, sagte sie atemlos.

»Mein Gott, Grace. Du warst …«

Aber er hätte schneller sein sollen. Er hätte es direkt ausspucken sollen. Denn bevor er ihr es sagen konnte, verschwand ihr Gesicht aus seinen Händen. Es wurde weggezogen.

Eileen hatte Grace am Ellenbogen gepackt und sie zurückgezogen.

»Sehen Sie das?«, fragte Eileen Billy tobend und voller Wut.

Sie hielt eine hellorange Plastikscheibe hoch, wie ein kleiner Schlüsselanhänger an einer Kette. Darauf befand sich eine goldene Schrift, aber Billy konnte es nicht genau erkennen.

»Wissen Sie, was das ist?«, spie sie aus.

Billy schüttelte ratlos den Kopf.

»Es ist eine Dreißig-Tage-Marke. Das bedeutet, dass ich seit dreißig Tagen clean bin. Es bedeutet, ich habe keine Drogen mehr in meiner Wohnung und ich habe keine Drogen mehr in meinem Blutkreislauf. Und es bedeutet, dass, wenn jemand von euch in die Nähe meiner Tochter kommt – und ich meine näher als dreißig Meter –, ich die Polizei rufe und euch wegen Kidnappings verhaften lasse. Das bedeutet es.«

Plötzlich drehte sie sich auf dem Absatz um und zog Grace den Gang herunter mit sich zur Tür. Grace schaute über ihre Schulter zurück und winkte ihnen einen schwermütigen Abschiedsgruß zu. Billy winkte zurück.

»Das tut mir leid«, sagte Yolanda, und er schrak auf. »Tut mir leid. Sie hatte mir nicht gesagt, dass sie das tun würde. Ich werde versuchen, mit ihr zu reden.«

Sie ging fort, um Eileen und Grace einzuholen.

Billy wachte plötzlich aus seinem zum Albtraum gewordenen Traum auf und fand sich selbst mitten in der Öffentlichkeit, in einer Schule, in einer Tragödie. Auf der Suche nach Jesse drehte er sich um und hätte ihn fast umgerissen, da er direkt hinter ihm gestanden hatte.

»Ich muss nach Hause«, sagte Billy. »Es ist ein Notfall. Ich habe … Panik. Ich bin der Situation nicht gewachsen. Du musst mir helfen.«

Grace

»Ich wünschte, du würdest mit mir reden«, sagte Grace' Mutter.

Grace saß etwa einen Meter vom Fernseher entfernt im Schneidersitz auf dem Boden. Die Ellenbogen auf ihren Knien und das Kinn in ihre Fäuste gestützt, starrte sie einen Zeichentrickfilm an, den sie nicht besonders mochte. Aber es war egal, ob sie den Film mochte, da sie ihm ohnehin keine Beachtung schenkte.

»Willst du eine Runde Dame spielen?«, fragte ihre Mutter.

»Nein danke.«

»Du mochtest es immer, wenn wir Dame gespielt haben.«

»Ich habe keine Lust.«

»Willst du runter zum Boulevard laufen und ein Eis essen? Du kannst nicht sagen, dass du dazu keine Lust hast.«

»Doch, kann ich. Ich habe keine Lust.«

Grace' Mutter trat zwischen Grace und den Fernseher und schaltete das Gerät aus. Sie blieb stehen und sah auf Grace hinunter, die den Kopf schmerzhaft zurückbeugen musste, um das Gesicht ihrer Mutter hoch über sich sehen zu können.

»Ich habe ein bisschen Schwierigkeiten damit, dass du noch nicht einmal gesagt hast, dass du glücklich darüber bist, zu Hause zu sein«, sagte ihre Mutter. »Oder dass du wegen meinen dreißig Tagen stolz auf mich bist. Es war harte Arbeit, diese dreißig Tage zu schaffen. Und du bist so außer dir wegen ein paar Nachbarn und einer Katze, dass du es anscheinend noch nicht mal bemerkt hast. Du hast mir noch nicht einmal gesagt, dass ich etwas Gutes getan habe.«

Grace seufzte.

»Dieser Teil war gut«, sagte sie.

Ihre Mutter schlug die Hände über dem Kopf zusammen und stampfte davon.

•••

Yolanda kam am nächsten Tag nach der Arbeit vorbei und brachte Pizza mit, Pepperoni und doppelter Käse.

»Danke«, sagte Grace nur und nahm sich ein Stück.

»Wow«, sagte Yolanda zu Grace' Mutter, als Grace wieder fortgegangen war. »Ist sie so seit …«

»Nein«, antwortete Grace' Mutter. »Manchmal ist sie sogar noch schlimmer.«

»Wie wäre es mit einem Familiengespräch?«

»Ich will das nicht wieder hören«, sagte Grace' Mutter.

»Ich kann sprechen«, sagte Grace.

Grace saß mit ihrer Pizza an dem einen Ende der Couch und Yolanda an dem anderen. Grace' Mutter blieb am Küchentisch, zündete sich eine Zigarette an und schaute in die andere Richtung.

»Ich hasse es, wenn du in der Wohnung rauchst«, sagte Grace.

»Ich weiß«, erwiderte ihre Mutter. »Aber du kannst nicht immer deinen Willen durchsetzen.«

»Ich kann meinen Willen nie durchsetzen«, sagte Grace.

»Hey, hey, langsam«, warf Yolanda ein. »Sprechen, nicht zanken. Führt ein nützliches Gespräch. Eileen, Grace hat dir gerade gesagt, wie sie sich wegen etwas fühlt und du hast sie vollkommen abblitzen lassen. Willst du es nochmal versuchen?«

Grace' Mutter seufzte.

»Ich weiß, dass ich früher draußen geraucht habe. Und ich weiß, dass du das lieber mochtest. Aber jetzt habe ich das Gefühl, ich müsste dich jede Minute beobachten. Ich habe das Gefühl, dass, wenn ich dir nur kurz den Rücken zudrehe, du wegläufst, um einen der Nachbarn zu sehen.«

»Und? Wäre das so furchtbar?«

»Langsam, langsam, Grace«, sagte Yolanda. »Ein nützliches Gespräch. Wenn deine Mom verspricht, wieder draußen zu rauchen, versprichst du dann nicht wegzulaufen, während sie draußen ist?«

Grace seufzte, schniefte.

»Ja, okay.«

»Hör sie dir an«, sagte Grace' Mutter. »Sie klingt wie ein ausgewrungener Spüllappen. Wir waren mal ein tolles Team. Wir waren alles, was wir brauchten, nur ich und Grace gegen die ganze Welt. Nun läuft sie mit einer Jammermiene herum wie ein kranker Welpe, nur weil ich sie diese schrecklichen Leute nicht sehen lasse.«

»Das sind keine schrecklichen Leute«, rief Grace.

»Eileen! Foul«, bellte Yolanda sie an. »Noch einmal.«

»Okay. In Ordnung. Weil ich sie ihre Freunde nicht sehen lasse. Sie war immer glücklich mit mir. Ohne all diese anderen Leute. Und schau sie dir jetzt an. Sie sieht aus, als hätte sie gerade ihren besten Freund verloren.«

»Ich habe meinen besten Freund verloren«, sagte Grace.

Grace' Mutter drehte ihr den Rücken zu und zog noch heftiger an ihrer Zigarette.

»Ja, sie sieht schlecht aus«, sagte Yolanda. »Dort wurde sie für eine Weile wirklich lebendig. Und jetzt sieht sie aus wie eine Pflanze, die man vergessen hat zu gießen. Jedes Mal, wenn ich sie ansehe, erwarte ich, dass ein totes Blatt von ihr abfällt. Willst du nicht, dass sie aufblüht?«

»Ich will, dass sie bei *mir* aufblüht«, sagte Grace' Mutter, während sie ihnen immer noch den Rücken zuwandte.

»Das ist selbstsüchtig.«

»Geh zum Teufel, Yolanda!«

»Oh, so ist das also. Hör mir gut zu, junge Frau. Ja. Vorher waren es nur Grace und du, wie entzückend. Aber dann hast du ein Pulver genommen. Und das war nicht Grace' Schuld. Jetzt hat sie neue Leute in ihrem Leben, und das ist eine verdammt gute Sache, denn ohne sie wäre sie entweder tot oder im System. Du würdest sie mindestens ein Jahr lang nicht zurückbekommen. Sie ist hier, weil ein paar Leute deine Aufgabe übernommen haben. Du kannst das nicht rückgängig machen. Sie hat sich mit ihnen angefreundet, und du kannst sie ihr nicht wegnehmen, egal wie sehr du es auch versuchst.«

»Dann sieh mir zu«, sagte Grace' Mutter und drückte ihre Zigarette auf einem Teller aus, der vom Abendessen übriggeblieben war.

»Okay, lass es mich anders formulieren. Du kannst sie aus Grace' Leben nehmen, obwohl es beschissen und völlig unfair ist. Und ich werde dich nicht daran hindern können. Aber du kannst sie Grace nicht wegnehmen.«

»Sie wird darüber wegkommen«, sagte Grace' Mutter leise. Es klang fast, als würde sie ein wenig weinen, aber Grace konnte es nicht mit Sicherheit sagen.

»Na, mal sehen«, sagte Yolanda. »Grace? Wirst du jemals darüber wegkommen?«

»Nein.«

»Sie sagt, sie wird niemals darüber wegkommen, Eileen.«

»Das sagen die Leute immer. Aber dann kommen sie doch darüber hinweg.«

»Du brichst deiner Tochter das Herz. Ich rate dir wirklich, über einen Kompromiss nachzudenken.«

»Ich will keine Kompromisse.«

»Niemand will das«, sagte Yolanda. Sie nahm sich ein weiteres Stück Pizza und ging in Richtung Tür. »Ruf mich an, wenn du mich brauchst, Grace.«

»Sie braucht dich nicht«, brüllte Grace' Mutter. »Sie braucht nur mich!«

Yolanda neigte ihren Kopf ein wenig zur Seite und zog ihre Augenbraue hoch.

»Ruf mich an, wenn du mich brauchst, Grace«, wiederholte sie.

»Okay«, sagte Grace.

Yolanda ging, und nachdem Grace sich drei weitere Pizzastücke geschnappt hatte, schloss sie sich in ihrem Zimmer ein.

•••

Als Grace am Morgen aufwachte, war der Himmel noch kaum hell. Sie blieb einen Moment still unter ihrer Decke liegen und betrachtete den schmalen Lichtspalt, der durch den Vorhang über ihrem Bett drang. In ihren Gedanken spielte sie den Tanz vom Montag wieder durch, genau bis zu der Stelle, als ihre Mutter sie am Ellenbogen gepackt und weggezogen hatte.

Grace warf die Decke von sich, sprang aus dem Bett und ging barfuß auf den Zehenspitzen zur Schlafzimmertür ihrer Mutter. Kaum atmend spähte sie ins Zimmer, ihre Mutter wachte nicht auf.

Sie trippelte zu dem gelben Notizblock, der neben dem Telefon lag, und riss langsam und leise ein Blatt ab. Mit ihrer besten Blockschrift schrieb sie eine Nachricht.

DU HAST MIR NIE GESAGT, WIE ICH WAR. DU HATTEST ANGEFANGEN ES ZU SAGEN. ERIN-

NERST DU DICH DARAN, WAS DU SAGEN WOLLTEST?
DEINE GRACE

Leise schloss sie die Wohnungstür auf und blieb kurz stehen, um sicher zu sein, dass sich im Zimmer ihrer Mutter nichts regte, dann sprang sie die Treppen zu Billys Wohnung hoch, wo sie die Nachricht zusammenfaltete und unter der Tür durchschob.

»Hi Billy, hi Kätzchen«, flüsterte sie durch die Tür. »Ich hab euch lieb.«

Dann rannte sie zurück in die Wohnung und sprang ins Bett, bevor ihre Mutter aufwachte.

•••

Als Grace am nächsten Morgen aufstand, war ihre Mutter bereits in der Küche und machte Haferbrei, was enttäuschend war. Nicht der Haferbrei war enttäuschend – denn Grace mochte Haferbrei –, aber die Tatsache, dass sie keine Zeit hatte, sich fortzustehlen. Schließlich hatte sie nur versprochen, nicht wegzulaufen, wenn ihre Mutter draußen beim Rauchen war. Sie hatte kein Wort von sechs Uhr morgens gesagt.

Grace setzte sich mit einem Stirnrunzeln an den Küchentisch, und ihre Mutter drückte schnell eine Zigarette aus.

»Ich dachte, du wolltest nur noch draußen rauchen.«

»Du hast geschlafen, also fand ich, es ist in Ordnung. Ich dachte, das gilt nur, wenn du in der Nähe bist.«

»Jetzt bin ich in der Nähe, und es stinkt hier drinnen, und ich hasse es.«

Grace' Mutter seufzte.

»Gut. Morgen rauche ich meine Morgenzigarette draußen.«

»Danke.«

Grace wusste, dass ihre Mutter sich jetzt besonders bemühte. Sie kochte drei Mal am Tag, saugte den Teppich und holte sie ganz pünktlich von der Schule ab. Und Grace wusste auch, warum das so war. Sie versuchte, jede einzelne dieser mütterlichen Dinge richtig zu machen, um diese eine wirklich wichtige Sache auszugleichen, die sie ihr immer noch vorenthielt.

»Ich will heute nicht zur Schule gehen«, sagte Grace. »Ich fühle mich krank.«

»Was hast du?«

»Ich habe Bauchweh.«

Grace' Mutter legte eine warme Hand auf Grace' Stirn.

»Du hast kein Fieber.«

»Das habe ich auch nicht gesagt. Ich habe gesagt, dass ich Bauchweh habe. Kannst du heute einkaufen gehen und mir Kamillentee mitbringen?«

»Ja, okay. Ich mach mich nach dem Frühstück auf.«

»Gut, ich gehe zurück ins Bett.«

Grace lag im Bett und hörte, wie ihre Mutter das Geschirr vom Frühstück wusch, das niemand gegessen hatte. Kurz darauf hörte sie, wie die Wohnungstür geöffnet wurde.

»Ich bin in etwa zehn Minuten wieder zurück, Grace.«

Würde ihre Mom wirklich zur Tür hinausgehen, ohne ihr das Versprechen abzunehmen, dass sie in der Wohnung bliebe? Und falls es so war, war es eine Falle? Würde ihre wütende Mom ihr auflauern, sobald Grace den Kopf aus der Wohnungstür streckte?

Grace hörte, wie die Tür zugeschlagen und von außen abgeschlossen wurde. Kaum atmend hielt sie still, dann schlich sie sich aus dem Bett und ans Fenster, wo sie ihre Mutter die Straße entlang verschwinden sah.

Grace rannte an die Tür, riss sie auf und stürzte die Treppen hoch zu Billy.

Fast hätte sie angeklopft. Einen atemlosen, aufgeregten Moment lang hätte sie fast an seine Tür geklopft, aber dann hatte sie sich daran erinnert, dass ihre Mutter gesagt hatte, dass sie ihn verhaften lassen würde. Dann würde er bestimmt sterben. Selbst wenn sich Jesse und Rayleen etwas einfallen lassen könnten, um ihn einen Tag später aus dem Gefängnis zu holen – es war Billy, und Billy würde trotzdem sterben.

Sie fuhr mit ihrem Finger vorsichtig an der Unterseite der Tür entlang und fühlte die Ecke eines Briefumschlags. Sie drückte darauf und zog, und der Briefumschlag glitt heraus vor ihre Füße. Sie nahm ihn, rannte zurück in ihre Wohnung und verschloss die Tür wieder.

Sie legte sich ins Bett, und ihre Finger zitterten ein wenig, als sie den Briefumschlag öffnete.

Ja, ich erinnere mich. Du warst das Glanzvollste, was ich je gesehen habe. Das war es, was ich dir sagen wollte. Dass du das Glanzvollste warst, was ich je gesehen habe.

Dein Billy

Als Grace' Mutter nach Hause kam, hörte Grace sie in der Küche herumwerkeln und Wasser für den Kamillentee kochen.

Einen Augenblick später stand ihre Mutter im Türrahmen zu Grace' Zimmer und lächelte traurig.

»Es tut mir leid, wenn dich diese ganze Sache so mitnimmt, dass du Bauchschmerzen bekommst«, sagte sie. »Also … ich habe gedacht … dass vielleicht ein kleiner Kompromiss angebracht wäre.«

»Was für einer?«, fragte Grace hoffnungsvoll.

»Egal, es soll eine Überraschung sein. Du wirst schon sehen.«

Billy

Das Hämmern an seiner Tür verursachte Billy fast einen Herzinfarkt. Instinktiv sah er an sich herunter. Er lag immer noch im Bett und trug seinen schäbigsten Pyjama. Er fuhr sich mit der Hand durch seine Haare, die er seit Tagen nicht gekämmt hatte.

»Wer ist da?«

»Eileen Ferguson.«

Sie schien nicht glücklicher zu sein als zuvor. Der Klang ihrer Stimme fühlte sich in Billys schmerzendem Magen wie Nägel und Eis an.

»Was wollen Sie?«

»Ich bin gekommen, um Grace' Katze abzuholen.«

Billy blieb einen Moment wie gefroren liegen, bevor er aufstand und zur Tür ging. Drei Mal atmete er tief ein, bevor er öffnete.

Sie sah erschrocken aus, als sie ihn erblickte und machte tatsächlich einen Schritt zurück. Er merkte, dass er furchterregend aussehen musste, mit seinen Schwellungen um die Augen, die sich gelb verfärbten – und ohne jedes Make-up, um die Wahrheit zu verdecken. Aber darüber konnte er sich jetzt keine Gedanken machen.

»Sie wollen die Katze abholen?«

»Es ist Grace' Katze.«

»Nun. Ja. Aber sie hat sich an einen gewissen Lebensstandard gewöhnt. Werden Sie sich um sie kümmern?«

»Grace wird sich um die Katze kümmern.«

»Aber Grace hat keine Ahnung, wie. Sie hat die Katze noch nie gefüttert.«

»Sie wird es herausbekommen.«

Billy nahm einen großen, tiefen Atemzug, dachte an Jesse und fragte sich, wie er mit einer Situation wie dieser umgehen würde.

»Ich bin für die Katze verantwortlich«, sagte Billy monoton. »Ich kann Ihnen die Katze nicht einfach so übergeben. Dazu gehört noch etwas mehr. Sie braucht ihr Katzenklo und ihr Katzenstreu und die kleinen Schaufeln, mit denen man das Katzenklo sauber macht. Und sie braucht ihr Futter und ihre Wasserschale und ihr Feuchtfutter, ihr Trockenfutter und die Bürste. Und bevor ich Grace angewiesen habe, wie sie richtig für die Katze sorgt, verlässt die Katze diese Wohnung nur über meine Leiche.«

Billys Herz klopfte, während er auf ihre Antwort wartete. Er fühlte sich so schwach, als müsste er sich hinsetzen. Ihm fehlte die Kraft für eine Konfrontation.

»Ich sage Ihnen was«, sagte Eileen und strich ihr Haar wütend zurück. »Sie geben mir die Katze. Ich bringe sie runter zu Grace …«

»Warum ist Grace nicht in der Schule?«

»Das geht Sie nichts an. Ich gebe Grace die Katze. Und Sie stellen all das andere Zeug in den Hausflur. Und ich komme und hol es ab … in etwa einer Stunde. Das gibt Ihnen Zeit, Grace eine Nachricht zu schreiben, über das Füttern und so weiter.«

Billy blinzelte zu oft und zu schnell.

Es war ihm nie in den Sinn gekommen, dass er die Katze vielleicht aufgeben müsste.

Er rief sie mit dem besonderen »Psst«-Geräusch, mit dem er ihr sonst ankündigte, dass das Feuchtfutter serviert war, und sie kam angerannt. Er nahm sie hoch, drehte sie in seinen Armen auf den Rücken und vergrub sein Gesicht im weichen Fell ihres Bauchs.

»Mach's gut, Kätzchen«, flüsterte er. »Pass auf dich auf.«

Er übergab sie an Eileen, aber die Katze geriet in Panik und sprang hinunter. Er nahm sie wieder hoch und versuchte es noch einmal, aber sie weigerte sich, von Grace' Mutter gehalten zu werden.

»Sie mag Sie nicht«, sagte Billy.

»Das ist Schwachsinn.«

»Sie spürt wahrscheinlich Ihre Wut. Es macht ihr Angst.«

»Geben Sie sie mir einfach. Ich halte sie diesmal fester.«

»Nein«, sagte Billy. »Bringen Sie Grace.«

»Ich werde nicht ...«

»Sie können hier stehen und uns überwachen, wenn Sie wollen. Aber ich gebe die Katze entweder Grace oder sie verlässt diese Wohnung nicht.«

Billy sah ihr direkt in die Augen. Sie erwiderte seinen Blick so wütend, als würde sie abwägen, ob Faustschläge eine angemessene Antwort seien oder nicht. Dann drehte sie sich um und stampfte die Treppe hinunter.

Eine Minute später kam sie mit Grace an ihrer Seite die Treppe wieder hoch. Billys Herz sank, als er Grace sah. Sie machte einen furchtbaren Eindruck. Niedergeschlagen und geradezu krank. Sie musste wirklich krank sein, sonst wäre sie nicht zu Hause geblieben anstatt in die Schule zu gehen.

Sie tapste barfuß an seine Tür und sah ihn mit einem offenen, weichen Gesichtsausdruck an.

»Bitte, Mom«, sagte Grace und ihre Stimme brach Billy das Herz, »ich mache mir Sorgen, dass Billy ohne die Katze zu einsam sein wird. Bitte?«

»Nimm einfach die Katze«, sagte ihre Mutter. »Du beschwerst dich immer, dass ich dich deine Katze nicht halten lasse und dich deine Freunde nicht sehen lasse. Nimm jetzt die verdammte Katze.«

Billy beugte sich hinunter und legte die Katze Grace in die Arme.

»Nimm sie«, sagte er. »Es ist okay.«

»Tut mir leid«, flüsterte sie. »Bist du sicher, dass du ohne die Katze nicht zu einsam sein wirst?«

»Es ist in Ordnung.«

Dann griff Grace' Mutter sie am Ellenbogen und zog sie durch den Hausflur mit sich.

Billy schloss die Tür und sammelte alles auf, das zu Mr Lafferty, der weiblichen Katze gehörte. Mit Notizzetteln, die er an jeden Gegenstand klebte, kennzeichnete er, wann und wie der Gegenstand benutzt werden sollte. Dann stellte er alles vor seine Tür in den Hausflur. Einem nachträglichen Einfall folgend, zog er den Sperrholz-Tanzboden heraus und schob ihn in einem scharfen Winkel durch die Tür.

Dann legte er sich wieder ins Bett und hörte, wie die Gegenstände abgeholt und weggetragen wurden.

Es war einsam ohne die Katze.

•••

Zwölf einsame Tage später kündigte Rayleen an, dass Jesse bald nach Hause fliegen werde.

»Er wird gleich vorbeikommen, um selbst mit dir zu reden«, sagte sie und ließ sich auf seiner Couch nieder. Seitdem die Katze ausgezogen war, hatte sie begonnen, lange Besuche bei Billy zu machen. »Aber ich wollte erst alleine mit dir reden.«

Billy seufzte, wartete und ließ die Information einsickern. Es kam nicht unerwartet. Das war das Beste, was er darüber sagen konnte. Und er wusste, dass es für Rayleen noch viel schlimmer sein musste, da sie schließlich Jesses Freundin war.

»Na ja«, sagte Billy und bemühte sich, behutsam zu sein, »es ist schließlich nicht so, als hätten wir nicht gewusst, dass es passieren würde, früher oder später. Lässt er dir das Auto da?«

Eine lange Stille trat ein, die eine wichtige unterschwellige Botschaft zu haben schien, aber Billy konnte die Botschaft nicht verstehen. Schließlich handelte es sich bei dem Auto nur um eine alte Blechkiste.

»Ich gehe mit ihm«, sagte Rayleen.

Nun musste Billy sich setzen.

»Wir haben eine ganze Weile darüber geredet«, sagte Rayleen. »Aber ich wusste nicht, ob ich es über mich bringen konnte, Grace zu verlassen. Aber jetzt können wir Grace ohnehin nicht sehen … Und schau, ich fühle mich wirklich schlecht, auch dich zu verlassen. Es ist nicht so, dass ich nicht verstehen würde, dass sich das auch für dich wahrscheinlich wie ein Verlassenwerden anfühlt. Aber …«

»Aber ich bin ein erwachsener Mann«, ergänzte Billy. »Es gelingt mir vielleicht nicht immer gut, mich so zu verhalten, aber ich bin erwachsen. Und es wäre Irrsinn, wenn du nur für mich hierbleiben würdest. Völliger Irrsinn.«

»Danke«, sagte Rayleen. Ich weiß es wirklich zu schätzen, dass du es so aufnimmst. Es ist nur, dass … ich denke einfach immer, dass dies vielleicht der letzte Zug zum Glück ist. Und ich steige besser ein.«

»Mach das«, sagte Billy.

»Tut mir leid.«

»Das braucht es nicht«, sagte Billy. »Geh und werde glücklich. Steig einfach in diesen verdammten Zug ein.«

•••

Später an diesem einsamen Tag kam Jesse selbst herüber, um sich von Billy zu verabschieden. Er hielt eine Lebensmitteltüte in der Hand.

»Ich hab dir drei Geschenke mitgebracht«, sagte er mit dieser Stimme, deren Existenz Billy so selbstverständlich geworden war. »Na ja, zweieinhalb. Es sind keine neuen Sachen, sondern gebrauchte Geschenke, weil ich kaum noch Ersparnisse übrig habe. Ich muss wieder nach Hause und zurück an die Arbeit.«

Er gab Billy die Tüte.

In der Tüte befand sich der teilweise verbrannte Salbei und ein roter Pyjama aus Seide. Sofort realisierte Billy, dass es sich um Jesses eigenen Pyjama handeln musste.

»Das ist aber keine Einladung, vierundzwanzig Stunden täglich im Pyjama zu verbringen«, sagte Jesse.

»Ich versuche, es nicht so zu sehen. Ist der Salbei das halbe Geschenk?«

Dann würde noch ein ganzes Geschenk fehlen, aber es wäre undankbar, das auszusprechen.

»Oh. Das Auto«, sagte Jesse. »Wir lassen das Auto hier. Ich wollte es dir überlassen, aber wir haben darüber geredet und entschieden, dass es dir vor allem eine Last wäre. Du müsstest zur Zulassungsstelle und es auf deinen Namen umschreiben lassen, deinen Führerschein erneuern lassen und die Versicherung bezahlen. Also habe ich es Felipe übergeben, mit der Abmachung, dass es wirklich euch allen dreien gehört. Dir und Felipe und Mrs Hinman. Also ist das wohl ein Drittel eines Geschenks. Felipe hat versprochen, euch beide mindestens einmal die Woche zum Supermarkt zu fahren.«

»Das wird Mrs Hinman gefallen.«

»Das haben wir auch gedacht«, sagte Jesse. »Ich glaube, das Gehen fällt ihr schwer.«

»Das stimmt.«

»Wir dachten, dass es auch für dich gut ist. Der Lieferservice ist sicher nicht billig.«

»Er kostet fast so viel wie die Lebensmittel selbst«, sagte Billy.

»Eine kleine Erinnerung an uns.«

Dann trat Jesse vor und umarmte Billy. Und es schmerzte Billy so sehr, dass er seine Umarmung fast nicht erwidern konnte. Die Schmerzen rührten allerdings nicht von seinen Rippen her. Nach einem Moment schaffte er es schließlich doch, seinen Teil der Umarmung zu erfüllen.

»Ich weiß nicht, was ich ohne euch zwei tun soll.«

Er hatte versucht, es nicht zu sagen. Aber früher oder später wäre es aus ihm herausgebrochen.

»Du wirst nicht ohne uns sein«, sagte Jesse. »Wir werden nur viel weiter weg sein. Und du wirst wieder in deinen Briefkasten schauen müssen.«

»Das kann ich tun.«

•••

Drei einsame Tage später waren sie fort.

•••

In den folgenden vier einsamen Tagen waren Billy, Felipe, seine schüchterne Freundin Clara und der Gebäudeaufseher Casper damit beschäftigt, Mrs Hinman bei dem Umzug in Rayleens alte Wohnung zu helfen.

Der Umzug schien Mrs Hinman glücklich zu machen. Und seine Nachbarin so glücklich zu sehen, führte dazu, dass sich Billy etwas weniger einsam fühlte. Aber wie alles andere auch, sei es gut oder schlecht, verging auch dieses Gefühl wieder.

In den folgenden einsamen Wochen hörte Billy hier und da ihm unbekannte Stimmen im Treppenhaus. Zwei neue Paare zogen ein.

Einmal streckte er seinen Kopf durch die Tür und begrüßte eines der Paare, ein Mädchen und ein Junge spanischer Herkunft, die nicht älter als siebzehn aussahen. Aber die Kontaktaufnahme schien sie zu beunruhigen. Also gab er es auf und begnügte sich wieder mit der Einsamkeit.

•••

Zwei einsame Monate später fand Billy wieder einen hellgelben Notizzettel unter seiner Tür.

Darauf stand in Grace' sorgfältiger Blockschrift geschrieben:

MR LAFFERTY, DIE WEIBLICHE KATZE VERMISST DICH. UND ICH AUCH.
DEINE GRACE

Die Worte waren innerhalb eines Rahmens geschrieben, eine kleine Bleistiftzeichnung. Zunächst hielt Billy die Zeichnung für ein stilisiertes Herz, obwohl die oberen Bögen zu spitz waren und die Schleifen darum herum nicht zu einem Herzmotiv zu passen schienen. Später erkannte er, dass es sich um ein Paar Flügel handelte, die Schleifen waren die Federn.

Er schrieb eine Nachricht zurück.

Erinnerst du dich daran, wie du gesagt hast, dass du mich immer finden würdest? Also, vergiss das nie. Bitte.
Dein Billy

Allerdings blieb die Nachricht über einen Monat lang unter seiner Tür. Grace schien es nicht zu schaffen, sie abzuholen. Also hob er den Notizzettel schließlich auf und warf ihn weg.

•••

Drei weitere einsame Monate später kam Felipe zu ihm. Sie saßen zusammen und redeten und Felipe kündigte an, dass er mit Clara zusammenziehen würde.

»Es ist eben so, dass ihre Wohnung so viel schöner ist als meine. Größer und in einer besseren Gegend. Und wenn wir beide uns die Miete teilen, werden wir viel mehr Geld haben. Vielleicht sogar genug, um zu heiraten. Sie nimmt Unterricht im Kochen, hatte ich dir das erzählt? Sie wird Köchin. Es gibt nicht viele weibliche Köche, vor allem nicht mexikanischer Abstammung. Das ist ein großes Ding, weißt du?«

Sie verbrachten einige Zeit zusammen, und Billy machte Kaffee.

»Ich werde nicht versuchen, das Auto mitzunehmen. Ich weiß, dass es uns allen gehört. Wenn du willst, lasse ich es hier.«

»Was soll ich mit einem Auto? Ich hab nicht einmal einen gültigen Führerschein.«

»Wir werden nicht so weit weg sein. Es sind etwa fünfzehn Minuten mit dem Auto. Ich komme einmal die Woche zurück und fahre dich und Mrs Hinman zum Supermarkt. Ich lasse euch nicht im Stich.«

»Ich weiß, dass du das nicht machen würdest.«

Er schenkte Felipe eine Tasse Kaffee ein und ließ in seiner eigenen Tasse mehr als zwei Zentimeter Platz für Sahne. Er nahm jetzt mehr Sahne in den Kaffee, da er seine Lebensmittel nicht mehr geliefert bekommen musste. Viel mehr Sahne.

»Es ist nicht so, dass ich mich nicht schlecht fühlen würde, dich hier zu lassen«, sagte Felipe. »Das tue ich. Aber …«

»Es ist nur so, dass dies vielleicht der letzte Zug zum Glück ist. Und du willst einsteigen.«

Felipe sann einen Moment darüber nach, dann sagte er: »Das glaube ich, ja. Ich habe zwar nicht an einen Zug gedacht. Aber sowas in der Art, ja.«

»Und du solltest einsteigen«, sagte Billy. »Du solltest in den verdammten Zug einsteigen.«

•••

Einen einsamen Monat danach stieß Billy im Treppenhaus mit Grace und ihrer Mutter zusammen, als er seine Post holen wollte. Sie mussten gerade von der Schule gekommen sein.

Billy trug den roten Seidenpyjama von Jesse, seine Haare waren ungekämmt.

Grace' Augen leuchteten auf, als sie ihn sah, aber trotzdem sahen sie nicht so aus wie früher. Als sie aufgeblüht war.

»Billy!«, rief sie.

»Hör auf, mit ihm zu reden!«, befahl Grace' Mutter und führte sie am Arm die Treppe hinunter.

Billy blickte über das Treppengeländer, und Grace sah zu ihm hoch und winkte traurig, er winkte zurück.

Er schloss sich in seiner Wohnung ein, machte Kaffee und bemerkte, dass er vergessen hatte, nach der Post zu sehen, also ging er erneut hinaus.

Es war die Sache wert gewesen, denn er hatte einen Brief von Rayleen bekommen.

Unter anderem schrieb sie, dass sie jetzt ein Pflegekind hätten, das Jamal hieß. Er war erst vier, seine Mutter war an einer

Überdosis gestorben. Sie schrieb, dass Jesse seine berühmte Jesse-Magie bei ihm anwandte.

»Daran habe ich keinen Zweifel«, sagte Billy in seiner einsamen Wohnung zu sich selbst.

Und wie sie es immer taten, hatten Rayleen und Jesse einen Brief für Grace beigelegt, den Billy weitergeben sollte. Falls er sie je zu sehen bekäme.

»Na ja, ich habe sie schon gesehen«, sagte er zu sich.

Er schrieb Rayleen einen Antwortbrief.

»Liebe Rayleen«, schrieb er, »du bist ein Naturtalent. Das ist die Rolle, für die du geboren wurdest.«

•••

Vier einsame Monate später starb Mrs Hinman.

Billy hatte sie einen oder zwei Tage lang nicht gesehen, sich aber nicht darüber gewundert, denn manchmal sah er sie täglich, aber meistens weniger oft.

Felipe war vorbeigekommen, um sie zum Einkaufen zu fahren, erhielt jedoch keine Antwort, als er an die Tür klopfte. Er hebelte das Schloss an ihrem Briefkasten auf und fand die Post der letzten drei Tage.

Felipe rief Casper an, der vorbeikam und die Tür aufschloss. Weder Billy noch Felipe gingen in die Wohnung.

Einen Augenblick später kam Casper heraus und sagte, sie läge im Bett, als ob sie schliefe. Es sähe aus, als sei sie friedlich im Schlaf gestorben.

»Das ist ein Trost«, sagte Felipe.

»Ja, wir alle müssen mal gehen«, fügte Casper hinzu.

»Wenigstens hatte sie jemanden, der sich bis zum Schluss um sie gekümmert hat.«

»Ja«, sagte Casper. »Wann seid ihr euch eigentlich so nahegekommen?«

Aber Billy sprach nicht gern mit Casper, und Felipe zog es vor, die offensichtliche Antwort nicht zu geben.

Später, als Casper gegangen war, um es den zuständigen Behörden zu melden, fragte Felipe Billy, ob sie etwas tun sollten.

»Keine Freunde oder Verwandte«, sagte Billy.

»Also keine Gedenkfeier«, sagte Felipe.

»Es sei denn, wir veranstalten selbst eine.«

Also hielten sie eine Gedenkfeier ab, auch wenn sie nicht wussten, wie das genau aussehen sollte, aber die Absicht war in diesem Fall wichtiger als der Stil.

•••

Eines Morgens sah Billy aus dem Fenster, und es dämmerte ihm, dass es fast wieder Frühling war und all diese einsamen Tage, Wochen und Monate sich auf ein ganzes einsames Jahr summiert hatten.

»Was haben wir uns denn vorgestellt, Billy Boy?«, fragte er sich laut. »Dass nur dieses eine Mal die Tradition gebrochen werden würde und es kein ganzes Jahr ergibt?«

Grace

Grace hörte, wie Yolanda mit ihrem Ersatzschlüssel die Tür aufschloss. Der Schlüssel hatte ursprünglich Grace gehört, aber dann hatte Grace' Mutter angenommen, dass Grace keinen Schlüssel mehr brauchte, da sie nirgendwo mehr allein hinging.

Grace lag auf dem Bauch auf dem Sperrholz-Tanzboden, da er sauberer als der Teppich war, und machte Hausaufgaben. Die Lewis-und-Clark-Expedition und Sacajawea. Grace schrieb einen Aufsatz darüber, dass die Frau nicht genug Aufmerksamkeit in den Geschichtsbüchern bekommen hatte. Na ja, das war nichts Neues.

Yolanda kam rein und ging zu ihr.

»Geschichte?«, fragte sie.

»Ja.«

»Ich mochte Geschichte immer.«

»Ich hasse es.«

»Tanzt du jetzt gar nicht mehr?«

»Nicht so viel, nein. Mir ist es langweilig geworden, denselben Tanz immer wieder zu wiederholen. Ich habe meine Mom gefragt, ob ich Tanzunterricht bekommen kann, aber sie hat gesagt, wir könnten es uns nicht leisten. Bist du hier, um mit uns zu dem Meeting zu gehen? Für ihr einjähriges Jubiläum? Du bist ziemlich früh. Es fängt erst in zwei Stunden oder so an.«

Yolanda hockte sich hin und legte eine Hand auf Grace' Rücken.

»Wir müssen zuerst ihren fünften Schritt machen.«

»Welcher ist das?«

»Grace. Nach all den Meetings, zu denen du gehst, kann ich kaum glauben, dass du die Schritte nicht kennst.«

»Niemand hat gesagt, dass ich zuhören muss.«

»Der vierte Schritt ist derjenige, den alle hassen …«

»Oh, klar. Die Inventur. Wo man all seine Charakterfehler aufschreiben muss. Ah, jetzt weiß ich's. Dann ist der fünfte Schritt derjenige, wo du sie alle deinem Sponsor oder jemand anderem mitteilen musst.«

»Und das ist eine Sache, auf die ich als Sponsorin absolut bestehe. Jeder, den ich betreue, muss innerhalb des ersten Jahres den vierten Schritt abschließen.

»Das erklärt vieles«, sagte Grace. »Wie gut, dass sie es nicht bis zum letzten Moment aufgeschoben hat.«

»Na, du kennst ja deine Mom.«

»Ich kann euch hören!«, rief Grace' Mutter aus dem Schlafzimmer.

Yolanda verdrehte die Augen.

»Bleib hier, komm nicht ins Schlafzimmer. *Mucho* Privatspäre ist nötig.«

Grace senkte die Stimme zu einem Flüstern.

»Wirst du ihr sagen, dass es ein Charakterfehler ist, mich nicht meine Freunde sehen zu lassen?«

»Ich kann ihr wirklich nicht viel sagen«, flüsterte Yolanda zurück. »Sie muss mir von selbst ein paar Sachen erzählen. Aber wenn es zur Sprache kommt, werde ich mich nicht scheuen, ihr meine Meinung mitzuteilen.«

•••

Als sie aus dem Schlafzimmer kamen, war es nach halb acht. Sie hätten schon früher gehen sollen, um einen guten Platz für das Jubiläumsmeeting zu bekommen. Grace' Mutter war etwas zu ruhig und schaute fast nur auf den Teppich, also nahm Grace an, dass es dort drinnen zur Sache gegangen sein musste.

Yolanda stieß Grace' Mutter zweimal mit dem Ellenbogen an, erhielt aber keine Reaktion, also sagte sie: »Grace. Deine Mom will dir etwas sagen.«

Grace setzte sich im Schneidersitz auf ihren alten Tanzboden und zog die Katze zu sich.

Grace erwartete von ihrer Mutter, dass sie sich zu ihr setzen würde, aber sie blieb einfach an der Arbeitsplatte in der Küche stehen und fuhr mit dem Finger über die Kante, an der Stelle, wo eine Kachel fehlte.

»Sollte ich nicht warten und alles zusammen wiedergutmachen, wenn wir am neunten Schritt ankommen?«

»Eileen«, sagte Yolanda. »Deine Tochter befindet sich hier direkt vor dir. Leiste die verdammte Wiedergutmachung.«

Grace' Mutter seufzte dramatisch.

»Okay. In Ordnung. Als ich mit Yolanda die Schritte gemacht habe, ist zur Sprache gekommen, dass es irgendwie gemein und selbstsüchtig war, dich diesen Leuten wegzunehmen.«

»Du kannst ihre Namen sagen, Mom. Du musst sie nicht immer ›diese Leute‹ nennen.«

»Was macht es für einen Unterschied, Grace?«

Yolanda warf ihr einen strengen Sponsor-Blick zu.

»Okay. In Ordnung. Dich Billy und Rayleen und den anderen wegzunehmen.«

Grace wartete, aber es klang nicht so, als käme noch mehr.

»Und?«

»Und … ich weiß, dass es für dich sehr schwer war und dich schwermütig und traurig gemacht hat.«

»Also …«

»Also sage ich dir, dass es mir leid tut.«

»Aber du änderst deine Meinung nicht.«

»Ich sage dir, dass es mir leid tut.«

»Nein. Es tut dir nicht leid. Wenn es dir leid täte, würdest du es nicht mehr machen.«

»Mein Gott«, sagte Grace' Mutter und drehte sich Unterstützung suchend nach Yolanda um. »Siehst du, was ich mir hier gefallen lassen muss?«

»Beschwere dich nicht bei mir«, sagte Yolanda. »Ich bin auf Grace' Seite. Entschuldigen bedeutet gar nichts. Nicht, wenn du nicht vorhast, die Sachen, für die die du dich entschuldigst, auch zu ändern. Etwas gutmachen bedeutet mehr als nur ein Wort sagen. Jeder kann ein lächerliches Wort sagen.«

Grace' Mutter presste ihre Augenlider zusammen, wie sie es immer tat, wenn sie bis zehn zählte, um nicht die Beherrschung zu verlieren. Sie öffnete ihre Augen wieder und sagte: »Es ist nie genug, oder? Was immer ich auch tue, es wird niemals genug sein.«

»Na ja, so ist das mit der Genesung«, sagte Yolanda und klang nicht besonders mitfühlend. »Wir gehen jetzt lieber zu diesem Meeting. Bist du nur nervös, weil es dein Jahr ist? Viele Leute werden nervös, wenn sie ihr Jahr schaffen.«

»Vielleicht«, sagte Grace' Mutter. »Ich fühle mich seit kurzer Zeit etwas komisch.«

Grace hoffte, dass sie auf dem Weg zu dem Meeting weitersprechen würden, aber das Thema kam nicht mehr auf.

•••

Grace machte sich zu dem Kaffee- und Büchertisch am hinteren Ende des Raums auf, um zu sehen, ob es diese Woche Cookies gab. Und als sie sich ihren Weg durch all die Leute bahnte, stieß sie direkt gegen den großen Reifen eines Rollstuhls.

»Mein Gott«, sagte sie, »Curtis Schoenfeld.«

»Hey Grace«, sagte er und klang, als wünschte er sich, nicht mit ihr reden zu müssen.

»Wo bist du gewesen? Ich bin mit meiner Mom seit einem Jahr oder so wieder zu Meetings gegangen und habe dich nicht einmal gesehen. Bist du weggezogen?«

»Nein«, sagte er und bewegte sich mit seinem Rollstuhl von ihr weg, »wir sind nicht umgezogen.«

Sie dachte daran, mit ihm zu gehen und sich etwas mehr mit ihm zu unterhalten, aber er schien nicht reden zu wollen. Und außerdem, erinnerte sie sich, war er ein riesiger Blödmann und schien noch immer genauso blöd zu sein wie beim letzten Mal, als sie ihn gesehen hatte. Also schnappte sie sich nur drei Erdnussbutter-Cookies, setzte sich und wartete darauf, dass das Meeting endlich anfinge. Es war keine sehr lange Wartezeit, weil sie ein bisschen zu spät angekommen waren.

Sie entschloss sich, dieses Mal besser zuzuhören, wenn es um die Schritte ging, aber dann döste sie doch ein und wurde erst wach, als der Redner bei Schritt vier war.

»Vier. Wir machten eine gründliche und furchtlose Inventur in unserem Inneren.«

Der Mann, der die Punkte vorlas, hatte eine tiefe, sanfte Stimme, die sie ein wenig an Jesse erinnerte. Sie vermisste Jesse.

»Fünf. Wir gaben Gott, uns selbst und einem anderen Menschen gegenüber unverhüllt unsere Fehler zu.«

Zumindest hat sie es eingestanden, dachte Grace.

»Sechs. Wir waren völlig bereit, all diese Charakterfehler von Gott beseitigen zu lassen.«

Also war sie vielleicht noch nicht völlig bereit, und vielleicht war das auch okay, weil sie bisher erst bei Schritt fünf war.

»Sieben. Demütig baten wir Ihn, unsere Mängel von uns zu nehmen.«

In Verbindung mit Wörtern wie »demütig« dachte Grace normalerweise nicht an ihre Mutter. Andererseits hatte ihre Mutter ziemlich demütig ausgesehen, als sie mit Yolanda aus dem Schlafzimmer gekommen war.

Vielleicht brauchte sie einfach Zeit, um durch mehrere dieser Schritte zu gehen. Es klang so, als sei das Eingestehen eines Defekts nicht dasselbe wie diesen Defekt entfernt zu bekommen. Das kam erst ganze zwei Stufen weiter.

Bei vier Stufen in einem Jahr wären das …

Aber etwas unterbrach ihre Gedanken. Das Vorlesen der Stufen und der Traditionen war vorüber, und der Gruppenleiter fragte, ob Anwesende innerhalb der ersten dreißig Tage ihrer Genesung seien, damit er ihnen die Willkommensmarke geben könne. Und Grace hätte nie gedacht, wer sich meldete: Curtis Schoenfelds Eltern! Alle beide! Deshalb hatte sie ihn das ganze Jahr lang nicht gesehen!

Grace sah sich nach Curtis um und sah sofort, wo er saß, aber er schaute sie nicht an. Armer Curtis. Grace hoffte, dass seine Eltern es dieses Mal schaffen würden und er nicht dasselbe erleben musste, das sie mit ihrer Mom erlebt hatte. Es gab keinen Blödmann auf der ganzen Welt, dem Grace das wünschen würde.

Die erste Frau, die ihre Geschichte erzählte, war eine Jubiläumsperson, wie Grace' Mutter. An diesem Abend hatten zwei Leute Jubiläum, diese Frau mit elf Jahren und dann ihre Mutter mit einem Jahr. Also wusste Grace, dass ihre Mutter als Nächste drankam.

Aus irgendeinem Grund, obwohl sie bei den Meetings sonst nicht sehr gut aufpasste, hörte Grace der Elf-Jahre-Frau zu. Vielleicht, weil sie über positive Sachen sprach, über verschiedene Wege, die Dinge zu betrachten, und nicht immer wieder über die Drogen redete, die sie genommen hatte. Oder vielleicht auch, weil Grace sah, dass ihre Mutter zuhörte und das, was sie hörte, sie irgendwie … demütig erscheinen ließ.

Die Dinge akzeptieren. Darum ging es in der Rede. Sie handelte davon, wie verrückt es ist vorzutäuschen, dass etwas nicht so ist, wie es ist, oder zu denken, man könnte etwas anders tun, nur weil man es nicht mag. Und wie dies der Grund dafür ist, dass Süchtige Drogen nehmen und ihr Leben und das anderer ziemlich ruinieren. Es ging darum, dass Leute sich weigern, die Dinge so anzunehmen, wie sie sind, wenn man sie sowieso nicht ändern kann.

Dann kam ihre Mutter an die Reihe, aber sie schien nicht viel zu sagen zu haben. Sie sagte, dass ihr Name Eileen ist und sie süchtig gewesen sei, aber dann stolperte sie immer wieder über ihre eigenen Worte. Schließlich meinte sie, dass sie eigentlich nichts sagen könnte, weil sie nichts wüsste. Sie sagte, dass sie früher geglaubt habe, sie wüsste eine Menge, aber jetzt erst merke sie, wie falsch das gewesen sei und dass sie rein gar nichts wüsste.

Grace warf einen verstohlenen Blick zu Curtis Schoenfeld, um zu sehen, ob er lachte, weil ihre Mutter rein gar nichts wusste, aber er schien nicht einmal zuzuhören. Außerdem war ihre Mutter zumindest seit einem Jahr clean, also traute er sich wahrscheinlich nicht zu lachen.

•••

Nach dem Meeting hörte Grace deutlich, dass Yolanda zu ihrer Mutter sagte, sie hätte eine gute Rede gehalten. Sie klopfte ihrer Mutter anerkennend auf die Schulter, als sie das sagte.

»Gute Rede.«

Während alle herumstanden und sich unterhielten, quetschte sich Grace durch die Leute zu Yolanda und fragte sie: »Was war so gut daran? Sie hat doch bloß gesagt, dass sie überhaupt nichts wüsste.«

»Genau«, sagte Yolanda. »Das war der gute Teil.«

»Okay, aber das ergibt doch überhaupt keinen Sinn. Wie kann es gut sein, nichts zu wissen?«

»Es ist nicht gut. Aber wenn du nichts weißt, ist es gut, wenn du weißt, dass du nichts weißt.«

»Oh«, sagte Grace. »Ja, wahrscheinlich.«

»Denn solange du denkst, dass du alles weißt, wird sich nichts ändern.«

»Oh«, sagte Grace wieder.

»Du klingst müde.«

»Das bin ich auch. Es ist spät.«

»Okay, ich sammle deine Mom ein und fahre euch zwei nach Hause.«

Auf dem Weg zur Tür lief Grace wieder direkt in Curtis hinein. Ganz buchstäblich, denn sie stieß ihr Schienbein an seinem Rollstuhl.

»Au«, sagte sie. »Ich hoffe, dass deine Mom und dein Dad diesmal dabeibleiben.«

»Ernsthaft?«, fragte er und sah sie immer noch nicht an.

»Natürlich ernsthaft. Ich habe es gehasst, wenn meine Mom Drogen genommen hat. Ich würde das niemandem wünschen. Noch nicht einmal dir.«

Als sie zum Auto gingen, sagte Yolanda zu Grace: »Ich dachte, du hasst Curtis.«

»Das tue ich. Er ist ein riesiger Blödmann.«

»Du warst aber ziemlich nett zu dem riesigen Blödmann.«

»Ja schon. Es bringt nichts, *auch* ein riesiger Blödmann zu sein.«

Billy

Es war an einem Morgen Ende Juni, als Billy ein leises Klopfen an seiner Tür hörte.

Eigentlich klopfte niemand mehr an Billys Tür. Kein Mensch. Sein Wunsch war ihm erfüllt worden. Felipe kam immer noch einmal wöchentlich, um mit ihm zum Supermarkt zu fahren, aber zu einer abgemachten Uhrzeit, sodass Billy immer im Hausflur auf ihn wartete. Und seit Ewigkeiten waren keine Lieferungen mehr für Billy gekommen.

»Wer ist da?«, rief er und versuchte, nicht nervös zu klingen, was ihm jedoch nicht gelang.

So ein leises Klopfen. Daraus sprach eine Art Verzagtheit oder sogar eine Art Demut. Hätte Billy geraten, dann hätte er gedacht, dass das unheimliche, unglaublich junge Paar von oben etwas brauchte.

»Eileen Ferguson.«

»Oh«, sagte Billy und spürte tief in seinem Inneren, wie sehr er sich dagegen sträubte, gerade für sie die Tür zu öffnen. »Was wollen Sie von mir?«

»Ich hatte gehofft, ich könnte hereinkommen, damit wir uns unterhalten.«

Ihre Stimme klang leblos und schwermütig, und plötzlich traf Billy der Gedanke, dass Grace etwas passiert sein könnte.

Er riss die Tür auf.

»Was ist passiert? Wo ist Grace? Ist alles in Ordnung mit ihr?«

»Ihr geht es gut. Sie ist in der Wohnung.«

»Oh«, sagte Billy. Sein Herz hämmerte immer noch. »Okay. Sie wollen hereinkommen. Okay. Kommen Sie herein. Soll ich einen Kaffee kochen?«

»Oh, das wäre toll. Ich könnte einen Kaffee brauchen. Es ist fast Monatsende, und ich habe keinen Kaffee mehr.«

Sie setzte sich auf die Couch, während Billy in der Küche Kaffee machte. In seinem Kopf spielte er Dutzende verschiedener Möglichkeiten durch, wie er sie fragen könnte, warum sie hier war, aber er schaffte es nicht, auch nur eine einzige auszuprobieren.

»Schwarz mit Zucker, stimmt's?«

»Woher wissen Sie das?«

»Lange Geschichte.«

Er konnte sich nicht entscheiden, ob er in der Küche bleiben und der Kaffeemaschine zusehen oder sich ins Wohnzimmer zu Eileen setzen sollte. Diese Frage lähmte ihn so sehr, dass er sich schließlich aufraffte und zu ihr ins Wohnzimmer ging.

»Wie geht es Grace?«

»Mittelmäßig«, sagte sie. »Nach wie vor ein bisschen schwermütig.«

»Tanzt sie noch?«

»Nein. Sie sagt, sie hat genug davon, denselben Tanz immer und immer zu wiederholen. Sie hat mich gefragt, ob sie Tanzstunden bekommen kann, aber ich habe Nein gesagt. Weil wir wirklich nicht das Geld dafür haben. Aber die ganze Zeit habe ich daran gedacht, dass sie umsonst Tanzstunden bekommen könnte, wenn ich sie ließe. Da fühlte ich mich wie ein richtiges Miststück.«

Bei diesem letzten Wort stiegen Eileen Tränen in die Augen, obwohl sie offensichtlich versuchte, sie zurückzuhalten. Billy brachte ihr eine Packung Taschentücher. Er hatte sie schon fast ein Jahr. Eine Packung Taschentücher wurde nicht mehr so schnell verbraucht wie vorher. Niemand kam mehr zu Billy und weinte.

•••

»Ich weiß nicht, wie viel Sie über die Zwölf-Schritte-Programme wissen«, sagte sie.

»Gar nichts. Wirklich.«

»Man muss bei den Leuten, denen man wehgetan hat, Wiedergutmachungen leisten.«

»Oh. Ich glaube, dass Sie bei Grace eine Wiedergutmachung leisten sollten, nicht bei mir.«

»Ich habe das bereits getan. Aber warum? Es hat Ihnen doch nicht weh getan, als ich Grace zu mir genommen habe?«

»O doch. Das hat es. Ziemlich heftig sogar. Es tut immer noch weh.«

»Warum haben Sie dann von Grace gesprochen, und nicht von Ihnen selbst?«

»Oh«, sagte Billy. »Ich weiß nicht. Gute Frage. Ich glaube, weil ich mich mehr um Grace sorge als um mich.«

Billys Bemerkung brachte ihre Unterhaltung für einen Moment zum Erliegen.

Schließlich stand er auf und sagte: »Ich hole uns den Kaffee, und dann können Sie das tun, weswegen Sie hierher gekommen sind.«

Als er ihr die Tasse reichte, bemerkte er, dass ihre Hände zitterten. Eileen musste es selbst bemerkt haben.

Er saß ihr gegenüber, und eine qualvolle lange Zeit passierte überhaupt nichts. Billy saß stocksteif da und konzentrierte sich seltsamerweise auf den Winkel, in dem das Licht durch seine dünnen Gardinen schien. Er sah, wie die winzigen Staubpartikel in dem Licht direkt vor seiner Nase tanzten.

»Es war zum größten Teil die Beschämung«, erklärte Eileen plötzlich.

Billy traute sich nicht, etwas zu sagen.

»Kennen Sie das Gefühl, das man hat, wenn man ein Betrüger ist, und die Welt wird es herausfinden und dann werden alle über einen urteilen?«

»Ja«, sagte Billy, »das kenne ich.«

»So habe ich mich gefühlt, als ihr mir Grace weggenommen habt.«

»Oh«, sagte Billy. »Ich kann verstehen, dass das schwer gewesen sein muss. Ich würde gern sagen, dass wir das nicht wollten, aber das wäre wahrscheinlich nicht die volle Wahrheit. Ich glaube, jeder wusste, dass es für Sie schrecklich sein müsste. Aber wir hatten gehofft, dass der Schmerz Sie inspirieren werde, sich wieder wie Grace' Mutter zu verhalten.«

»Sie meinen, Sie haben wirklich versucht, Sie zu mir zurückzubringen?«

»Aber sicher. Es war vor allem Grace' Idee.«

»Sehen Sie, das habe ich nie geglaubt«, sagte Eileen, und jetzt wurde ihre Stimme lauter und emotionaler.

»Ich weiß. Aber es ist die Wahrheit.«

»Warum wollte Grace, dass Sie und die anderen sagten, ich könnte sie nicht mehr sehen?«

»Weil sie dachte, dass Sie es aufrütteln würde, wenn Sie das verlieren könnten, was Ihnen am wichtigsten auf der Welt ist. Sie dachte, es könnte Sie motivieren. Sie wollte, dass es Ihnen wieder besser geht. Hat Rayleen Ihnen das nicht gesagt?«

»Ich bin nicht sicher. Vielleicht. Wahrscheinlich schon. Ist das wirklich wahr? Wenn sie es gesagt hat, und vielleicht hat sie das, hatte ich es wahrscheinlich nicht gehört. Zu der Zeit. Ich hätte wahrscheinlich nur gedacht: »Wenn ich Grace verliere, werde ich mich schlechter fühlen, nicht besser. Also ist das dumm.«

Wieder trat eine Stille ein. Die Staubpartikel wirbelten im Kreis.

»Ich fühle mich immer noch beschämt ... Ihnen gegenüber«, sagte sie.

Billy lachte laut los.

»Mir gegenüber? Niemand fühlt sich mir gegenüber beschämt. Warum sollten Sie es sein?«

»Weil ich eine furchtbare Mutter war und Sie das gesehen haben. Und ich weiß, dass Sie mich dafür verurteilen.«

»Eileen, ich verurteile Sie nicht. Ich habe gar nicht das Recht, andere zu verurteilen. Ich habe sozusagen nicht diesen ... Status. Ich habe Agoraphobie, gepaart mit einer Angststörung und einer starken Tendenz zu Panikattacken. Ich habe zwölf Jahre meines Lebens damit zugebracht, mich zu weigern, auch nur auf meine Terrasse zu gehen, oder ins Treppenhaus, um meine Post zu holen. Niemand ist so weit unten, dass er denken kann, ich würde auf ihn heruntersehen. Es gibt einfach keinen Platz unter mir.«

Wieder trat eine schmerzhaft lange Stille ein, in der Eileen ihren süßen Kaffee trank.

»Okay«, sagte sie und stand plötzlich auf. »Ich bin froh, dass wir diese kleine Unterhaltung hatten. Es tat gut.«

Sie ging zur Tür, also eilte Billy ebenfalls dorthin und schloss sie für sie auf. Dann ging sie raus, einfach so. Keine weiteren Gedanken. Kein formaler Abschied. Und, wie Billy bemerkte, auch keine Wiedergutmachung. Er wusste nicht viel über Zwölf-Punkte-Programme und wie sie Wiedergutmachungen behandelten, aber er verstand genug Englisch, um die Definition dieses Wortes zu kennen.

Üblicherweise gehörte dazu, sich zu entschuldigen. Das oder etwas noch Besseres, um so die Dinge wieder in Ordnung zu bringen.

•••

Etwa zwei oder drei Minuten später hörte er es. Ein Geräusch. Eine sehr vertraute, jedoch alte und Freude schenkende Erinnerung.

Es war Grace. Sie schrie vor Freude. Billy hatte keine Ahnung, worüber sie sich so freute, aber es füllte auch seine Brust fast bis zum Platzen mit Fröhlichkeit. Er hatte durch den Fußboden hindurch lange nichts von Grace gehört. Über ein Jahr lang schien Grace vergessen zu haben, dass Grace zu sein von Natur aus bedeutete, laut zu sein.

Er hörte, wie die Tür der Souterrainwohnung aufgerissen wurde und ein spitzer Schrei ertönte, der laut genug war, um das ganze Gebäude auszufüllen.

»Billy! Billy, öffne die Tür!«

Er rannte zur Tür und riss sie gerade zur rechten Zeit auf. Grace schoss auf ihn zu und landete geradewegs in seinen Armen, sodass er ein lautes »Uff« ausstieß und sie beide fast rückwärts in seinen Wohnungsflur fielen.

Sie sprang von ihm herunter und blickte erwartungsvoll in sein Gesicht. Ihre Augen waren voller Leben, genau so, wie er sich an sie erinnerte.

»Wo können wir tanzen?«, rief sie schrill, und nie zuvor hatte sich die Lautstärke in Billys Ohren so gut angefühlt.

Grace

»Whoa!«, rief Grace. »Wow, wow, wow!«

Sie standen auf einem Stück sandiger Erde an der Straßenseite und Grace hielt sich mit einer Hand an der Autotür fest, um das Gleichgewicht zu halten. Felipe schaltete den Motor und die Lichter ab und dann war es dunkel. Eine richtige Dunkelheit, wie Grace sie noch nie gesehen hatte. Ihr war zuvor gar nicht bewusst gewesen, dass sie niemals richtige Dunkelheit gesehen hatte, aber in diesem Moment wusste sie es. Sie hatte nur künstliche Stadt-Dunkelheit gekannt.

Und sie hatte nie zuvor die Sterne gesehen. Wirklich nicht.

»Das ist Wahnsinn!«, rief sie schrill.

»Au! Mein Ohr!«, sagte Billy.

»Sorry.«

Grace ließ den Blick von den Sternen zu ihrer Umgebung wandern und sah nichts. Mit ihren Augen konnte sie nichts erkennen. Keine Gebäude, keine anderen Leute, keine Straßenlichter, überhaupt nichts. Nur eine dunkle Straße, ihren Freund Billy und ihre Freunde Felipe und Clara, die mit ihnen über eine Stunde raus in die Wüste gefahren waren, die Los Angeles umgab. So lange waren sie gefahren, bis sie diese wunderschöne Dunkelheit gefunden hatten.

Grace und Billy standen zusammen in der brandneuen Dunkelheit neben dem Auto und schauten in den Himmel.

»Das ist Wahnsinn«, sagte sie wieder, dieses Mal aber leiser.

»Wie, du hast mir nicht geglaubt?«

»Ich habe dir geglaubt. Du hast gesagt, dass es da mehr Sterne geben würde, und ich habe zugehört. Aber ich wusste nicht, dass es so viele mehr sein würden. Und ich habe es mir auch nicht richtig vorgestellt. Du hast mir nicht gesagt, dass sie ganz um uns herum sein würden, wie ein Dom. Als wären wir in einer Kugel. Ich kann wirklich sehen, wie rund die Welt ist. Ich meine, ich weiß, dass sie rund ist, weil wir das gelernt haben, aber bis jetzt hatte es nie so ausgesehen.«

Billy hob Grace hoch und setzte sie auf die Motorhaube. Grace lehnte sich zurück gegen die kühle Windschutzscheibe und fragte sich, weshalb die Wüste nachts so kalt wird, wenn sie doch dafür bekannt ist, tagsüber so heiß zu sein.

Billy setzte sich neben sie, und sie schauten gemeinsam hoch. Grace streckte ihre Arme aus und formte mit ihren Händen einen Ring, wie die Linse einer Kamera. Sie versuchte, die Sterne in diesem winzigen Ausschnitt des Himmels zu zählen. Aber selbst die Sterne, die sie durch ihre Hand-Linse sah, schienen unendlich viele zu sein. Also legte sie ihre Hände wieder in den Schoß, atmete tief ein, seufzte und ließ diese verblüffende Unendlichkeit auf sich wirken.

»Was ist das?«, fragte sie nach einer Weile und zeigte mit dem Finger auf ein ganz winziges Licht am Himmel, das sich bewegte. Es war kein Flugzeug. Es war etwas viel, viel weiter Entferntes. »Ist das ein Raumschiff?«

»Das bezweifle ich. Wo denn?«

»Genau da.«

»Ich sehe nichts.«

»Genau da, wo ich hinzeige. Es ist aber wirklich winzig.«

»Deine Augen sind wahrscheinlich besser als meine.«

»Sieht so aus, als sei es eine Milliarde Kilometer entfernt. Aber es bewegt sich.«

»Schnell?«

»Nein. Irgendwie langsam.«

»Vielleicht ein Satellit.«

»Vielleicht. Aber schweben die nicht um die Erde? In der Nähe der Erde?«

»Ja, das kann man durchaus sagen, was die Entfernung betrifft.«

»Also wenn das ein Satellit ist und Satelliten sich in dem Umlaufbahn-Dings der Erde bewegen … wow. Da fragt man sich, was es noch weiter da draußen gibt. Weißt du, wenn wir es sehen könnten.«

»Jetzt kannst du sehen, was dein Lehrer dir erklären wollte.«

»Bring in meinem Kopf nicht alles durcheinander, Billy. Ich hatte gerade alles zusammengesetzt.«

Sie blieben lange nebeneinander liegen und schauten schweigend die Sterne an. Nach einer Weile wollte Grace über ihre Schulter zu Felipe und Clara hinsehen, die immer noch auf den Vordersitzen im Auto saßen. Aber sie wartete lieber, weil sie dachte, dass es peinlich sein könnte.

Leicht stieß sie mit dem Ellenbogen in Billys Seite.

»Hey. Knutschen die zwei dahinten rum?«

Billy sah über seine Schulter.

»Nein, sie schauen sich nur tief in die Augen.«

Felipes Stimme kam durch die Scheibe. »Wir können euch von hier aus hören, wisst ihr das?«

»*Lo siento*, Felipe«, sagte Grace. »*Lo siento*, Clara.«

»*Esta bien*«, rief Clara zurück.

Sie betrachteten die Sterne noch eine Weile.

»Du scheinst ziemlich entspannt zu sein«, sagte Grace zu Billy.

»*Ziemlich* entspannt für meine Verhältnisse. Ich werde natürlich noch entspannter sein, wenn wir zu Hause sind. Vergiss nicht, dass ich jede Woche zum Supermarkt gehe. Seit über einem Jahr.«

»Ist das der erste Ort außer dem Supermarkt, wo du gewesen bist?«

»Nein, ich war auch beim Zahnarzt.«

»Du bist zum Zahnarzt gegangen? Wann?«

»Nicht sehr lange, nachdem … ziemlich früh in diesem Jahr, als ich dich nicht mehr gesehen habe.«

»Igitt. Zahnarzt!«

»Ich hatte keine Wahl.«

»Wie fühlt es sich an, so weit von zu Hause weg zu sein?«

Billy brauchte eine ganze Weile, um zu antworten, und Grace fragte sich schon, ob er vielleicht überhaupt keine Antwort geben würde.

Schließlich sagte er: »Erinnerst du dich daran, als wir von meiner Terrasse aus die Sterne beobachtet haben? Ich habe gerade eben gedacht, dass diese Sterne da … dieselben Sterne sind.«

»Nie im Leben! Hier sind so viel mehr!«

»Nein. Es ist die gleiche Anzahl. Wir sehen nur mehr.«

»Ach so. Stimmt. Also sind das dieselben Sterne. Das beantwortet aber nicht meine Frage.«

»Ich wollte deine Frage noch beantworten. Ich hatte nur gerade gedacht, wenn ich unter denselben Sternen bin, dann kann ich nicht allzu weit von zu Hause entfernt sein. Von einer größeren Perspektive aus betrachtet, meine ich.«

»Hey. Das ist gut!«, sagte Grace. Nach einem Moment fügte sie hinzu: »Du willst aber trotzdem noch so schnell wie möglich wieder nach Hause, oder?«

»Ich möchte es mehr, als du dir vorstellen kannst.«

»Wie fühlst du dich? Ich meine, nicht weil du weit von zu Hause entfernt bist, sondern weil du all diese Sterne siehst. Wie fühlst du dich dadurch?«

»Hmm«, sagte er. »Ich fühle mich, als sei die Welt wieder groß. Nein. Nicht *wieder*. Ich fühle mich, als hätte ich nur gedacht, dass sie klein geworden ist, als ich drinnen war, aber jetzt sehe ich, dass sie die ganze Zeit groß war und dort draußen nur gewartet hat. Darauf gewartet hat, dass ich zurückkomme. Wie fühlst du dich?«

»Irgendwie aufgeregt. Aber ich weiß nicht, warum.«

»Und ich fühle mich nicht gerade signifikant.«

»Was?«

»Unbedeutend.«

»Du bist für mich bedeutend.«

»Danke. Können wir jetzt nach Hause? Mir geht allmählich der Mut aus.«

Grace stieß einen theatralischen Seufzer aus.

»Okay. Ich nehme an, das ist alles, was ich von dir zu diesem Zeitpunkt erwarten kann, was?«

»Ich weiß nicht, warum du es mit mir aushältst.«

»Es ist auch nicht einfach«, sagte sie, sprang von der Motorhaube und wünschte in ihren Gedanken den Sternen eine gute Nacht. Die Sterne würden auch später immer noch da sein, selbst wenn sie sie von zu Hause aus nicht sehen konnte.

16507305R10262

Made in the USA
San Bernardino, CA
07 November 2014